LE CAHIER INDIEN

Marie Pierre de Cossé Brissac [illegible] à Paris. Elle est licenciée d'histoire et agrégée de philosophie. Elle a successivement enseigné [illegible] à Alger, et à Paris [illegible] en lettres supérieures (hypokhâgne) aux lycées Molière et Camille Sée. Elle avait auparavant été un an [illegible] BBC.

Elle est ensuite entrée à l'UNESCO comme directeur de la division de philosophie, puis comme directeur de la division des droits de l'homme. Elle y est restée dix ans.

Elle a par la suite été chargée de mission au ministère de l'Éducation nationale, puis a été nommée à la tête de la sous-direction des sciences sociales, humaines et de l'archéologie au ministère des Affaires étrangères. À ce titre, elle a eu la tutelle de vingt-deux instituts de recherche dont celui de Pondichéry, et de cent soixante-douze chantiers de fouilles à l'étranger.

Elle a fait onze fois en voyage en Asie : Inde du Nord et du Sud, Népal, Pakistan, Thaïlande, Malaisie, Java, Bornéo, Japon.

Le Cahier indien est son premier roman.

LE CAHIER INDIEN

Marie-Pierre de Cossé Brissac a fait toutes ses études à Paris. Elle est licenciée d'histoire et agrégée de philosophie. Elle a successivement enseigné cette discipline à Amiens et à Paris, notamment trois ans en lettres supérieures (hypokhâgne) aux lycées Molière et Camille Sée. Elle avait auparavant été un an traductrice de la BBC.
Elle est ensuite entrée à l'UNESCO comme directeur de la division de philosophie, puis comme directeur de la division des droits de l'homme. Elle y est restée six ans.
Elle a par la suite été chargée de mission au ministère de l'Éducation nationale, puis a été nommée à la tête de la sous-direction des sciences sociales, humaines et de l'archéologie au ministère des Affaires étrangères. À ce titre, elle a eu la tutelle de vingt-deux instituts de recherche dont celui de Pondichéry, et de cent soixante-douze chantiers de fouilles à l'étranger.
Elle a été onze fois en mission en Asie : Inde du Nord et du Sud, Népal, Bouthan, Thaïlande, Malaisie, Java, Bornéo, Japon.
Le Cahier indien est son premier roman.

MARIE-PIERRE DE COSSÉ BRISSAC

Le Cahier indien

ROMAN

ÉDITIONS DE FALLOIS

À Christian

CHAPITRE 1

PARIS

Le 30 décembre 1966

Clarisse sortit de l'immeuble de la rue Balzac et regarda alentour. Entre Noël et le 1er janvier, dans le quartier, il n'y avait jamais de monde dans les rues. Le lycée Racine où elle enseignait était fermé, les élèves partis en vacances. Elle passa devant la librairie de livres rares qui occupait l'angle de la maison. L'illustre magasin se lançait dans la promotion. « Pour 1967, choisissez un cadeau original, donnez des poèmes ! » s'exclamait une banderole. Fallait-il que ses affaires aillent mal pour tenter d'appâter ainsi le chaland.

La maison avait aussi consacré une de ses devantures à des volumes brochés du dix-neuvième siècle qui pouvaient plaire sans être trop coûteux. Clarisse remarqua une édition du *Corsaire* de Byron, dans la « petite collection Guillaume », publié chez Dentu en 1892. Elle avait admiré chez ses parents, autrefois, d'autres textes du même éditeur, séduite par leur format, leurs gravures et leur typographie. Pourquoi ne pas en offrir un à Stéphane, son mari, pour le réveillon qu'ils allaient passer en tête à tête ? Bien que la perspective de cette fête effrayât Clarisse chaque année davantage, qu'elle souhaitât tomber gravement malade ce jour-là pour supprimer le repas, elle se sentait tenue par la peur, la passivité, l'habitude, de respecter le rituel et de faire plaisir à son compagnon.

Elle posa la main sur la poignée dorée de la porte, s'arrêta. Après dix ans de mariage, elle oubliait encore, portée par son élan, que Stéphane repoussait les littératures étrangères. Toutes. « Connaître le français d'abord ; on n'a jamais fini de l'apprendre », criait-il en serrant les poings quand leurs enfants faisaient une faute. Sans doute reproduisait-il alors l'attitude de ses grands-parents, instituteurs dans le Bourbonnais, quand leurs élèves parlaient patois. Clarisse essayait de l'excuser tout en souffrant de sa violence. Il valait mieux qu'elle trouve un objet qui flatte son instinct de collectionneur et ne le mette pas en colère. La distance ne s'était jamais tout à fait comblée entre Stéphane, provincial monté à Paris pour triompher dans la première promotion de l'École nationale d'administration en 1946, et Clarisse, née d'un père français et d'une mère russe, professeur, traductrice et polyglotte, dernière descendante d'une grande famille de linguistes.

Un aspect, parmi d'autres, de leur antagonisme.

Elle recula à regret. La vitrine lui rendit son image. « Moi, c'est moi », soupira-t-elle. C'est vrai qu'elle était jolie. Stéphane ne lui faisait jamais de compliments de peur qu'elle ne le trompe, mais elle le lisait dans les regards. Clarisse avait un front bien dégagé, sous d'épais cheveux châtains, des pommettes hautes, venues des steppes, des yeux pleins de vie, un petit nez et des lèvres qui s'entrouvraient vers autrui d'un mouvement naturel et gai. Mais le port de tête, le cou bien droit, la silhouette stricte contredisaient l'appel de la bouche au bonheur.

Elle s'examina. Bien qu'elle fût âgée de trente-cinq ans, l'âge de l'éclat pour les femmes quand elles ont été épanouies par les hommes, sa beauté s'était figée. Une grâce se dégageait de sa silhouette, sous la toque de fourrure, en cette matinée froide et ensoleillée, un peu dorée, un peu grise, dont Paris a le secret. Cette grâce avait, pourtant, quelque chose d'inhabité, d'automatique, elle ne parlait plus, elle ne s'adressait plus à personne.

Clarisse s'éloigna. Qu'eût-elle fait de son apparence ? Elle essayait en vain d'échapper à la question. Son retour de l'Inde du Sud en 1952, quinze ans auparavant, avait broyé sa jeunesse. Elle avait quitté l'homme qu'elle aimait, Mike Barclay, ses enfants dont elle était la gouvernante, le pays tamoul qui était devenu sa seconde patrie. Son mariage avec Stéphane Jardillier, le puissant secrétaire de l'Éducation nationale, la naissance de leur fille Marie et de leur fils François n'avaient jamais comblé le vide. Elle choyait ses enfants, les cajolait, les élevait de son mieux. Mais une nostalgie se dissimulait dans les recoins les plus inattendus de son existence, jamais vaincue. On se retournait encore sur elle dans la rue. Ses vêtements, sa démarche manifestaient une harmonie qui trompait tout le monde sauf elle.

Elle s'avança vers le kiosque à journaux situé au milieu de la place Paul-Guillemin, à deux pas de chez elle. De fait, elle ne voulait rien acheter. Elle tourna plusieurs fois autour de la statue de Balzac. L'écrivain était assis sur une chaise de pierre. Les dates de sa vie étaient gravées sur le socle : *1799-1850*. Elle se les répéta, bien qu'elle les connût fort bien. Balzac avait vécu cinquante et un ans. Comme c'était court ! La brièveté de la vie humaine éclatait dans ces chiffres, plus que la gloire du romancier. Même pour un grand homme. Que dire du sort d'un professeur de russe inconnu comme elle ? Si les artistes souffraient beaucoup, combien plus encore ceux qui ne pouvaient faire entendre leur voix dans notre monde. Elle mesurait, épouvantée, son impuissance devant elle-même. Des pigeons marchaient sur le sable à la recherche de gourmandises. Les pigeons, aussi, mourraient un jour, ils deviendraient des carcasses pourries ou seraient dévorés par les chats. Cela n'avait pas d'importance pour les animaux. Ils avaient bien de la chance et les gros oiseaux gris picoraient autour d'elle dans le sentiment agréable d'exister pour toujours.

Il faisait beau. Le froid pinçait. Elle serra sa redingote contre elle. De l'autre côté du terre-plein et de l'avenue de Friedland se trouvait la Chambre de commerce de Paris. Clarisse guettait les réceptions qui y étaient données des fenêtres de son appartement, les rares moments où elle se permettait de flâner. La cour du bâtiment offrait un espace grandiose aux invités qui s'y rendaient. Dans ces occasions la façade s'illuminait d'une manière féerique. Il y avait des robes, des chauffeurs, des salutations. On voyait briller à travers les vitres les boiseries du comte Potocki, l'ancien propriétaire, mort ruiné depuis longtemps. Ces fêtes abritaient des rencontres, des désirs, de la dissimulation, du plaisir aussi. Clarisse avait connu tout cela en Inde, avec son amant d'autrefois. Ils étaient séparés. Elle ne s'en remettait pas.

La Poste occupait un des angles de l'hôtel Potocki. Clarisse s'était toujours étonnée d'un tel luxe pour un bâtiment public. Le vieux comte avait-il vendu sa demeure par morceaux? Des querelles d'héritiers avaient-elles entraîné cet étrange démembrement? Toujours est-il que les PTT surplombaient cette partie de la rue Balzac comme si on allait y donner un bal.

Clarisse avait cessé de s'interroger sur cette singularité. Elle avait toujours détesté les postes, toutes les postes. Elle s'y rendait en se forçant. Elle en revenait dans un état de tristesse qu'elle avait mis longtemps à comprendre. Le courrier était parti, la belle affaire! C'est que, dans les postes, nous ne pouvons toucher ceux que nous aimons, respirer leur odeur, goûter leurs paroles, tenir avec eux de joyeuses conversations. Il faut leur écrire, peser les lettres, les couvrir de timbres, les jeter dans des trous sans rapport avec leur contenu, leur degré d'importance pour notre cœur. Derrière les guichets il y a des chariots remplis de paquets couverts d'étiquettes pareilles à des pansements. Arriveront-ils ? Quelle maladie soigne-t-on dans les postes ? C'était bien facile de répondre. On y combat sans trêve les méfaits de l'absence, cette forme personnalisée du néant.

Pourtant chaque décembre elle se rendait à cette poste-là, où Mike Barclay, son ancien patron, lui envoyait ses vœux. Chaque décembre elle surmontait son malaise, elle faisait cette démarche qui lui coûtait, qui la remuait au-delà de toute raison, pour s'emparer du signe que tout n'était pas fini, qu'elle n'avait pas inventé les jours extraordinaires qu'elle avait passés en Inde. Elle ne s'inquiétait pas. La carte serait au rendez-vous. C'était plutôt elle qui tardait à répondre. Afin de se donner un infime pouvoir, elle qui n'en avait aucun. Elle remonta la rue Balzac et entra dans l'ancien palais, la gorge serrée.

Les guichets s'étalaient devant elle, sous un plafond trop haut. Clarisse habitait à côté depuis dix ans mais elle ne connaissait pas les employés. Ils changeaient souvent, parlaient entre eux, ne s'intéressaient pas à leurs clients. Seul restait immuable le receveur, un homme aux cheveux blancs qui avait l'air d'un prophète.

Elle se dirigea vers la poste restante. C'était la même préposée que la dernière fois. Elle l'avait sûrement reconnue. Clarisse fit semblant de ne pas s'en apercevoir, ouvrit son sac, sortit sa carte d'identité et la lui tendit.

« Vous n'avez rien pour moi ? »

La femme se leva, ouvrit des tiroirs, relut son nom, fouilla dans un fichier, revint et lui rendit son document comme si Clarisse elle-même était transformée en papier plastifié.

« Non, rien.

— Vous êtes sûre ? »

L'employée leva les paupières. « Non, rien.

— C'est impossible, dit Clarisse. Regardez encore. »

La postière feuilleta à nouveau les enveloppes classées par ordre alphabétique dans des casiers. Des gens attendaient, s'impatientaient.

« Il n'y a pas de lettre pour vous, Madame. »

À combien de malheureux avait-elle répondu cette phrase ? Son travail l'excédait. D'ailleurs personne n'en voulait. Il y avait toujours des histoires. L'employée baissa la tête pour se débarrasser d'une imbécile de plus.

Clarisse s'appuya sur un des pupitres couverts de taches où l'on pouvait remplir des formulaires au moyen d'un crayon ficelé à un support.

*

Chaque Noël depuis son retour en France, elle recevait une enveloppe d'Angleterre.

À l'intérieur il y avait une image de circonstance, du houx ou un sapin avec *MERRY CHRISTMAS* ou *SEASON'S GREETINGS*, et la signature des quatre membres de la famille chez laquelle elle avait travaillé en Inde : Monica, Mike et leurs deux filles, Pénélope et Alexandra. Elle avait observé plus tard que la rutilante adresse des débuts avait fait place à une localité de la banlieue londonienne puis à une avenue moins minable. Elle avait aussi compris, par l'apparition d'un nouveau prénom, la naissance d'un garçon nommé David. Elle envoyait à son tour des paysages de neige, reproduits de Monet ou de Sisley, qui ne laissaient filtrer aucun sentiment. De toute façon, la séparation était accomplie, il n'y avait rien de plus à dire, plus rien à faire. Clarisse avait « refait » sa vie. C'était une épouse, une mère irréprochable, du moins le pensait-on. Un professeur de russe apprécié. Une traductrice dont la notoriété grandissait. Que ces perfections fussent habitées par l'ombre de ce qu'elle avait été n'intéressait personne. Elle n'avait jamais parlé à quiconque de son passé.

En janvier 1953, à Pondichéry, le malheur avait fondu sur elle à l'improviste. Depuis deux ans Clarisse était la gouvernante des enfants de Mike et de Monica Barclay. Et pour leur père bien davantage. Les soupçons de Monica, les difficultés politiques du Comptoir en lutte avec l'Inde pour garder son statut français, le cyclone de novembre 1952 où les amants avaient failli être surpris ensemble, rien n'avait jusqu'alors entamé la liaison du jeune patron et de la gouvernante française. Les obstacles la faisaient renaître comme le phénix.

Ce soir-là, pourtant, Monica avait annoncé pendant un dîner d'apparat, devant la table chargée de cristaux, que sa famille rentrerait définitivement à Londres huit jours plus tard. Le temps de faire les bagages. De toute façon, l'Inde était indépendante depuis 1947. Le Comptoir français de Pondichéry serait, comme les autres Comptoirs, abandonné à son tour. Les notables locaux prendraient les leviers. Il n'y avait plus rien à faire pour les Occidentaux, même pour un Pondichérien d'adoption comme son mari. Elle avait raconté cela gaiement, elle, l'Anglaise originaire de Madras dont la famille de militaires avait servi pendant trois générations le Raj anglais et dont les parents étaient depuis longtemps exilés, la mort dans l'âme, désespérés d'avoir quitté l'Inde impériale, dans les brouillards de la Tamise. La situation qu'on proposait à Mike était tout à fait dans ses cordes.

« Une occasion à ne pas laisser passer, n'est-ce pas, mon chéri ? »

Il avait opiné sans broncher, à la stupeur générale. Personne, dans l'assistance, n'ignorait combien Mike tenait à ses parents, à sa nourrice, à l'ambiance tamoule, aux lieux où s'était déroulée son enfance et où il avait fait fortune après la guerre. Ses affaires d'import-export allaient-elles donc si mal ?

Le matin même Clarisse s'était donnée à lui dans le cagibi aux palmes, un réduit bien caché où ils se retrouvaient au fond de la bibliothèque de ses parents. Il lui avait répondu, plein de puissance et d'ardeur, ils avaient sommeillé dans les bras l'un de l'autre. Puis ils avaient quitté la maison de son père, le docteur Michel Barclay, séparément, comme d'habitude. Il ne lui avait rien dit de ses projets. Cette lâcheté, cette dérobade. Un homme qu'elle admirait autant qu'elle l'aimait. Ce n'était pas possible. Elle s'éveillerait le lendemain dans sa chambre, aux cris des oiseaux du jardin, près de ses élèves endormies et tout serait comme avant.

« De quelle situation s'agit-il, Mike ? demanda un convive.

— De commerce, comme je l'ai toujours fait. Sur l'Asie. »

Cette information détendit l'atmosphère, ce n'était pas si grave, les conversations reprirent leur train.

C'était donc vrai.

Elle le considéra à plusieurs reprises de l'autre côté de la table. Jamais son regard ne parvint à croiser le sien.

Peut-on appeler désespoir les sentiments qui l'envahirent ? L'orpheline bas-bleu et mélancolique de Londres était devenue une jeune fille épanouie, pleine d'enthousiasme et de ferveur ; un être humain lancé sur la trajectoire d'un progrès indéfini par cet homme, de dix ans son aîné, sensuel et mystique, vigilant et réservé qui était depuis quinze mois son amant. « Tu m'as tout appris. Tu m'as soignée et chérie. Cette décision m'arrache à toi, comment ne le vois-tu pas ? comment peux-tu le supporter ? » eût-elle crié si un mot avait pu sortir de sa bouche. Mais un silence s'était formé en elle, comme au moment de la mort de sa mère. Un de ces silences plus grands que la volonté, des montagnes de silence qui s'étendent à perte de vue et qu'on ne se serait jamais senti capable de porter en soi.

Elle se tut pendant le reste du repas et monta aussitôt faire sa valise. Elle n'y plaça que ce qu'elle avait apporté en arrivant. Peu, très peu de choses en vérité. Deux jupes, deux blouses, deux paires de chaussures. Elle laissa ses toilettes dans la grande penderie qui les abritait, ses livres indiens sur son bureau. Ses mains tremblaient. Si elle l'avait pu, elle serait partie dans la nuit. Mais c'était impossible.

À l'aube, elle extorqua, après une longue discussion en tamoul, une place de dernière minute sur le vol d'Air India pour Paris. Elle avait l'impression d'avoir du sang dans la bouche quand elle raccrocha le téléphone après cette amère victoire.

Puis elle alla dire adieu chez eux au docteur Barclay et à sa femme, les parents de Mike, avant de partir prendre l'avion à Madras.

En sortant de leur salon, elle l'aperçut immobile, appuyé contre une des colonnes du perron.

Après avoir embrassé ses élèves endormies, elle avait revêtu à la hâte une de ses tuniques indiennes et natté ses cheveux comme elle le faisait quand ils pouvaient s'échapper en cachette.

Elle s'approcha de lui. Il lui parut plus grand que d'ordinaire, inaccessible tel un sommet qu'on apercevrait au loin, bien qu'il fût tout près d'elle.

Elle le supplia :

« Comment ne m'as-tu pas parlé de ce départ ? Pourquoi ne m'emmènes-tu pas avec vous à Londres ? Quel crime ai-je commis sinon de t'aimer, de chérir l'Inde et ses divinités ?

— Il le faut », avaient chuchoté ses lèvres car il était resté les yeux ailleurs, dans une distance singulière, sans un geste pour la retenir.

Le soleil était déjà si puissant qu'il dessinait les palmes sur le crépi blanc des murs.

Mike demeurait immobile contre les balustres. Clarisse ne lui avait jamais vu cette transparence de la peau qui virait au bleu lentement, comme si l'azur de ses iris gagnait peu à peu tout son visage.

Elle l'implora à nouveau :

« Donne-moi une explication, je t'en prie. Fixe-moi un rendez-vous en Angleterre. Je suis discrète, tu le sais. J'ai eu un mouvement de colère hier soir, c'est vrai. Mais nous ne pouvons nous séparer ainsi, après tout ce que nous avons vécu. »

Il inclina la tête vers elle avec un sourire qu'elle ne lui connaissait pas. Comme s'il venait d'un autre monde. Il déclara : « C'est impossible, Clarisse, nous ne pouvons plus continuer. Dis-moi une adresse à Paris où je puisse t'écrire. »

Ils en étaient là ! Tout plutôt que d'attendre des lettres qui risquaient de n'arriver jamais.

Mais elle voulait garder un lien avec lui, aussi ténu soit-il, un fil invisible qui brillerait dans une mémoire inconnue de tous. Elle l'aimait tant ! Une idée se fit jour dans son esprit affolé.

« Je ne supporterai pas de guetter du courrier. Mais puisque nous sommes le 26 décembre, fais-moi parvenir une carte de Noël à cette date, chaque année, poste restante rue Balzac. Je te répondrai si tu me donnes ton adresse. »

Pourquoi avait-elle indiqué ce bureau ? À cause du quartier qu'elle connaissait un peu ? De la statue du romancier qu'elle révérait ? Par hasard ? Elle n'imaginait pas qu'elle habiterait un jour à deux pas de là.

Il acquiesça d'un signe et se détourna.

Le docteur et Mme Barclay attendaient sur les marches, décontenancés par la résolution de leur fils unique. Ils avaient consacré leur vie à l'étude de la religion hindoue, et ne s'y retrouvaient guère dans les vicissitudes des êtres humains ordinaires. Mais ils adoraient Mike. Ils déploraient son départ. Et ils considéraient Clarisse comme leur fille et leur disciple.

Celle-ci jeta un dernier coup d'œil à la maison. Une maison pourvue d'une bibliothèque de dix mille volumes où elle s'était rendue chaque matin pendant deux ans pour seconder le docteur Barclay dans ses travaux. Une maison qui abritait le cagibi aux palmes où Mike et Clarisse s'étaient unis dans l'Absolu. Une maison illuminée par le savoir, le détachement, la compassion de leurs propriétaires.

Et maintenant ils se tenaient sur les marches, dignes et désemparés devant la scène qu'ils avaient sous les yeux.

« Prenez soin de vous, mon enfant, dit Mme Barclay à Clarisse. Je suis sûre que dans votre hâte vous n'avez rien emporté. » Elle la serra dans ses bras et lui donna un sac : « C'est mon châle beige ; je crois qu'il vous plaît. J'ai ajouté mon histoire des jésuites à Madurai, un exemplaire de la *Bhagavad Gîtâ* et une image pieuse de Krishna, ma préférée, celle où le dieu, le corps rayonnant du bleu céleste qui convient à sa divinité, joue de la flûte aux bergères dont il a dissimulé les vêtements pendant qu'elles se baignaient.

— Il ne fallait pas. »

Le docteur Barclay glissa dans le sac une grande enveloppe : « Voilà un exemplaire de notre manuscrit. Peut-être reviendrez-vous un jour travailler avec nous ? Vous savez que l'Institut d'études indiennes que nous allons créer vous attend et que vous pourrez toujours habiter ici. » Il jeta un regard sévère à son fils. « Nous ne quitterons jamais l'Inde française. Elle nous a tout donné. Comptez sur nous. »

Elle hocha la tête. Elle ne voulait pas lui faire de la peine, mais elle savait bien qu'elle ne reviendrait jamais à Pondichéry. Elle monta dans la voiture sans prendre conscience qu'elle partait, tant la maison, le jardin, les trois êtres qui n'avaient pas bougé pendant que la voiture s'éloignait, lui semblaient faire partie d'elle-même.

Deux ans et demi plus tard, le 4 novembre 1954, le Comptoir avait été rétrocédé à l'Union indienne et le drapeau français descendu à jamais.

*

« Je ne peux pas rester indéfiniment dans cette poste, se dit Clarisse, je suis ridicule. » Elle sortit. L'air froid la saisit au visage sans qu'elle y prenne garde. Elle tourna à gauche et se dirigea vers les Champs-Élysées. Il y avait un peu d'animation. C'était l'heure du déjeuner mais Clarisse n'avait pas faim. Elle marcha sans but vers l'Étoile, où la lumière mettait des précisions dont on n'aurait pas cru la pierre capable.

Rentrer chez elle lui faisait horreur. Pourtant la maison était vide. À cette heure, Stéphane déjeunait d'un yaourt au ministère à son bureau, dans la pièce d'angle, remplie de meubles d'apparat qu'il avait obtenus du Mobilier national. Les enfants avaient rejoint leur grand-mère à Moulins, elle pouvait rester seule avec ses pensées.

C'était ce qui l'effrayait le plus, justement. Elle maudissait les vacances. La routine du lycée l'eût protégée, elle eût pu continuer de mener la vie ordonnée, intéressante et austère qu'elle avait élue en acceptant d'épouser le haut fonctionnaire qu'était Stéphane. L'absence de la carte de vœux de Mike à la poste restante l'avait bouleversée. Quinze ans de séparation déjà ! Une tristesse souterraine et la présence de l'homme aimé qui s'affirmait au travers du passé, par moments, aussi brillante que l'étoile des Rois mages. C'était intolérable.

Devant elle l'avenue de la Grande-Armée partageait les quartiers chic de Neuilly jusqu'à la Seine. Elle pouvait la prendre et marcher des kilomètres jusqu'à l'hébétude. La régularité de son existence faisait dire à certains que Clarisse manquait de sensibilité. Ce n'était pas de leur faute. Comment eussent-ils pu la deviner à travers la distance qu'elle mettait entre elle et les autres depuis son retour en France ? Peu importait, d'ailleurs. Bouger, il fallait bouger. Une idée lui traversa l'esprit. L'Institut Goethe, de l'autre côté des Champs-Élysées, où elle suivait des cours d'allemand, avait certainement indiqué sur sa porte la date de la rentrée. Elle avait oublié de la noter en souhaitant bon Noël à son professeur. Elle allait vérifier.

Elle obliqua, prit l'avenue d'Iéna et commença de descendre la colline de Chaillot.

« Encore une langue ! avait grogné Stéphane quand elle lui avait annoncé qu'elle s'était inscrite à l'Institut Goethe pour apprendre l'allemand. Tu en sais déjà quatre et tu en enseignes une toute l'année scolaire ! Tu as déjà beaucoup trop à faire avec tes traductions pour l'Unesco et tes comptes rendus de livres. Pourquoi, soudain, rajouter celle-là ?

— J'en ai toujours eu envie. » Elle ne lui avait jamais avoué, heureusement, qu'elle connaissait le tamoul et pratiquait ce latin de l'Inde ancienne qu'était le sanscrit.

« Ces Slaves, avait-il soupiré, que d'égarements ! » Il critiquait souvent ses origines russes. Il aurait voulu qu'elle soit entièrement française pour être plus proche de lui.

Il haïssait ce qu'elle avait vécu sans lui et redoutait sans cesse qu'elle ne se fasse des amis. Sa jalousie était inguérissable. Clarisse avait longtemps lutté pour le rassurer, puis elle avait abandonné sur ce sujet comme sur les autres. Sauf pour l'allemand.

Quand elle parvint à l'Institut Goethe, elle vit qu'il était cadenassé. Des journaux et des imprimés traînaient par terre, derrière les portes vitrées. Une affichette indiquait que les cours reprendraient le 5 janvier. Il n'y avait donc aucun espoir pour Clarisse de se distraire dans l'Institut gris et vert qu'elle s'était prise à aimer, comme la langue qui y était enseignée.

À trois pas de là, le musée Guimet, lui, était ouvert. Clarisse s'arrêta, songeuse, devant ce temple des arts asiatiques à Paris. Elle y était allée, enfant, avec son école, mais ne se rappelait qu'un bric-à-brac sombre et confus. Elle n'avait pas eu le courage d'y remettre les pieds quand elle était rentrée de Pondichéry, bien que le docteur Michel Barclay, le père de Mike, lui eût souvent raconté l'histoire d'Émile Guimet. Elle craignait de revoir l'Inde et ses statues, et d'apercevoir entre elles la silhouette de l'homme dont elle était encore éprise. « Non, se disait-elle. Non, je ne veux pas souffrir. »

Quand elle allait à l'Institut Goethe suivre ses cours d'allemand, pourtant, elle jetait un coup d'œil au bâtiment voisin et lui chuchotait en confidence, comme à une personne : « Un jour, oui, un jour, peut-être, je te rendrai visite. » Jusque-là, l'engagement n'avait pas été tenu, les arbres de l'avenue d'Iéna avaient perdu et retrouvé leur feuillage et la promesse de Clarisse s'était dissipée dans l'air de la ville.

Cette fois, cependant, debout, place d'Iéna, elle n'arrivait pas à partir. Le front levé, elle observait les trois étages reliés par une rotonde, qui unissaient les deux ailes du musée. On eût dit une hélice géante, tombée d'un autre monde au milieu des immeubles de Paris. C'était bien, semblait-il, l'idée d'Émile Guimet. Offrir aux Occidentaux, grâce aux collections japonaises, chinoises, indiennes qu'il avait rassemblées dans ses voyages, le message des religions venues d'ailleurs. La première fois que Clarisse avait entendu cette déclaration dans la bouche du docteur Barclay elle avait eu envie de rire. Mais son interlocuteur avait manifesté une telle admiration pour cette entreprise et son fondateur qu'elle avait dissimulé son scepticisme.

Peu à peu, au cours de ses années à Pondichéry, elle avait été saisie par l'attrait de l'Orient. Et ce jour-là, précisément, où la mince carte de vœux qui la reliait à son passé indien ne lui était pas parvenue, devant le musée Guimet qui renfermait les objets précieux venus de « là-bas », elle tremblait de crainte et de désir au bord de l'Asie qui se mêlait de manière inextricable pour elle à la personne même de Mike Barclay.

Une main invisible poussa la porte. Une silhouette sortit, se recroquevilla dans le froid. Clarisse attendait toujours. Puis son bras se tendit vers l'entrée malgré elle. Souffrir plus ou moins n'avait plus d'importance. Autant aller jusqu'au bout et pénétrer dans le labyrinthe. Elle monta les marches du musée et passa le seuil à son tour.

Dès qu'elle l'eut franchi, quelque chose en elle s'allégea. Elle s'assit dans le hall circulaire et ferma les yeux. La chaleur l'engourdissait, ralentissant sa respiration, détendant ses membres, entrouvrant ses lèvres. À demi consciente, elle sentit soudain des larmes mystérieuses couler dans sa gorge, bien qu'elle n'ait jamais cru ce phénomène possible et qu'on ne vît rien de l'extérieur. Un flux délicieux de larmes. Comme si quelqu'un pleurait avec elle ou à sa place, sans se lasser ou s'impatienter, alimentant son être assoiffé depuis si longtemps. Elle n'osait pas bouger pour ne pas modifier cet état qui la traversait tout entière, et la plongeait dans l'innocence. Puis l'étrange impression cessa et Clarisse revint à elle.

Elle monta jusqu'à la bibliothèque dont le docteur Barclay lui avait souvent parlé. Du temps d'Émile Guimet, des cérémonies bouddhiques s'y étaient tenues. Des moines y officiaient devant des autels environnés de parfums. Un public s'y pressait, des personnalités auxquelles le créateur du musée voulait transmettre le message sacré de l'Orient. Y avait-il réussi ? Une atmosphère de méditation régnait dans les salles que Clarisse entrevit en passant. On aurait pu y rester des heures. Mais en dépit des conférences, des leçons, des explications, les objets rassemblés gardaient leur secret. Il était impossible de répondre positivement, disait le docteur Barclay. L'Occident ne parvient guère à comprendre l'Orient ou l'interprète tout de travers.

Clarisse fut étonnée de trouver la célèbre bibliothèque si exiguë. C'était une pièce ronde à trois étages surmontée d'une verrière circulaire en mauvais état. Les deux premiers étages étaient couverts de livres, le troisième, marqué par une balustrade, s'élevait jusqu'à la rotonde qui couronnait l'édifice. Une bibliothécaire siégeait à un petit bureau.

Elle laissa entrer Clarisse sur la présentation de sa carte de professeur. Clarisse étudia le fichier, demanda une grammaire tamoule et prit place à une table de lecture. Deux étudiants étaient plongés dans leurs textes et ne lui prêtèrent aucune attention.

Elle ouvrit le livre et éprouva un mélange de peine et de joie en retrouvant les signes qu'elle avait appris autrefois. Elle les reconnaissait tous. Elle feuilleta la grammaire au hasard. Les vagues du passé lui revenaient dans leur vigueur et elle laissa retomber sa main, sans plus lire.

L'apprentissage de la langue tamoule n'avait été qu'un aspect de ses difficultés à Pondichéry. Personne ne l'y obligeait puisqu'elle était là pour s'occuper des filles de la famille Barclay et les aider à faire des progrès en français. Mais elle avait senti que c'était le seul moyen de pénétrer dans le monde incompréhensible qui l'entourait, et elle s'y était acharnée. Elle ne s'imaginait pas, en commençant de parler avec les servantes de la maison, que ses progrès dans leur langue la mèneraient dans le bureau du docteur Barclay puis dans les bras de son fils Mike un an plus tard.

Au fond de la bibliothèque du musée Guimet, il y

avait une statue de Bouddha qui s'élevait jusqu'au deuxième étage. Clarisse reconnut sans hésiter Bouddha Amida-Nyorai, « le Sage dont l'éclat est incomparable ». C'était un modèle majestueux qui venait du Japon.

Elle avait vu la reproduction de cette statue dans un catalogue de la bibliothèque du docteur Barclay à Pondichéry, lorsqu'elle avait commencé de lui servir de secrétaire, le matin, pendant qu'Alexandra et Pénélope étaient en classe. La photographie de la statue était si impressionnante que Clarisse avait sollicité sur-le-champ des explications auprès du docteur Barclay.

« Comment Bouddha peut-il venir des îles Nippones, si loin de son pays d'origine ? » avait-elle demandé.

Il avait répondu avec sa bénévolence coutumière : « De sa naissance, au sixième siècle avant Jésus-Christ, jusqu'à nos jours, l'histoire du bouddhisme, comme celle de sa doctrine, est très compliquée. Selon certains commentateurs la nouvelle sagesse n'est que le prolongement de l'hindouisme. Pour d'autres c'est l'apparition d'une voie tout à fait originale. De quelque façon qu'on l'interprète, elle mettait en péril le pouvoir des brahmanes. L'hindouisme s'est donc vengé en expulsant le bouddhisme hors de ses frontières. Il a fallu du temps. Près de douze siècles, mais au Moyen Âge il n'y avait plus de bouddhistes en Inde. Cependant, cet enseignement devenu religion missionnaire s'était répandu dès les premiers siècles de notre ère au nord vers le Népal, le Tibet, la Chine, la Corée et le Japon, au sud à Ceylan, en Birmanie, en Thaïlande, au Siam. Voilà pourquoi cette représentation de Bouddha arrive du Japon. »

Le docteur Barclay s'était penché à son tour sur la reproduction.

« Ce Bouddha est particulièrement expressif de l'attitude intérieure que le sage veut transmettre. Il est comme ramassé au-dedans de lui-même pour nous entraîner vers le détachement qui nous libérera. Les Bouddha Amida comme celui-ci ont inspiré un mouvement très rare de dévotion mystique. Regardez les mains du nôtre, paisiblement posées sur les genoux, les pouces formant des cercles avec les index en une double boucle. C'est ce qu'on appelle le "sceau" de la concentration. Il paraît que c'est devant cette statue qu'Alexandra David-Neel s'est convertie au bouddhisme. »

Il ferma le catalogue comme à regret.

« Nous n'avons jamais fini de méditer ces splendeurs. »

Au fur et à mesure des progrès de Clarisse dans les sciences religieuses, ils étaient revenus sur les rapports du bouddhisme et de l'hindouisme.

« Je n'aime pas le bouddhisme, disait Clarisse en fronçant les sourcils. Il est triste, éthéré, morne. Chez les divinités hindoues, même si elles sont bizarres, ou carrément déplaisantes quand elles sont empilées les unes sur les autres, on sent la vie, l'amour, la destruction aussi, et la fantaisie. Elles sont près de nous avec leurs multiples bras, leurs bijoux et leurs animaux-montures, elles ne siègent pas sur un nuage de perfection inaccessible. »

Le docteur avait plusieurs fois éclaté de rire devant ses commentaires.

« Et les bouddhistes n'ont jamais inspiré des grandes épopées comme le *Mahâbhârata* ou le *Ramayana* à l'instar des dieux hindous, reprenait-elle très agitée.

« Par-dessus le marché, Bouddha ne voulait pas accepter de nonnes dans ses premiers monastères. Dans l'hindouisme, les dieux ont leur contrepartie féminine, leur shakti, elles combattent avec eux les démons. Et les femmes peuvent diriger des ashrams comme votre voisine, la Mère, qui mène celui de Sri Aurobindo et qui n'est même pas indienne.

— Vous êtes bien passionnée, avait-il observé, les

yeux mi-clos. Je me demande parfois ce qui vous inspire, Clarisse. » Il n'avait pas encore compris ou ne voulait pas encore comprendre que l'amour de la jeune fille pour Mike nourrissait son avidité pour tout ce qui l'entourait. « Il faut aller pas à pas dans le monde de ces grandes pensées religieuses, si riches, si énigmatiques pour nous, et qui sont encore abondamment pratiquées », avait-il conclu, même si, dans son for intérieur, il était persuadé de la supériorité des dieux hindous.

Clarisse avait continué, à son retour en France, à détester le renoncement prêché par le Bouddha, même si sa propre existence, depuis longtemps déjà, en portait quelques traces. Celles-ci, au demeurant, n'avaient rien de religieux.

Cet après-midi, cependant, Clarisse avait la chance de contempler la statue elle-même et elle la voyait d'un autre œil. Bouddha était assis sur son trône qui représentait un lotus géant. Son manteau retombait par-dessus ses épaules en plis légers et recouvrait ses jambes croisées. Ses mains, posées sur les genoux, composaient le huit harmonieux décrit autrefois par le docteur Barclay sous le nom de « sceau de la concentration ». Et le visage assez rond sous la chevelure de boucles courtes et régulières surmontées d'un large chignon, les paupières mi-closes, horizontales, les lèvres bombées, rondes et calmes, offraient à Clarisse une issue qu'elle n'avait jamais voulu remarquer jusque-là. Bouddha indiquait un chemin qu'il avait trouvé tout seul après avoir quitté son palais princier, s'être mué en ascète dans la forêt, avoir renoncé à son jeûne, été abandonné de ses disciples et avoir enseigné seulement aux bêtes sauvages. Une Voie.

Cette idée parut séduisante à la visiteuse bien qu'elle la connût déjà. Une voie était un chemin spirituel vers l'Absolu, Dieu, le Nirvana, quel que soit le sens que l'on donne à ces mots. C'était une forme de salut par étapes souvent mystérieuses qui se dégageaient à travers un Maître, une révélation, parfois des signes ou des émotions. Elle n'avait pas pris cette idée véritablement au sérieux. Elle avait eu tort.

Elle contemplait le Bouddha japonais qui venait de si loin livrer sa découverte. Depuis qu'elle était rentrée à Paris en 1953, elle ne s'était jamais accordé la tranquillité nécessaire pour réfléchir. Elle avait écrasé son chagrin par la préparation acharnée de l'agrégation de russe, qu'elle avait finalement obtenue, et après son mariage avec Stéphane en 1958, elle s'était appliquée aux moindres tâches pour ne penser à rien. Même ses deux enfants, malgré la tendresse qu'elle leur portait, n'avaient pas réussi à lui faire oublier l'Inde, le docteur Barclay et son fils. D'abord son fils, naturellement.

Pendant qu'elle marchait sur les Champs-Élysées, après sa démarche infructueuse à la poste restante, les coupures de sa vie s'étaient mises à saigner ensemble comme s'il y avait en elle un réseau souterrain de la douleur. Mais devant le Bouddha d'Alexandra David-Neel tout cela s'amenuisait, prenait une transparence immatérielle, pareille à l'eau des larmes invisibles qui avaient abreuvé Clarisse à l'entrée et l'avaient soulagée à l'improviste.

Les carreaux, derrière le visage du Bouddha, se colorèrent d'un bleu intense. Bientôt il ferait nuit. Clarisse alluma sa lampe de travail. Le Sage proposait toujours son enseignement entre les rayonnages de livres. Ses mains, rapprochées par les pouces et le bout des doigts, détenaient un savoir invisible. Le moi n'existe pas, disait la statue, ou, plutôt, c'est une illusion dont il faut se libérer. La délivrance est à ce prix.

La délivrance. La sortie de ce spleen interminable. Comment faire ? Clarisse regarda à nouveau la statue. Il fallait quitter Mike. Une deuxième fois puisqu'il semblait cette fois que leur rupture était complète. De quelle façon ? En dépassant son individualité comme l'enseignait Bouddha. Certes. Mais il n'y avait quasiment pas de maîtres spirituels en France et si jamais elle en trouvait un, comment suivre son enseignement sans éveiller la suspicion morbide de Stéphane ? En revanche, tout le monde, autour d'elle, était habitué à la voir écrire. Il fallait qu'elle se débrouille seule, donc, avec son moi. Dans ce but elle retracerait l'histoire de son amour pour le revivre et pour s'en défaire à jamais. Avec des mots qu'elle n'avait jamais prononcés. Dans un détachement délibéré qu'elle n'avait jamais pratiqué. Elle avancerait dans l'esprit de l'Asie, en s'appuyant sur ce que le musée et son génial fondateur avaient placé d'espoir en l'Orient. Chaque homme devait trouver sa nourriture intérieure quelque part, sous peine de sombrer. Au-delà de sa passion pour Mike, elle découvrirait peut-être que l'Inde lui avait apporté autre chose.

Le temps passait. La bibliothèque allait fermer. Clarisse se leva, remit son manteau, rendit la grammaire à la bibliothécaire.

« Je voudrais une carte de lectrice permanente. Est-ce possible ?

— Vous vous intéressez à l'Inde du Sud ?

— J'y suis allée autrefois et j'ai appris le tamoul.

— Vous avez de la chance. » Clarisse ne répondit pas. L'autre enchaîna : « Voici le formulaire. Vous êtes professeur. Il n'y aura pas de problème.

— Je vous le rapporterai à la rentrée.

— En attendant, je vous préparerai une carte temporaire. »

À l'étage elle fut attirée, malgré elle, par une des collections. Au milieu de la salle se trouvait un grand bronze de Shiva Nataraja qui dansait de toutes ses forces, dans une roue de flammes, sur le corps d'un démon. Elle avait aperçu cette représentation du Dieu pour la première fois à Madras avec celui qu'elle appelait encore M. Barclay. C'était un souvenir brûlant bien qu'ils ne fussent pas amants lors de cette visite. Mais ce n'était ni le jour ni l'heure d'y songer. Il fallait suivre l'intuition qui lui avait été si généreusement accordée par la statue de Bouddha et purifier son cœur.

Quand elle sortit dans l'avenue d'Iéna, le ciel était plein d'étoiles. Elle y vit comme un encouragement. La perspective de passer le réveillon seule avec Stéphane lui parut moins éprouvante. Il l'emmènerait dans un bon restaurant, ils échangeraient leurs cadeaux, ils se sentiraient amis, peut-être même complices.

Il se jetterait sur elle au retour. Comme d'habitude. Peut-être tirerait-il d'elle des frissons qui ressembleraient à l'amour. Mais elle s'abandonnerait cette fois en pensant à son livre.

CHAPITRE 2

PARIS

Le 4 janvier 1967

Clarisse commença son « Cahier indien », comme elle l'avait appelé, au lycée, le lendemain de la rentrée de janvier 1967. Elle s'était installée dans une salle de classe désertée par les élèves à cette heure. Elle connaissait bien la directrice du lycée Racine où elle enseignait et savait que celle-ci ne verrait pas d'objection à ce qu'elle travaille dans son établissement plus tard que les autres professeurs. Qui, d'autre part, eût osé s'en prendre à la femme de Stéphane, secrétaire général et patron occulte du ministère de l'Éducation nationale ?

Elle ouvrit sa serviette et sortit de quoi écrire. Il faisait déjà nuit. Deux ampoules électriques luisaient au-dessus de sa tête. Il y avait des formules de mathématiques sur le tableau noir. Le vernis des pupitres se fendait, un morceau de craie traînait sur la chaire. Les lieux où se dispensait l'éducation lui avaient toujours plu malgré la lassitude qu'ils dégageaient. Ce mois de janvier, ils avaient pour elle un attrait supplémentaire. Les tables, les chaises, la salle et sa cloison abriteraient la révélation de la vérité.

Elle avait acheté un classeur gris où mettre des feuilles perforées semblables à celles qu'elle utilisait pour ses cours. Elle pourrait aisément le dissimuler dans son casier de professeur. Quant aux feuilles, il serait facile d'en emporter quelques-unes pliées dans son sac, les jours où elle aurait envie d'écrire ailleurs qu'au lycée.

Elle avait pensé toute la semaine aux moyens de faire son livre sans troubler Stéphane, toujours attentif à ses horaires. Elle avait déjà à l'esprit des prétextes pour justifier un retard par-ci, une absence par-là.

À cet égard elle pouvait se servir des leçons que Mike lui avait apprises à Pondichéry. À dix-huit ans, en 1940, il avait quitté le Comptoir pour s'enrôler dans les services de renseignements britanniques à Calcutta. Il savait apparaître et disparaître à l'improviste, se déguiser, se fondre dans une foule, enregistrer un lieu dans ses moindres détails et garder un visage impassible en toutes circonstances. Pour écrire son récit, Clarisse n'avait qu'à se remémorer les habitudes de discrétion absolue qu'elle avait prises avec le mari de Monica.

Elle regardait son cahier. Que ferait-elle surgir en se lançant dans une rédaction apparemment innocente comme celles qu'on demandait aux petites filles à l'école : « Racontez le meilleur jour de votre vie, le plus intéressant de vos souvenirs de vacances » ? Un bavardage, une recension mensongère qui formait une ride à la surface des devoirs et des leçons ? Ce n'était certainement pas cela. Elle avait peur. Elle avait des remords vis-à-vis de Stéphane.

Mais l'invite de la statue de bois doré était toute-puissante et aspirait Clarisse hors d'elle-même. Puisque Mike avait disparu, nul ne pouvait lui refuser le droit de suivre le Bouddha Amida, de s'emparer du sceau de la concentration et de refaire l'itinéraire de Pondichéry pour savoir enfin où il l'avait conduite.

Peut-être qu'un bien en sortirait pour son mariage difficultueux, pour Marie et François qui jouissaient d'une mère à demi présente, à demi absente, dépourvue de gaieté spontanée. Tout valait mieux que les ténèbres douteuses où elle se débattait. Elle avait l'âge, elle avait la force, elle avait le chagrin. Elle sortit une feuille.

La salle de classe luisait à peine, malgré la stridence des ampoules électriques. Les derniers cours se terminaient et elle sentait la fatigue au pas plus lent des élèves dans le couloir et les escaliers.

Une femme de ménage ouvrit la porte et lui sourit.

« Je reviendrai plus tard, Madame Jardillier. »

Clarisse la connaissait comme la plupart des autres. Ses cours de russe avaient souvent lieu à des heures tardives qu'on ne savait pas trop où caser. Souvent aussi, elle les prolongeait.

« Merci. »

À peu près à la même heure, dans tous les lycées de France, des personnels recrutés de la même manière entreprenaient, au moyen de produits analogues, de nettoyer l'école républicaine pour le lendemain matin.

Il était grand temps de s'y mettre. Stéphane appelait toujours Clarisse rue Balzac vers huit heures du soir pour prendre de ses nouvelles et lui annoncer l'heure de son retour. Un rite. Si Clarisse n'était pas rentrée, son absence l'affecterait et engendrerait un malaise dont les enfants risquaient de s'apercevoir à dîner, surtout Marie, toujours sensible aux humeurs de son père.

Le lycée était à présent tout à fait tranquille. Son bâtiment d'un style si soigné l'entourait d'une coque protectrice. Elle commença.

*

La description de mon enfance peut peut-être m'aider à comprendre pourquoi j'ai été si vulnérable à l'amour à Pondichéry auprès de la famille

Barclay, si malheureuse quand je l'ai perdu, pourquoi je suis si sensible à l'imperfection présente de ma vie conjugale, malgré ma force intellectuelle et mon indépendance.

Je suis née en 1931, d'un père français et d'une mère russe. Fille unique, j'ai été choyée par mes parents et je leur ai rendu de mon mieux l'affection qu'ils me témoignaient. Ils avaient l'un et l'autre des capacités de générosité et de chaleur engendrées par leur flamme révolutionnaire, que je crains de n'avoir jamais égalées. Il faut dire que des circonstances adverses – les deuils, la pauvreté, la Seconde Guerre mondiale – accompagnèrent notre existence commune et me façonnèrent un caractère plus renfermé et plus mélancolique qu'il ne l'était dans l'enfance.

Mon père, fils de modestes commerçants qui tenaient une droguerie rue d'Alésia, à Paris, manifesta très tôt des dispositions pour les études. Il entreprit une licence d'histoire. On était en 1918. L'Europe se transformait, Papa s'emballa pour la révolution bolchevique, au désespoir de ses parents qui le renièrent. Une mauvaise tuberculose l'immobilisa deux ans dans un sanatorium des Alpes. Il en profita pour apprendre le russe et à son retour, emporté par l'effervescence de l'après-guerre, il renonça à l'enseignement pour le journalisme militant. Ses premiers reportages à Moscou furent un succès, il devint un spécialiste et retourna régulièrement jusqu'en 1930 en Union soviétique.

Il rencontra ma mère à Moscou en 1927 à une réunion de l'Association des nouveaux architectes, une des fractions de l'avant-garde révolutionnaire. À ses côtés il entendit la fameuse déclaration du poète Maïakovski, « Les rues sont nos pinceaux, les places sont nos palettes », qu'elle applaudissait à tout rompre et dont il lui demanda le sens en russe. Elle lui répondit en français, ce qui le vexa un peu. Ils éclatèrent de rire. Elle l'invita à dîner chez ses parents. Ils se revirent à chaque reportage.

Bien que ma mère fût issue d'un milieu bourgeois – son père était le disciple et l'assistant du grand linguiste N.S. Troubetzkoy à l'Université de Moscou –, elle ne souffrit pas, les premières années, de la chute du tsar. Sa propre mère était peintre, et faisait partie de la nébuleuse d'artistes qu'avait constituée autour de la révolution l'habile Lounatcharski dont Lénine avait fait son ministre de l'Éducation. Elle put donc terminer ses études de français et assister sans soucis aux manifestations les plus utopiques des années vingt pour inventer l'environnement de l'homme et de la femme nouvelle.

Quand mon père revenait en Russie, il l'accompagnait partout. Son tempérament doux et opiniâtre, ses épaules trop minces, son visage creusé par l'épreuve de son ancienne maladie, ses cheveux noirs bouclés, son attachement quasi douloureux à l'idée de justice séduisirent ma mère. Ils décidèrent de se marier.

En 1925 Konstantin Melnikov, un de leurs amis, fit connaître la jeune architecture soviétique à l'étranger, en édifiant un pavillon dépouillé, de verre et de métal, aux belles lignes simples, pour représenter l'Union des Républiques socialistes soviétiques à l'exposition internationale des Arts décoratifs à Paris. Mon père alla l'admirer et revint enthousiaste à Moscou. Tout semblait favoriser le nouveau régime et leur union.

Mais le triomphe des constructivistes fut éphémère. La Russie ne possédait ni les techniques ni les matériaux nécessaires, ni l'état d'esprit adéquat, surtout, pour suivre ses différentes avant-gardes. Kandinsky, Gabo, Pevsner avaient déjà rompu avec le régime soviétique. Les projets de « l'architecture de papier », ainsi baptisée parce qu'elle ne pouvait produire que des maquettes, ne passèrent guère dans la réalité. Seuls de riches marchands étrangers achetèrent les œuvres abstraites et futuristes encore sur le marché. On retourna, lentement, dans le durcissement qui suivit l'ascension de Staline, malgré les tentatives de Lounatcharski, aux valeurs bourgeoises et au réalisme socialiste. Mais pour d'autres privilégiés.

Devant l'aggravation de la situation culturelle et politique, mon père demanda à ma mère de l'accompagner en France pour s'y marier. Elle accepta à condition d'emmener ses parents. Ils réussirent à partir tous les quatre, sans rien pouvoir emporter, et s'entassèrent dans l'appartement de Boulogne où j'ai grandi.

Je n'ai jamais connu ma grand-mère. Autant mon grand-père se coula aisément dans une des sections des Hautes Études à la Sorbonne, consacrée aux langues, autant ma grand-mère ne prit pas pied à Paris comme tant de ses compatriotes. Elle s'enferma, refusant de renier son idéal artistique et social, de rencontrer les autres membres de l'émigration, d'abandonner l'idée d'une architecture différente, celle de l'architecture comme « condensateur social », créatrice d'immeubles et de villes qui permettraient une vie collective sans limites et sans barrières, plus heureuse et plus simple, dont elle avait rêvé. Elle mourut deux ans après son arrivée.

Je possède d'elle quelques dessins abstraits, qu'elle exécuta à Paris, comme absente du monde qui l'entourait, et la fameuse affiche de propagande qu'elle avait composée avec El Lissitski pour encourager les Soviétiques à la lutte contre leurs ennemis, qui est un chef-d'œuvre. Ma mère, qui m'a raconté tout cela, me les donna pour mes quinze ans et mon premier bachot. Elle les avait rangés soigneusement dans un carton au décès de ma grand-mère, car elle ne partageait plus ses opinions. J'ai moi-même été obligée de les rouler dans mon coffre à la banque parce que Stéphane n'en veut pas à la maison, sauf une esquisse qu'il m'a autorisée à accrocher dans mon bureau. Je lui en ai d'autant plus voulu que j'admire cette grand-mère originale dont les œuvres sont restées enfermées en Russie dans un entrepôt inconnu.

Après son décès, mes parents menèrent avec mon grand-père une vie un peu plus facile. Ils avaient retrouvé chacun du travail. Mon père était préoccupé par la progression du parti hitlérien en Allemagne et faisait des piges un peu partout. Ma mère donnait des leçons, dirigeait des visites touristiques et, le soir, couvrait bonnets, chandails et blouses de broderies abstraites qui s'inspiraient des coloris éclatants choisis par les constructivistes pour habiller la femme révolutionnaire et qui faisaient les délices des riches clientes des grands couturiers.

Ils purent donc satisfaire leur désir d'avoir un enfant.

Je suis née en 1931, comme je l'ai déjà dit. Ma mère ne savait guère s'occuper de bébés. Je n'en pâtis pas, bien au contraire. Son inexpérience fut compensée par sa joie et par l'aide de mon père et de mon grand-père qui m'entourèrent de précautions minutieuses et d'un babil érudit qui me furent sûrement meilleurs que les soins les plus expérimentés. J'ai eu la chance de grandir entre trois personnes dont la linguistique, les arts et la vie politique faisaient l'ordinaire. On me dorlotait mais on ne m'abêtissait pas. Dès que je sus parler on me permit de poser des questions sur tous les mots que j'agrippais du haut de mon inexpérience. J'ai bénéficié de l'intelligence, de la patience, de la bonté aussi, de mes trois divinités et j'ai profondément savouré mon enfance.

Souvent mon grand-père me gardait. En vieillissant il devenait gourmand. Nous partagions des gâteaux qu'il allait chercher dans sa pâtisserie préférée et il profitait de ma présence pour me communiquer ses récentes découvertes en matière de grammaire comparée. « Tu vois, disait-il, tu vois ? » J'opinais du bonnet. Les milliers de langues du globe m'apparaissaient, à travers ses propos, comme des créatures gigantesques qu'il fallait apprivoiser en découvrant les innombrables trucs qu'elles utilisaient pour dire la même chose de manière différente. Quand il en arrivait aux différentes intonations de certains mots en japonais et en chinois, je m'endormais.

Papa, à son retour, rapportait la presse, l'air de plus en plus soucieux. Il nous communiquait les informations qu'il avait ramassées dans les salles de rédaction. J'avais la permission d'ouvrir tous les journaux, de respirer l'odeur du papier, de me barbouiller les doigts d'encre, de tourner les pages bourrées d'articles que je ne déchiffrais pas mais dont j'admirais la typographie et la majesté. J'étais fière de ma famille qui utilisait ses forces à lutter contre la tyrannie. J'ose à peine avouer que j'ai appris à lire en épelant les gros titres de *Paris-Soir* autant que dans mes livres de classe.

« Ce n'est peut-être pas bon pour elle, disait ma mère, songeuse.

— Tout ce qui l'instruit est bon, répondait mon père. Les journaux nous ouvrent la porte du monde ! »

Le monde, cependant, allait mal et je ne m'en rendais pas compte. Je jouais et je chantais comme les autres petites filles mais je n'invitais guère d'amies. Nous étions fort bien à la maison tous les quatre.

Malheureusement mon grand-père se mit dans la tête de revoir le professeur Troubetzkoy qui était souffrant et partit pour Vienne juste avant l'Anschluss. Hitler rentra dans la ville le 13 mars 1938 et fut applaudi par deux cent mille personnes. Mon grand-père fut bousculé par la foule et tomba. On le ramassa et on le soigna trop tard. Nous ne le revîmes jamais. Troubetzkoy, chez qui il habitait, était déjà très souffrant. On les inhuma côte à côte et on les oublia.

Ce fut pour moi une peine immense et je crois

que, longtemps, dans mon imagination, mes amies les langues, instruites de son décès, baissèrent la tête sur leurs efforts pour se distinguer les unes des autres, dans le zoo étrange où naissent les paroles des humains. Je n'avais plus le cœur de manger des gâteaux.

Parallèlement, les espoirs nourris par l'émigration russe de voir la chute du stalinisme s'amenuisaient. Maman m'emmena plus souvent rue Daru aux offices orthodoxes où je m'ennuyais ferme. Mon père la laissait faire bien qu'il fût agnostique. C'est bien plus tard, pendant l'occupation allemande et en Inde, que j'ai prié à mon tour.

Un peu plus tard, un autre malheur nous frappa. Pendant la Drôle de guerre, mon père, qui redoutait depuis Munich une invasion allemande de la France et s'efforçait d'alerter sans succès l'opinion sur le danger des armes blindées, retomba malade. Fatigue, excès de passion politique, usure d'une vie matériellement difficile ? Nous n'avions les moyens ni de le soigner correctement ni de quitter Paris. Il mourut au moment de l'exode.

Sa mort et celle de mon grand-père nous placèrent dans une situation où leur absence n'a jamais été compensée.

Maman fit tout ce qui était possible pour les remplacer. Elle devint une mère aussi vigilante à mon endroit qu'un jardinier qui soigne une plante rare et, de quelque façon, menacée. Je venais d'avoir neuf ans. Pour remédier à son inquiétude d'être désormais seule responsable de moi et pour me rassurer moi-même, je m'associais à elle en un pacte que je ne lui dévoilai pas. Il s'agissait de garder la tête haute en toutes circonstances et de livrer un combat moral et spirituel en l'honneur de la France vaincue, certes, mais surtout de nos morts. Nous fîmes face chacune à notre façon.

Malgré nos faibles ressources, Maman rapportait

plusieurs journaux tous les soirs à la maison. J'avais le droit, et même le devoir, de les regarder. Mais je m'aperçus vite que ce n'était plus le même papier, la même encre, les mêmes titres et qu'il n'y avait pas de presse étrangère, sauf allemande, que je ne comprenais pas. Maman hochait la tête tristement, je manipulais les feuilles pour m'assurer de leurs transformations avant de les lui commenter. Nous y renonçâmes progressivement, préférant écouter la radio à côté des icônes dont Papa avait, à bout de forces, accepté l'entrée à la maison.

De même nous n'interrompîmes pas – jusqu'à ce que la guerre s'en charge – les abonnements aux revues scientifiques de mon grand-père. Maman répondait à la correspondance qui arrivait à son nom, remerciant des tirés-à-part, prévenant que dans un avenir prochain paraîtraient des articles signés de lui qui étaient sous presse et qu'elle ne manquerait pas d'envoyer. Tout cela ne se réalisa pas complètement, à l'évidence, mais la consolait un peu. Elle se rendit aussi à des conférences auxquelles il était encore invité. « Je suis sa fille », disait-elle au président de séance embarrassé. Sa présence était insolite. Elle le comprit et y renonça.

Pendant ce temps, en dehors de l'école, je faisais les courses, c'est-à-dire la queue, pour trouver quelques aliments et je me proposais toujours pour déplacer les cageots, porter les bouteilles, balayer les boutiques, en échange d'une obole. Le proverbe « On ne prête qu'aux riches » s'appliquait là aussi. Je recevais de temps en temps quelques légumes supplémentaires, une chute de jambon, du pain rassis, des fanes dont nous faisions des potages. La radinerie des commerçants s'accrut avec le marché noir. Je n'obtins plus rien.

Notre situation matérielle devenait de plus en plus précaire. Mais Maman suivait obstinément sa ligne. Tous les soirs, en rentrant, quels que fussent les événements tragiques de l'année 41, elle revoyait mes devoirs, me faisait répéter mes leçons, puis m'interrogeait dans l'une des trois langues que nous pratiquions ensemble, outre le russe. Je devais commenter un texte en anglais, en espagnol, en italien et répondre aux questions qu'elle me posait jusqu'à ce que ma diction approche de la sienne. « Ne parle jamais comme un moujik », faisait-elle, l'œil sévère, fixant le vide et ses malheurs. Pour elle le plus grand péché de Lénine et de Staline était d'avoir bousillé la langue russe. Elle agitait ses bracelets d'or, les seuls bijoux qu'elle avait emportés de Saint-Pétersbourg. « Les langues sont l'âme des peuples, ce qui reste quand tout est perdu ; le seul trésor que je peux te donner. »

*

En janvier 1942, elle me prit à part au cours du Nouvel An orthodoxe que nous fêtions chez des amis et m'annonça qu'elle avait été nommée directrice d'un grand Institut de coiffure et de beauté près de la place de l'Opéra, ouvert à la fois aux dames et aux messieurs. J'ouvris des yeux ronds. Elle avait l'air ennuyée. « Je rentrerai plus tard ; tu me promets de travailler autant, de faire comme si j'étais là ? » Je promis.

« Ça n'aurait pas plu à ton père, dit-elle, ni au mien. » Elle soupira. « Ce n'est pas mon genre. »

Je ne comprenais pas son trouble.

« Je t'aime, Maman, tout ce que tu décides est très bien. »

Elle se rasséréna, me prit dans ses bras.

Il est vrai que nous eûmes des provisions, des cadeaux, que nous recommençâmes à voir des amis, que je pus reprendre mes cours de danse classique et qu'un piano droit, en location, apparut dans notre studio.

Le soir où elle m'annonça la proposition qui lui

était faite, à voir l'embarras qui la prenait au bord d'une nouvelle existence dont elle appelait et redoutait certains aspects, je devinai que sans mon père et mon grand-père il y avait désormais quelque chose qui nous manquait, et qu'elle cherchait, d'instinct, à trouver une contrée où nous établir comme femmes, même la petite fille que j'étais, une contrée masculine que rien n'avait remplacée jusque-là. Tout cela n'était pas clair, mais en l'écrivant, j'identifie ce moment et je retrouve le besoin qu'elle n'osait pas exprimer et qu'elle m'a transmis.

Ainsi, je crois que si je suis restée si longtemps mariée avec Stéphane que je vais retrouver dans un instant, ce n'est pas seulement pour assurer une éducation sereine à Marie et à François, bien que je ne sois guère heureuse avec mon mari, c'est surtout parce que je ressemble à ma mère en quête d'une subsistance partagée avec l'univers masculin à n'importe quel prix, ou presque. Nous sommes ainsi faites. L'homme est notre compagnon légendaire et sans légende on meurt de froid.

Stéphane m'attend, c'est l'heure. Même si je lui ai caché cette après-midi mon entreprise, elle me ramène à lui, si différent de mon père et de mon grand-père et pourtant si semblable.

Je continuerai demain mon Cahier indien, après mon cours de l'après-midi.

CHAPITRE 3

LE CAHIER INDIEN

Paris, le 5 janvier 1967

La nomination de Maman à la tête du somptueux salon de coiffure et de beauté de la place de l'Opéra eut pour moi d'autres conséquences encore.

En juin 1942 – je venais d'avoir onze ans –, elle me retira du lycée de Boulogne et me fit admettre en cinquième au couvent de Sainte-Marguerite, près du Trocadéro, dont le niveau, dit-elle pour justifier sa décision, est un des meilleurs de Paris. C'était un tour de force. J'avais deux ans d'avance et cela pouvait déplaire à mes futures éducatrices ; je n'étais pas catholique mais orthodoxe ; nous étions loin enfin d'atteindre au rang social et à la richesse des familles de mes éventuelles camarades.

Comment se débrouilla-t-elle ? Je ne le sus jamais complètement. Elle avait ses réseaux, ses amis, ses secrets. Je me rappelai néanmoins qu'elle avait souvent rendu visite, dans le passé, au Père jésuite qui orientait la vie spirituelle de l'institution, le Père Bernard. Il avait été vingt ans missionnaire en Chine et rapatrié en France pour des raisons de santé. C'était un des correspondants de mon grand-père. Maman lui avait apporté des articles posthumes de ce dernier sur la phonologie asiatique et il nourrissait pour lui une grande admiration. Ce fut lui qui, sans doute, conseilla à la Mère supérieure de m'accepter. Son avis avait force de loi. Je poussai donc en octobre 42, vêtue d'un uniforme bleu et blanc, la porte de mon nouvel établissement.

Le Père Bernard ne cessa de recevoir Maman et de s'intéresser à moi tout au long de mes études. Il la voyait souvent. Il me convoquait tous les trimestres. Ses yeux qui s'étaient bridés en Chine me contemplaient pensivement : « Que va-t-il arriver à ma petite orthodoxe, la descendante de mon ami disparu, dont il parlait avec tant de fierté ? N'abandonne jamais les langues qu'il aimait tant, Clarisse, elles sont comme le radeau de l'amour de Dieu pour les hommes. Les langues et les textes sacrés, à quelque religion qu'ils appartiennent. Peut-être auras-tu une vocation méditative. On ne peut savoir à l'avance. »

Et il me donnait sa bénédiction dans le mauvais sens en s'en excusant : « C'est la croix catholique, j'en ai trop l'habitude. Ne m'en veux pas, mon enfant. » Je revois son dos voûté, ses membres tordus. Il pouvait à peine marcher mais sa sainteté rayonnait dans tout l'établissement et je la sens encore près de moi, m'encourager à écrire ces lignes. Pourtant je l'avais quasi oublié.

Dans le bâtiment cossu et mal chauffé de Sainte-Marguerite, nous menions une vie très stricte, scandée par les offices où je me rendais avec les autres. La seule restriction qui m'était imposée était de ne pas communier à la messe et donc de ne pas partager avec mes condisciples le petit déjeuner bien chaud qui était servi ensuite. À ceci près, j'étais tout à fait heureuse dans mon couvent.

À l'extérieur, à l'inverse, tout allait de mal en pis et une épaisse tristesse s'appesantissait sur les rues de Paris. Les Allemands avaient attaqué les Russes après avoir dénoncé le pacte germano-soviétique, leur férocité, dissimulée dans les débuts, s'affirmait – arrestations et fusillades se multipliaient.

Quant à ma mère, elle semblait déchirée et passait du rire au chagrin de la plus étrange façon. En 1943, pour mon anniversaire qui tombe en juin, elle me fit cadeau d'une bicyclette qui m'était offerte par une de ses clientes. J'oubliais la guerre au crissement de mes deux roues sur la chaussée et je rejoignis Boulogne tous les soirs dans une exaltation qui me fait honte à présent.

En janvier 1944, Maman quitta brusquement le salon de coiffure. Elle s'assombrissait au fur et à mesure de l'avance des Alliés. Je ne comprenais pas.

« Dans deux ans tu présentes ton premier bachot. Je veux reprendre autre chose qui me fera rentrer moins tard à la maison », me déclara-t-elle pour échapper à mes questions.

Elle trouva un poste de caissière dans un magasin lointain.

« Pourquoi ? » demandai-je. Elle ne me répondit rien, affairée à des rangements dans la commode de sa chambre, le nez sur ses tiroirs.

Notre situation matérielle redevint médiocre. Mais les bonnes sœurs sans uniforme de Sainte-Marguerite, plongées dans la prière et la préparation des cours de plus en plus ardus qu'elles nous donnaient pour favoriser notre ascension intellectuelle et morale, n'en avaient cure. Je suis persuadée que je ne payais plus rien et que le Père Bernard, là aussi, avait émis un avis. L'atmosphère recueillie de la maison était telle qu'en nous déplaçant dans les couloirs nous avions l'impression de marcher sur l'éternité.

Le débarquement de juin 1944, dans ces conditions, même s'il entraîna un sursaut d'allégresse dans le couvent, demeura un événement contingent par rapport à l'importance de nos études et à la grandeur de Dieu.

En août, les cloches de Notre-Dame se mirent à sonner après une semaine d'attente.

« Ton père aurait été content », dit maman. Je n'osai lui demander : « Et toi ? »

Il restait une bouteille de champagne de l'époque du salon de coiffure. Nous tirâmes deux chaises en haut des marches qui montaient à notre porte et la dégustâmes en considérant le ruban de bitume qui descendait vers l'avenue de la République.

« Les communistes vont prendre le pouvoir !

— Ils ne sont pas seuls au monde. »

Elle fut étonnée que j'énonce une opinion.

« Tu t'intéresses à la politique ?

— Oui.

— Tu as raison, j'ai beaucoup perdu. »

Je remplis son verre.

« Il ne tient qu'à toi de rattraper. »

Les plantes en pot qu'elle avait soignées au cours de notre difficile hiver formaient à nos pieds un infime escalier de verdure.

« Tes plantes ont résisté à toutes les épreuves. Aujourd'hui elles se dilatent au soleil. Imitons-les ! »

Elle releva son nez droit, à l'arête parfaite, bascula en arrière le rouleau blond cendré de ses cheveux qu'elle ramenait autour d'un ruban en une coiffure volumineuse qu'elle seule pouvait réaliser.

Ses yeux clairs clignèrent vers l'avenir.

« On voit que tu es première en français, se moqua-t-elle. Allons chez Catherine, qui nous a invitées. »

Nous eûmes encore des moments très rudes, mais l'essentiel était gagné, la liberté. La France des années quarante-cinq et quarante-six était pauvre. Nous l'étions redevenues. Je passai mon premier bachot à quinze ans avec une dispense et une mention. Cela me permit de donner des leçons particulières, grâce aux demoiselles, mais ce n'était pas grand-chose et on oubliait souvent de me payer. Je ne savais que faire.

Enfin un miracle se produisit.

La Charte des Nations unies avait été signée à San Francisco le 26 juin 1945 et était entrée en vigueur le 24 octobre suivant. Il fut envisagé très rapidement de donner un soutien intellectuel à la nouvelle organisation sous la forme d'une entité pour l'éducation et la culture qu'on baptisa Unesco et qu'on plaça à Paris. Il fallait d'urgence des traducteurs d'anglais et de russe. Maman posa sa candidature et fut embauchée pour trois ans. Nous étions sauvées.

Elle avait retrouvé sa joie de vivre, bien que le contact de ses collègues soviétiques ne lui fît pas plaisir et moins encore le contenu de leurs textes. Il y avait à nouveau des journaux de plusieurs langues à la maison, un piano, des amis. Je passai mon second bachot puis ma licence de russe dans l'euphorie.

Tout bascula le 12 novembre 1949. Maman venait de réussir son permis. Elle était encore inexpérimentée. En longeant l'hôtel Majestic pour rentrer à Boulogne, elle se fit renverser par un camion qui venait à toute allure en sens inverse. Cette fois nous avions les moyens de la soigner. Rien n'y fit. Elle mourut en décembre sans avoir repris conscience.

Ses amis m'entourèrent de leur mieux, mais personne ne savait que faire de moi. Heureusement, le Père Bernard, à qui elle avait demandé conseil, lui avait suggéré de faire un testament et de choisir pour moi un tuteur puisque je n'aurais plus de parents, au cas où il lui arriverait malheur. Elle avait désigné un sinologue, de réputation mondiale, qui était un de ses amis. Elle avait aussi mis un peu d'argent de côté dans les comptes avantageux que l'Unesco offrait à son personnel.

Cet excellent homme, fort embarrassé d'une tâche dont il n'avait jamais cru qu'un jour elle lui incomberait, me convoqua et me demanda ce que je voulais faire. Je répondis que je voulais continuer mes études.

J'essayai donc de travailler au diplôme que j'avais

entrepris sur *La Fille du capitaine* de Pouchkine. Je n'arrivais à rien. Je prenais et reposais sans cesse les objets du studio de Boulogne. J'arrosais les plantes. J'allais faire des courses dans les magasins où on me demandait des nouvelles de ma mère. Je disais qu'elle était partie se reposer à la campagne. Je sortais chez ses amis, des Russes surtout, où je me maîtrisais, tentant de faire bonne figure. Le soir, en rentrant à la maison, je suffoquais.

Le Père Bernard m'appela, inquiet de mon silence. Dans son bureau, à Sainte-Marguerite, je retrouvai son vieil ami, mon tuteur. Les deux vieillards s'étaient concertés. Il y avait entre eux l'expérience de ceux qui ont beaucoup voyagé et qui connaissent l'âme humaine. Ils me conseillèrent de quitter la France. Un poste de traducteur était proposé à la BBC pour la section française, sur concours. Je pouvais présenter l'épreuve à Paris. Huit jours après, j'obtins une réponse positive et les dérogations demandées à cause de mon âge.

*

Je fermai la porte de notre appartement de Boulogne après avoir éteint la lampe qui brillait devant les icônes. Je m'enfuis vers l'Angleterre. Je me logeai dans un hôtel de passage et je me retrouvai le lendemain dans le bâtiment de Bush House qui abritait alors les sections étrangères de la radio britannique. J'entamai ma première traduction.

L'anglais que Maman m'avait enseigné avec tant de soin me sauva de la misère. Le respect du langage qu'elle m'avait inculqué me fit faire des progrès rapides. Bientôt on me confia des textes plus difficiles. On me demanda aussi d'en résumer ou d'en arranger certains. Cette activité me passionnait et commença à m'éloigner de ma peine.

Ma patronne faisait mon éloge. Elle attira l'attention de la famille Barclay qui cherchait une gouvernante française pour ses enfants. Nous nous rencontrâmes chez des amis qui donnaient une party.

Les Barclay arrivèrent tard, ce soir de mai, dans le désordre des plats vides et des verres éparpillés sur les tables. Il n'y avait pas grand-chose à manger en Angleterre en 1950, mais on sympathisait aisément et on se recevait sans cesse.

Mme Barclay encadra dans la porte sa silhouette athlétique et l'opulence de sa chevelure auburn. Elle avait la pâleur de certaines Anglaises qu'aucun peintre n'est parvenu à rendre. Éclatante. Son mari la suivait, plus grand encore, les cheveux châtains, la peau lisse, les yeux bleus sous des paupières presque de la même couleur qui donnaient à son visage une luminosité inusitée. Il était très bien habillé, mieux que les autres invités, et cela sautait aux yeux en ces temps de pénurie. Il portait un costume ivoire, impeccablement repassé, dans un shantung introuvable à Londres, où la soie mettait des reflets de perle. Sa tête volontaire s'élevait avec force au-dessus de ce tissu de prince qui enveloppait un corps rompu aux disciplines physiques. Son front, large, couvrait un nez ferme, des lèvres sensuelles, un menton massif dont se dégageaient de l'autorité et de la réserve.

Qui était ce couple ? Chacun de ses deux membres était saisissant. Mon attention fut détournée par d'autres arrivants et je ne pus poser la question.

Plus tard je retrouvai M. Barclay sur une petite terrasse qui surplombait une pelouse grande comme un mouchoir de poche entre les murs des autres maisons. La guerre était finie mais présente dans mille traits, les ruines, l'alimentation, une gaieté excessive, une frénésie. Il faisait bon s'amuser, j'étais ivre comme les autres. Il s'approcha de moi, se présenta et me prit à part.

« J'ai une proposition à vous faire, dit-il, en français. Nous repartons avec ma famille à Pondichéry, en octobre, après la mousson. Je cherche quelqu'un pour s'occuper de mes filles. Elles connaissent le français, ma mère est française. Mais nous parlons surtout l'anglais à la maison à cause de ma femme qui est anglaise et dont la famille a vécu en Inde pendant trois générations. Je veux rétablir l'équilibre, pour les enfants, entre les deux langues. Il paraît que vous êtes une excellente traductrice et une savante grammairienne. Nous habitons Pondichéry. Vous vivriez avec nous et vous auriez un bon salaire, sûrement plus élevé que celui que vous gagnez à la BBC.

— Je n'ai pas vingt ans. Je dois demander à mon tuteur. »

Il sourit, rajeuni.

« Rien n'est plus normal.

— Et puis je ne sais pas si je peux prendre une telle responsabilité. Vous ne me connaissez pas.

— Je vous connais mieux que vous ne le pensez. Je suis un vieil ami de votre patronne. Quant à éduquer des gamines, l'art de la traduction est certainement plus difficile. »

Nous étions assis en retrait, à l'air frais, contre un pot vernissé qui contenait des géraniums. Il y avait, ce jour-là à Londres, un ciel bleu sans complaisance.

« Je dirige une maison d'import-export franco-indienne que j'ai fondée, si cela vous intéresse.

— Malgré l'Indépendance ? » Je me rappelais avoir lu la création de l'Union indienne en 1947. Je préparais alors mon second bachot et n'y avais pas pris garde.

Il s'amusa gentiment de mon ignorance.

« Pondichéry est toujours un comptoir français. » Je souris à mon tour.

« C'est vrai. Excusez-moi. Je ne suis jamais allée en Asie. »

Les gens riaient à côté de nous, des intellectuels français qui travaillaient à la BBC dans le même service que moi. Ils étaient plus petits, plus minces que les joviaux journalistes anglais, chemises à raies, cravates flottant au vent, qui nous avaient rejoints.

« Il faut que je réfléchisse. »

Je mis la main sur mon front.

« Vous êtes fatiguée ?

— Un peu. Je n'aime pas l'odeur des géraniums.

— Je vais vous chercher à boire. »

Depuis le début de la conversation il me jaugeait. Un regard qui semblait descendre du cerveau après des combinaisons multiples qui m'étaient étrangères. Il m'effrayait. Il le sentit, me sourit à nouveau. « Ne partez pas, je reviens. »

Tandis qu'il s'en allait vers les rafraîchissements, je remarquai qu'il se faufilait silencieusement, comme un chat, entre les nombreux invités.

« Voilà, fit-il en revenant sans bruit avec deux verres qu'il éleva au-dessus de ma tête.

— Qu'est-ce que c'est ?

— J'ai essayé de faire le moins mauvais mélange possible. »

J'étais perplexe. Je m'étourdissais à Londres pour oublier mon deuil, mais je n'étais pas remise de la mort de ma mère et ce changement me troublait. L'Inde, pourquoi pas ? puisque je n'avais plus d'attaches nulle part. Je me plaisais à Bush House. L'image aussi me traversa de l'appartement de Boulogne, des icônes devant lesquelles j'avais éteint l'ampoule électrique. Partir plus loin encore de ce lieu chéri ? Que m'eût conseillé Maman avec son courage, son goût de la vie ?

« Vous avez l'air triste. Pourquoi ?

— Je pensais à l'appartement où j'habitais à Paris avec ma mère. Elle est morte il y a six mois. Elle me manque tous les jours.

— Je suis désolé, mais rien ne vous empêche de garder cet appartement si vous l'aimez. Peut-être l'Inde vous fait-elle peur ?

— Peur ? Je ne la connais pas mais elle ne me fait

pas peur. Pourquoi redouterais-je d'autres cieux? Quelle importance? »

Il me scrutait, lointain, sûr de soi. « Comme beaucoup de gens, vous pourriez craindre pour votre santé dans ce misérable pays, déclara-t-il ironiquement.

— J'ai toujours été considérée comme robuste et je crois que je le suis. Je ne me pose jamais ce genre de questions.

— Bien. Vous avez raison. Mais rappelez-vous ceci avant de vous décider. Ce n'est pas nous qui allons en Inde, c'est l'Inde qui vient à nous et nous ne savons jamais comment cela arrivera. Sinon ce n'est pas la peine de partir. »

Sa gravité me frappa. J'observai ses mains, larges, bombées, écartées, posées sur ses genoux. Des mains calmes qui savaient prendre. Nous bûmes sans parler la boisson indéfinissable qu'il m'avait apportée. Je ne sentais plus l'odeur de la plante. Il y avait une allégresse dans l'air car les invités rassemblés là avaient tous connu la guerre et tous ils commençaient une nouvelle vie. Une vie de paix.

« Excusez-moi, reprit mon interlocuteur, je suis trop sérieux. Je ne vous ai même pas indiqué l'âge de mes filles.

— C'est vrai. Alors?

— Elles ont dix et onze ans.

— Mme Barclay connaît vos intentions?

— Oui, elle est tout à fait d'accord. C'est même pour faire votre connaissance que nous sommes venus ce soir.

— Allons la voir. »

Nous nous levâmes.

« De toute façon, en Inde, elle joue surtout au tennis », murmura-t-il, impassible.

*

Cela suffisait pour cette fois. Le temps avait passé comme l'éclair. Malgré elle, Clarisse redoutait Stéphane. Elle ferma le Cahier indien, éteignit l'électricité dans la classe, retourna à la salle des professeurs où traînaient des prospectus syndicaux, prit son manteau dans son casier et rangea le classeur sous un vieux chandail.

Elle sortit du lycée, très troublée dans son for intérieur.

Au lieu de la détacher de l'homme qu'elle aimait, le récit de leur rencontre l'en rapprochait. Le souvenir de ses amples épaules, de sa peau transparente, de l'habileté de ses gestes, de son attention gentille et moqueuse, ce premier soir, lui mettait dans la gorge une soif inextinguible. Où donc était la Voie suggérée par le Bouddha Amida dans ce récit ? Ne se trompait-elle pas en écrivant le Cahier indien ? La remémoration d'un grand sentiment est toujours un pas en avant, sembla lui murmurer le vent qui brûlait son visage.

Elle se hâta vers la rue Balzac.

CHAPITRE 4

PARIS

Janvier 1967

Quelques jours plus tard, elle se rendit à l'Institut Goethe qui avait repris ses cours. Elle retrouva avec plaisir la salle du deuxième bâtiment, au-delà du jardin, où se réunissaient une dizaine de personnes, pour étudier l'histoire de l'Allemagne à travers des textes. Le commentaire du professeur était en allemand. Clarisse se réjouissait de pouvoir suivre. Il y avait juste trois ans qu'elle s'était inscrite à l'Institut et elle avait eu beaucoup de mal, malgré son don des langues.

Sa seule crainte était que Stéphane ne vienne la chercher à l'improviste, comme il le faisait parfois. Dans ces cas-là, elle l'apercevait en train de l'attendre, dans son imperméable vieux jeu, debout, guettant la sortie comme s'il avait vingt ans. Elle avait un geste de recul. Il n'en tenait pas compte, lui prenait le bras et l'emmenait, telle une proie, sans lui laisser le temps de dire au revoir aux autres. Elle détestait ces apparitions dans un des seuls lieux où elle était anonyme, délivrée de lui et d'elle-même en quelque sorte.

Rien de tel ne se produisit ce jour-là. Elle se laissa tomber dans un des fauteuils du hall, pour relire ses notes et profiter des conversations. Toute langue étrangère suscitait en elle une avidité associée au souvenir de sa mère. « Et derrière les langues il y a la littérature, l'âme de l'âme », avait ajouté celle-ci, un soir, chez des amis, un peu saoule, tout émue d'avoir ainsi livré le fond de sa pensée.

Pourtant elle s'était toujours opposée, après la guerre, à ce que Clarisse étudie l'allemand. « Pourquoi ? avait demandé Clarisse, c'est une grande langue européenne et tu la parles très bien. — Tout ce que tu veux, disait sa mère, pas ça. » Elle agitait ses bracelets d'or, son visage se crispait. Elle répétait « pas ça ». Un égarement jamais vu paraissait sur son visage.

Clarisse était revenue à la charge, sans succès, et avait fini par renoncer en apparence. Mais tout en faisant sa licence de russe à la Sorbonne elle s'était achetée un lexique franco-allemand et une grammaire qu'elle laissait dans les sacoches de son vélo et qu'elle consultait à la dérobée.

Elle se répétait le vocabulaire qu'elle avait appris, durant les longs trajets où elle pédalait de l'université au studio de Boulogne et vice versa. Elle se demandait comment des mots visiblement faits pour la poésie et la philosophie avaient pu se trouver sur les lèvres des soldats verts, aux bottes de cuir, aux calots juchés droit sur la tête, qui avaient assombri son enfance. Il était vrai qu'Hitler avait fait brûler tous les livres qui alimentaient la flamme de l'intelligence dans une nation déjà ravagée par la Première Guerre mondiale. Clarisse pédalait de plus belle sur les chaussées défoncées, fascinée par la distance qui séparait la séduction de la langue allemande de l'état pitoyable de Paris qui venait de se libérer. Et en Russie c'était encore bien pire. Puis elle se disait : « Qu'ai-je à faire de tout ça ? » Elle serrait plus fort son écharpe autour de son cou, elle remuait ses doigts gourds dans ses gants, elle rassemblait son énergie pour aller retrouver sa mère et goûter avec elle les joies de l'esprit et de la tendresse qui bravaient toutes les vicissitudes.

*

Avant de partir pour Londres, elle mit en ordre les papiers et tous les vêtements de la morte en pleurant. C'est alors qu'elle trouva, enveloppée dans du papier de soie au fond d'un carton, une paire de gants de cérémonie. Elle les sortit pour les examiner, se demandant quand sa mère avait bien pu utiliser cette parure qu'elle ne lui avait jamais vue lorsque s'échappèrent des longs tubes de peau qui constituaient les manches deux paquets de lettres réunies par des rubans. Clarisse vit tout de suite qu'il s'agissait d'une écriture étrangère puis comprit, en les étudiant de plus près, que c'était une correspondance en gothique, datée des années 1942 et 1943 et adressée à «*Meine geliebte Anna*». La dernière lettre datait de novembre 1943. Une partie du passé s'éclaira brusquement.

Avant que Clarisse ne rentre à Sainte-Marguerite en octobre 1942, elle était élève au lycée de Boulogne. Elle y avait été admise sans problème en sixième, malgré ses deux ans d'avance, et elle y travaillait bien. Mais elle ne s'y était pas fait d'amies. Les autres étaient plus âgées qu'elle et ses copines de l'école communale. L'année scolaire s'était passée dans l'indifférence.

Anna Petrovna avait commencé à diriger le salon de coiffure et de beauté de l'Opéra quelques mois auparavant. Tout devint plus agréable à la maison. Elle rentrait tard, il est vrai, mais gaie, pimpante, parfumée. Souvent elle sortait de son sac et posait sur la table un produit inattendu et rare, pain blanc, confiture, chocolat, café, sucre. «Pour ton goûter, en m'attendant!»

Elle avait décidé que Clarisse veillerait davantage

afin de la suivre comme autrefois. Elle enlevait son chapeau, revoyait avec sa fille les devoirs, les leçons du lendemain, lui faisait pratiquer ses langues. Elle s'était procuré du vrai savon et des sels odorants qu'elle éparpillait ensuite dans l'eau chaude pour le bain de Clarisse. Puis elle la faisait dîner et l'embrassait quand elle était couchée. Mais elle repartait.

Proche du sommeil, Clarisse l'entendait se changer, fermer la porte de la petite entrée et se hâter jusqu'au bout de la rue. Elle ne se sentait pas abandonnée, elle ne nourrissait aucune crainte. Elles avaient prié ensemble. Dieu les protégerait. Quelquefois elle se réveillait dans la nuit, il y avait des lumières qui se déplaçaient au plafond, des bruits de moteur, des portières refermées, des chuchotements, elle se demandait comment des voitures, si rares à cette époque, circulaient dans leur rue et elle se rendormait.

Par la suite, Clarisse eut deux robes coupées dans un tissu de laine chaud, des chaussons pour son cours de danse, et une paire de chaussures de cuir réservées aux grandes occasions. Cette notion restait vague dans son esprit, elle se précisa un peu lorsqu'elle admira, certains soirs, sa mère habillée d'une élégante tunique noire et grandie par des escarpins à hauts talons avant même de la faire dîner. « Je vais à l'Opéra », disait Anna Petrovna en rougissant un peu. C'était certainement une grande occasion.

Clarisse, le lendemain, retrouvait le lycée. Elle se réjouissait de ce qu'une tenue de fête l'attende à la maison tout en arpentant le bitume de la cour de récréation avec ses socques et sa ration de biscuits vitaminés. Sa mère lui avait enjoint de ne jamais parler à l'extérieur des cadeaux que lui faisaient ses clientes et elle se taisait. Mais comme elle était désormais bien nourrie et qu'un chocolat prêt à chauffer l'attendait tous les soirs quand elle rentrait, elle mettait ses biscuits vitaminés dans sa poche ou les passait à une camarade, prétextant qu'ils lui donnaient mal au cœur.

Un jour de mai 1942 une des grandes de la classe – Clarisse avait onze ans et était petite pour son âge – lui demanda d'un air sévère :

« Pourquoi ne manges-tu plus tes biscuits vitaminés ?

— Je n'ai pas faim, avait répondu Clarisse.

— Tu n'as pas faim parce que ta mère reçoit des provisions de ses amis allemands, petite nazie », hurla l'autre. Clarisse s'était précipitée sur elle et l'avait tapée avant de se faire durement jeter à terre au milieu d'un cercle de compagnes qui n'avaient pas fait un geste pour la défendre. Une forte fille, assez hommasse, qui lui avait plusieurs fois fait des avances dans la cour de récréation auxquelles elle ne comprenait rien, se mit de la partie et lui donna des coups de pied. « Sale Russe », hurla-t-elle. Clarisse se roula en boule. Elle avait mal, elle avait peur. « Un jour je saurai me battre », se jura-t-elle, en se faisant tabasser. Une surveillante était intervenue, avec une moue de mépris, et l'avait conduite à l'infirmerie. On l'avait laissée rentrer seule dans le studio de Boulogne.

Là elle avait attendu sur le divan tandis que le soir tombait et que les icônes brillaient de plus en plus fort à la lumière de l'ampoule rouge. Son père avait combattu le nazisme dès ses débuts. Sa mère avait peiné à ses côtés et vécu pauvrement pour qu'il puisse défendre ses idées. On ne pouvait lui reprocher de recevoir des cadeaux de ses clientes. Rien ne pouvait ternir la pureté de son cœur.

Quand Anna Petrovna arriva, Clarisse se serra contre elle avec une grimace de douleur et lui raconta qu'elle s'était fait jeter à terre pendant la récréation par une grande qui l'avait traitée de sale Russe. L'instinct des enfants lui fit taire l'épisode des biscuits vitaminés et ses conséquences. C'était trop compliqué. Cela ne collait pas. Cela ferait une peine inutile à sa mère. Mais elle se dit par-devers elle : « La vie est formidable, même si je suis une petite nazie. »

Anna Petrovna lui caressait les cheveux. Elle embaumait un mélange de plantes inconnues de Clarisse, de l'héliotrope, du musc, du muguet, avait-elle raconté en riant un soir : « Un parfum nouveau », et portait une étroite écharpe de vraie fourrure autour du cou. Elles se turent longtemps dans l'obscurité. Puis Anna Petrovna soigna la petite fille avec mille précautions et resta près d'elle toute la soirée après avoir téléphoné à une amie.

Clarisse ne retourna pas au lycée de Boulogne. On était proche des vacances, elle travailla à la maison. À la rentrée suivante elle rentra à Sainte-Marguerite. L'épisode « petite nazie » sortit de sa mémoire, ou plutôt fut poussé dans les limbes de sa conscience par les événements considérables qui se produisirent ensuite, la libération de Paris, la fin de la guerre et le retour à une vie à peu près normale, sans bombardements, sans couvre-feu ni étoiles jaunes ou affiches d'exécutions dans le métro. Elle avait passé ses bachots. Anna Petrovna était entrée à l'Unesco. Son appétit d'études avait pu se déployer sur les ailes de la liberté retrouvée, comme une poussière qui vibre dans un magnifique rayon de soleil. « La paix, chantonnait-elle seule, la paix. »

Et maintenant, entre les murs qu'elle avait partagés si longtemps avec Anna Petrovna, elle scrutait les feuillets tombés de la paire de gants, elle se penchait, dans l'affliction et le respect sur ce secret du destin qui venait d'être interrompu par la mort. Peut-être qu'un des officiers allemands qui allaient au salon de coiffure et dont sa mère s'était servie pour obtenir de la nourriture et des tissus s'était épris de la jolie directrice. Peut-être que celle-ci lui avait rendu son sentiment. Peut-être que, dans leur folie, ils en étaient venus à partager publiquement des soirées à l'Opéra. Peut-être que sa mère s'était peu à peu éloignée de son ami après que Clarisse eut été maltraitée par sa camarade. Peut-être que l'officier était parti sur le front russe. Peut-être n'était-il jamais revenu. Peut-être qu'au début de leur liaison ces deux êtres, assoiffés de culture autant que de tendresse, avaient découvert une clarté dans les ténèbres de la nuit occupante. Peut-être qu'il n'y a pas de recul, de bonté possible à l'égard des histoires d'amour dans des circonstances pareilles. Peut-être que les protagonistes de ce drame l'avaient compris et s'étaient sacrifiés, non seulement à Clarisse, mais au malheur général de la guerre. Peut-être. Sûrement.

Clarisse rangea les lettres dans les gants, enveloppa ceux-ci de papier de soie et les remit, à leur place, dans le carton. Elle ne les lirait jamais, même si un jour elle parlait l'allemand. Elle préférait garder la pensée de cet homme, aimé de sa mère, qui les avait nourries et vêtues sans se manifester autrement que par la traînée des phares sur les murs de sa chambre ou quelques mots chuchotés sur le seuil de l'appartement de Boulogne. Puis elle l'avait oublié.

*

Mais le fantôme de l'officier allemand était revenu depuis ses débuts à l'Institut Goethe, un pauvre fantôme vaincu et déshonoré par les crimes collectifs de son pays, sans force apparente, ni crédibilité, heureux de la saluer à l'aube de ses nouvelles études.

Elle l'avait bien accueilli. Clarisse savait que le trésor de la langue était toujours le même, et que les fantômes, fussent-ils allemands, avaient autant de réalité que les êtres de chair et de sang qui les rejetaient dans l'insignifiance au nom de la justice, de la victoire et du temps qui passe. Cet homme invisible, plein de bienfaits, ce père nourricier, accompagnait ses pas, même si ses lettres étaient enfermées dans un cercueil de soie. Était-ce lui, indirectement, qui lui avait donné l'envie d'apprendre l'allemand malgré les rigueurs de l'Occupation ? Était-ce l'interdiction de sa mère qui ne lui défendait jamais rien ? Était-ce un besoin d'indépendance que son couvent ne lui avait jamais laissé le temps d'exprimer ? Elle l'ignorait. L'important n'était pas là.

Elle ferma les yeux, pensive, dans le hall de l'entrée. À ses oreilles résonnaient les propos des élèves qui traînaient avant de reprendre le métro. L'Institut Goethe était peut-être, par un détour étrange, sans qu'elle l'ait compris jusque-là, un segment de la Voie que le Bouddha d'or l'avait invitée à prendre au musée Guimet. L'Allemagne, ses forêts, ses héros qui partaient à la recherche du Graal. L'Allemagne interdite par sa mère. Il ne fallait s'étonner de rien, laisser remonter les choses dans une sorte de brume où elles prenaient une autre vie. Clarisse sentit un instant couler le flux des larmes invisibles et bienfaisantes dans sa gorge. Le temps et l'espace n'existaient pas, tout se tenait, le monde était plein de correspondances innombrables, les vivants et les morts étaient côte à côte, allemands ou pas, de l'autre côté du ciel.

De l'autre côté seulement. Elle allait plier bagage quand la haute silhouette de Stéphane s'inclina audessus du fauteuil.

« J'ai réussi à venir te chercher. J'avais peur d'être en retard et de te manquer », dit-il avec satisfaction. Puis, voyant son sursaut : « Tu ne m'attendais pas ?

— Je relisais le texte », répondit-elle en lui montrant une feuille qu'il ne regarda pas.

CHAPITRE 5

LE CAHIER INDIEN

Bombay, octobre 1950

Quand j'ai vu Bombay le premier matin, de l'hôtel Taj où nous étions arrivés vers minuit, la famille Barclay et moi, j'ai été stupéfaite. La mer était déjà couverte d'embarcations qui glissaient d'un bord à l'autre de la baie, bordée de riches immeubles.

On était loin de l'Inde misérable que je me représentais. Il y avait une vivacité dans l'air, une activité que je n'imaginais pas et que j'ai su plus tard être propres à cette ville. On m'avait sans bruit apporté un *early tea.* Je restai sur le balcon, émerveillée, tandis que mes élèves dormaient encore, assommées par le voyage.

Un peu sur la gauche se trouvait la Porte de l'Inde, un monument à trois arches que j'avais aperçu la veille se découpant sur l'eau noire du port.

« Elle a été élevée en 1911 pour l'arrivée en terre indienne de George V et de la reine Mary. C'est le moment que Gandhi a choisi pour lancer la première manifestation de la Satyagraha, le "mouvement de la non-violence" », avait déclaré mon nouveau patron visiblement heureux d'être de retour. Sa femme avait répété « Gandhi », les lèvres serrées, pendant qu'on déchargeait les bagages.

« S'il fait beau, avait ajouté M. Barclay devant l'hôtel illuminé malgré l'heure tardive, nous irons à Elephanta. Veux-tu venir avec nous ? » Mme Barclay s'était immobilisée. « Je suis fatiguée et je connais Elephanta par cœur. » Il s'était tourné vers moi.

« Pouvez-vous me retrouver dans le hall avec les enfants demain matin à dix heures, même si c'est un peu dur, pour elles, de se lever après ce long voyage ? » Il avait ajouté : « Et pour vous... Je vous ferai porter un thé très fort de bonne heure. Cela vous aidera. »

À présent, vue du haut, la Porte de l'Inde était environnée de curieux et de marchands. À ses pieds, au bord du quai, une flottille de bateaux à toit dentelé attendaient les passagers. J'avais fini par réveiller Alexandra et Pénélope et je les avais préparées de mon mieux. Elles riaient un peu trop, impressionnées par cette inconnue qui leur parlait français. Nous descendîmes en avance pour prendre le breakfast, servi à l'anglaise, dans une des salles à manger du célèbre hôtel, interdit avant l'Indépendance « aux Indiens et aux chiens ».

Elles ne se ressemblaient guère pour deux sœurs. Alexandra avait un corps long et gracile, un cou flexible, un visage pointu, des yeux mauves qui la rendaient plus attirante que jolie. Pénélope ressemblait à Mme Barclay. Mais elle était replète et toujours en mouvement. Sa chevelure châtain faisait des vrilles sur ses oreilles. Dans le hall elle allait et venait entre les boutiques des galeries marchandes en sautant à cloche-pied, sans pouvoir se calmer. Alexandra s'était assise à côté de moi et regardait déambuler sur les dalles de marbre des familles entières où les saris des femmes mettaient des irisations dont je n'avais jamais eu l'idée.

« Tu aimes l'Inde ? demandai-je à Alexandra.

— Je commence, répondit-elle. J'aime ces couleurs. » Elle désignait les groupes du menton. « À Pondichéry, je me régale de la cuisine créole. » C'était drôle, cette déclaration, dans la bouche d'une enfant si maigre.

J'avais pris, en descendant, une brochure sur Elephanta et je la lui montrai. « Tu y es déjà allée ?

— Souvent. Papa se met devant la statue de Lord Shiva dans une des grottes et nous attendons sur les marches qu'il ait fini.

— De quoi faire ?

— De regarder le Dieu. »

J'étais interloquée. « Il y a un culte, des prières ? »

Elle sourit de mon ignorance : « Non, pas là. Les bas-reliefs sont très anciens et personne ne les adore plus. » Elle tenait serré contre son buste plat le carnet à dessin qu'elle avait à tout prix voulu emporter. « Mon professeur m'a conseillé d'avoir toujours mon bloc avec moi pour faire des croquis, m'avait-elle expliqué dans la chambre. Quand il y a des gens, c'est difficile parce qu'ils bougent. Mais dans l'île d'Elephanta on trouve le calme dès qu'on s'enfonce dans les grottes sacrées. » D'où cette enfant tirait-elle un vocabulaire si recherché ? Elle sourit timidement : « Ma sculpture préférée représente le mariage de Shiva et de Parvati. La déesse est si fine à côté de Shiva, si délicate avec ses colliers, ses pendants d'oreilles. Papa me laisse tout mon temps pour mon tableau. Il se plaît là-bas. Et il demande toujours à voir le résultat.

— Tout le monde est prêt avant l'heure », dit M. Barclay qui surgit derrière nous. Je sursautai. Je n'étais pas encore habituée à sa haute taille, à la distinction de sa mise, à l'autorité de sa personne. Pénélope se précipita dans les bras de son père : « Allons-y ! »

Nous prîmes le plus petit des bateaux en partance, une barque qui n'avait pas de toit et qui semblait minuscule dans les eaux rose et bleu qui nous entouraient.

Mon voisin me raconta par petites touches, en

français, l'histoire de Bombay tandis que nous avancions au ras des flots, propulsés par un faible moteur.

Notre pilote avait allumé trois bâtonnets qu'il avait piqués dans une fissure de l'étrave. Il en sortait des volutes de fumée qui se déformaient au gré de notre course en dégageant une odeur d'ambre et d'encens.

« Pourquoi fait-il ça ? demandai-je.

— Pour nous protéger. Il y a toujours une divinité à honorer en Inde. Elle mérite une offrande même si nous ne la voyons pas. Une fleur, un biscuit, une petite guirlande, peu importe. C'est la dévotion qui compte. Certains des plus grands penseurs soutiennent que chaque dieu mène à l'Unité. Cette idée fait l'objet de discussions religieuses et métaphysiques passionnées. Naturellement, elles n'aboutissent pas. »

Depuis que je l'avais rencontré, il n'en avait jamais tant dit. Alexandra buvait les paroles de son père tandis que Pénélope s'était réfugiée près du pilote pour veiller avec lui sur la bonne marche du bateau.

« Qu'est-ce que c'est, la métaphysique ? demanda Alexandra en anglais d'une voix plaintive. Tu me l'as déjà dit, mais j'ai oublié. »

M. Barclay la reprit. « Pose ta question en français, s'il te plaît.

— Je dois toujours parler français désormais ?

— Quand vous êtes seules avec Mademoiselle, oui. Avec Maman, nous continuerons de parler l'anglais.

— Qu'est-ce que la métaphysique ? » répéta Alexandra en détachant les syllabes françaises. Sur la mer lisse, au loin, deux pétroliers prenaient le large.

« En Inde elle ne se distingue pas réellement de la religion. La métaphysique, c'est une manière de voir l'ensemble des choses, de tout prendre à la fois.

— C'est difficile ? »

Il eut un geste d'impuissance. « Oui, partout. Mais ce qui est insaisissable ici, c'est le mélange des genres.

— Nous arrivons, s'exclama Pénélope, voilà l'île ! » Un tertre, surmonté d'arbres rabougris, apparut, précédé de quelques bateaux. Une jetée sur pilotis s'avançait entre eux. Ses planches résonnèrent lorsque nous débarquâmes. Puis vinrent des boutiques de souvenirs, une petite pente et, soudain, en haut d'un escalier très raide, une esplanade sur laquelle s'ouvrait l'entrée monumentale de la première grotte.

Les petites s'enfoncèrent dans l'obscurité sans hésiter. Je restai immobile entre l'ombre et la lumière. Leur père se tenait derrière moi.

« Ne nous arrêtons pas pour le moment aux reliefs latéraux. Je vous les détaillerai tout à l'heure. Allons vers l'essentiel. »

Il me dépassa pour me rassurer. Je le suivis dans une succession de vastes cavités entre des piliers géants dont les chapiteaux s'arrondissaient en une corolle de pierre. « Ne croyez pas que ces piliers soutiennent la montagne, dit-il en se retournant. Ils ont été sculptés dans le roc au moment où la grotte a été excavée au septième siècle. La vraie force, elle est ici. » Son doigt désigna, tout au fond, une tête aux trois visages qui, par sa taille gigantesque et par la profondeur de ses expressions, semblait, peu à peu, envahir tout le sanctuaire.

« C'est Shiva. Il est représenté sous ses trois aspects, à gauche, le dieu destructeur, à droite, le dieu créateur, et en face de nous, le dieu qui conserve le monde. »

Nous nous déplaçâmes de part et d'autre de la statue tricéphale, puis nous nous assîmes sur une banquette de pierre. Mon émotion était immense et inattendue. Je fus surtout frappée par la vaste poitrine couverte d'un collier ciselé, le menton rentré dans un cou large, les lèvres faites pour l'amour, les paupières abaissées, le front majestueux du relief central. C'était Dieu comme je ne l'avais jamais imaginé, épanoui, plein de vie, beau, désirable, détenant, sous ses paupières baissées, une concentration, un pouvoir presque palpables.

« Dans la statuaire indienne, Shiva n'est pas toujours représenté sous ses trois aspects, loin de là, mais il a toujours un rôle d'impulsion essentiel. Lorsque son linguam est vénéré, le cylindre que vous verrez tout à l'heure dans un temple latéral érigé sur le yoni, le sexe féminin, c'est la même énergie divine à laquelle on rend hommage. » Il affirmait cela tranquillement comme si c'était tout naturel, comme si nous célébrions de tels cultes en Occident.

Je pensais aux flammes tremblantes des cierges, pendant les offices de mon couvent tandis que nous implorions la croix d'un sauveur mort pour le salut des hommes, et j'avais le vertige. Pourquoi avais-je accepté ce voyage dangereux ? L'Inde n'était pas neutre comme je l'imaginais. Un autre monde, une autre civilisation. Quelle folie !

Nous étions seuls. Deux taches de lumière blanche marquaient au loin l'entrée des sanctuaires. Mon compagnon reprit : « Le bouddhisme, dont l'apparition est contemporaine des grottes d'Elephanta, a peut-être exercé une influence sur leurs sculptures. Observez les yeux baissés du Dieu, ses longues oreilles, les plis de la sagesse qui strient son cou. Vous les retrouverez sur les représentations de Bouddha dans le monde entier. Mais vous n'y admirerez jamais une bouche aussi sensuelle, pas plus que vous n'apercevrez, aux côtés du sage, une épouse, ou plutôt une déesse qui représente l'aspect féminin de la puissance divine. Ce sont deux attitudes religieuses qui ont chacune leur vérité, mais qui sont complètement différentes.

— Laquelle avez-vous choisie ? »

Pour la première fois il eut l'air embarrassé.

« Je n'ai rien choisi, je crois. Mais je suis imprégné de – il hésita – la pensée de l'Inde du Sud et elle n'est pas bouddhiste. Ma mère a toujours vécu à Pondichéry et mon père qui est médecin s'y est établi quand il l'a épousée. Ils sont devenus l'un et l'autre parmi les meilleurs spécialistes du Tamil Nadu. J'ai été élevé au milieu des dieux et des déesses hindous, tout en allant régulièrement au catéchisme. Nous recevions les savants de passage et la visite, en voisins, des jésuites du collège Ignace-de-Loyola à Madras. Des pandits – des lettrés indiens si vous voulez – venaient tous les matins réfléchir aux côtés de mon père. Et j'ai eu la chance d'avoir une nourrice tamoule. J'ai mes racines dans l'hindouisme, même si le bouddhisme et sa prodigieuse extension m'intéressent. »

Catholicisme, hindouisme, bouddhisme : je perdis pied, malgré la beauté prenante de la sculpture. À Sainte-Marguerite, pendant la guerre, j'avais écouté le Père Bernard et prié de tout mon cœur le Dieu qu'il enseignait. Mes certitudes s'obscurcissaient.

« C'est indiscret, peut-être, ou trop personnel, excusez-moi, repris-je en m'enhardissant. Dans le couvent catholique où j'ai fini mes études, nous avions d'excellents cours d'instruction religieuse. Je suis orthodoxe et j'ai aussi lu de la théologie orthodoxe en préparant ma licence de russe. Pouvez-vous m'en dire davantage ?

— Cela vous intéresse ?

— Beaucoup. » Je rougis jusqu'aux oreilles dans la pénombre.

J'étais assise sur mon rebord de pierre. Mon interlocuteur avait écarté ses jambes puissantes et se tenait debout, appuyé au rocher comme s'il le soutenait. De lui comme de la statue tricéphale de Shiva émanait un courant intense, qui donnait envie d'aller plus loin, vers d'autres horizons, d'autres niveaux de réalité, mais où, où ?

« Il faudrait plus de temps et de science que je n'en ai pour vous répondre. Je vais vous avouer pourquoi. J'ai fait des études sérieuses et j'ai été élevé dans le climat que je viens de vous décrire. Ma mère, grande lectrice de la *Bhagavad Gîtâ*, un des livres essentiels de l'Inde, me la commentait. J'avais un professeur de yoga et un guru – ce qui faisait bien rire mes camarades du Lycée français. Mais j'étais déjà grand et entraîné. Leurs moqueries m'étaient égales. Je rêvais d'être médecin et j'avais une bizarre piété pour Shiva et pour Krishna, qui sont pourtant bien différents, un attrait que je ne peux ni décrire ni comprendre. Je l'ai gardé.

« A dix-huit ans, en 1940, j'ai répondu à l'appel du général de Gaulle comme beaucoup de jeunes d'ici. Mais je ne suis pas parti retrouver les Forces françaises libres au Proche-Orient ou en Tripolitaine. Je suis à demi anglais, je venais de me marier, j'ai été recruté par les services britanniques de renseignement à Calcutta. C'était plus près. Au retour, il était trop tard pour retourner à la médecine et aux études. J'ai essayé d'agir.

— Agir comment ?

— De faire fortune.

— Vous avez réussi ?

— En partie. Je vous ai dit à Londres que je m'occupais d'import-export.

— Je ne me rends pas compte de ce que cela signifie.

— À Pondichéry en ce moment, cette expression recouvre tous les trafics possibles. L'or, les diamants, les autres pierres précieuses, l'alcool, certains produits fabriqués, les roupies elles-mêmes.

« Ce n'était pas la même chose après la guerre quand j'ai commencé. Il fallait faire revivre les routes maritimes du Comptoir vers ses anciens clients, l'île Maurice, par exemple. C'était difficile. Depuis l'indépendance de l'Inde en 1947, le gouvernement de Nehru a interdit ou taxé beaucoup de choses. Au nom des privilèges du Comptoir, la contrebande est devenue l'activité la plus facile qui soit à Pondichéry.

— Cela vous plaît ? » demandai-je, effarée.

Il s'aperçut de mon désarroi.

« Jusqu'à maintenant oui. C'est un défi, un jeu, une griserie. Pourquoi les autres et pas moi ? Mais en face des trois visages géants du Dieu, chaque fois que je viens méditer devant lui, je me demande si j'ai raison. Création, conservation, destruction, c'est la règle de Shiva. Nous sommes dans un monde conçu comme une succession indéfinie de cycles, en Inde. C'est vous qui me forcez à me le rappeler.

— J'étais à Paris pendant l'Occupation. La destruction, nous l'avons connue, et elle était irrécupérable. »

Je baissai la tête, confuse de mon explosion.

« Pardonnez-moi ma véhémence, ajoutai-je. Tout cela est encore très proche. Ces lieux me bouleversent et je n'ai guère l'occasion d'aborder ces sujets. »

Il ne me quittait plus des yeux. Une douceur inattendue s'installa entre nous.

« J'ignorais qu'en prenant une éducatrice française pour mes enfants, je recrutais aussi une tête pensante. Ne m'en veuillez pas. Je ne vous ai guère donné d'éclaircissements religieux et je vous ai parlé de moi au lieu de vous interroger sur vous. Je ne suis pas, moi non plus, accoutumé à ce genre de conversation. Et puis j'ai surtout vécu en Asie. J'ai beaucoup de mal à adopter un point de vue européen.

— Papa, Papa, cria Pénélope en apparaissant dans la pénombre, j'étais sûre que tu avais emmené Mademoiselle ici. Alexandra te demande, elle a fini son dessin et veut te le montrer. Et puis nous avons faim, toutes les deux.

— Nous venons », répondit M. Barclay tandis que sa fille repartait en dansant entre les piliers.

Nous admirâmes dans une grotte latérale l'œuvre d'Alexandra.

Elle était assise en tailleur au pied du bas-relief qui représentait le mariage de Shiva et de Parvati. Avec son crayon et sa gomme, elle affinait les traits de l'épousée qui se tenait, les seins gonflés, la taille fine, près de son époux. Des écolières indiennes, débarquées après nous, entouraient la dessinatrice. Elles avaient des nattes nouées par des rubans de couleur, des sourcils épais et portaient des blouses blanches et des jupes bleues d'uniforme. Elles se dispersèrent à notre arrivée.

Habilement M. Barclay rehaussa d'ombres le croquis de sa fille. « Maintenant, il faut que tu le dates et que tu signes.

— Mais je ne l'ai pas fait toute seule, dit Alexandra, pleine de scrupules.

— Alors tu mets Alexandra et Papa, le 12 octobre 1950. » Elle acquiesça les joues roses, heureuse comme je ne l'avais pas encore vue.

Nous allâmes déjeuner dehors, sur une des tables de pique-nique installées près de l'Elephanta Caves Canteen, une boutique de guingois qui offrait des nourritures sommaires aux visiteurs. Les arbres de l'île nous protégeaient à demi du soleil. Nous mangeâmes de bon appétit les galettes que M. Barclay avait été nous chercher. À une autre table les écolières avaient sorti des provisions de leur sac et bavardaient sous la surveillance d'une maîtresse à peine plus âgée qu'elles.

J'avais retrouvé mon calme. Dans le monde entier les petites filles se ressemblaient. J'étais là pour apprendre les finesses de la langue française à Pénélope et à Alexandra. Personne ne m'obligeait à m'immerger dans la culture indienne. Je pouvais m'y intéresser sans m'y perdre.

« J'aimerais un verre de lassi, dit Alexandra.

— Moi aussi, Papa, deux verres de lassi, réclama Pénélope.

— Enfin, vous savez bien qu'il n'y a pas de lassi dans cette île déserte. Allez chercher des Cocas et rapportez-nous-en deux, dit-il sans me consulter. Il n'y a que ça», fit-il en s'excusant et en me lançant un bref coup d'œil.

Les petites revinrent avec quatre bouteilles.

«On les a ouvertes devant vous ?

— Oui, dit Pénélope. J'ai bien regardé et fait très attention, comme tu nous l'as appris. Quelquefois ils trichent, fit-elle à mon intention. Ils mettent un autre liquide dans la bouteille et ils referment.»

Toute cette conversation s'était tenue en français. En fait, les deux enfants parlaient déjà très bien et l'idée me vint que j'étais seulement là pour les perfectionner et leur tenir compagnie. J'eus à nouveau un moment d'inquiétude. Il se dissipa. Leur père m'avait dit à Londres que ce n'était pas nous qui prenions l'Inde mais que c'était l'Inde qui s'emparait de nous. Pour moi ce processus mystérieux s'est effectué en plusieurs étapes et c'est à Elephanta qu'il a commencé.

Les ombres de nos médiocres feuillages se déplaçaient sur le sol. La baraque de l'Elephanta Caves Canteen était désormais sans clients et montait une garde dérisoire au bord des puissances divines enfouies dans les ténèbres. Nous sirotions notre breuvage. Les écolières installées à trois pas de nous nous observaient à la dérobée puis se penchaient les unes contre les autres pour chuchoter à leur aise. Il faisait moins chaud. Je me sentais bien.

«Le pique-nique est un des grands plaisirs de l'Inde, me dit M. Barclay. Chaque fois qu'elles le peuvent, les familles aisées partent manger en plein air. Mais on s'assied par terre. Les chaises et les tables sont destinées aux touristes occidentaux.

«J'ai pris du chocolat pour vous, reprit-il en s'adressant à ses filles.

— Tu y as pensé !

— Je l'ai acheté hier, en cachette, à l'aéroport. Je savais bien que vous en auriez envie.» Il était content de leur faire plaisir.

Hier ! Seulement hier. Nous avions quitté Londres la veille et l'Europe s'estompait déjà. Ma belle assurance n'était pas aussi entière que je le croyais en préparant ma valise.

« Pour une fois, tu es là, dit Alexandra en saisissant la main de son père avec la fougue des timides. Papa, est-ce nécessaire pour tes affaires que tu voyages autant ?

— Maintenant vous avez Mademoiselle, dit-il sans lui répondre directement.

— Ce n'est pas la même chose, laissa échapper Pénélope qui devint écarlate et s'en sortit par une horrible grimace.

— Tu as bien raison, fis-je pour la rassurer. Rien ne peut remplacer des parents qu'on aime. Et puis je ne sais rien de ce pays, ni même si je m'y plairai.

— Il y a des gens qui ne s'y habituent jamais. Mais il y a aussi des reculs qui sont le début de la passion », dit M. Barclay. Il fixait le sol, très réservé à nouveau, comme si ces mots étaient sortis de la bouche d'un autre. Je sentis pourtant qu'il me portait attention.

« Nous vous apprendrons, Mademoiselle, dirent les deux petites filles pour une fois réunies. Nous sommes très savantes, n'est-ce pas, Papa ? Vous verrez, vous verrez ! » Leur enthousiasme me réchauffa. Elles avaient retourné la situation et, sans le vouloir, commencé à transformer ma vie.

Comment ne pas chérir cette heure innocente, où le silence ne pesait pas, où les caractères s'exprimaient librement, où nous étions tous inclus, même moi, l'ignorante, dans le sein formidable de Mother India ?

M. Barclay s'assombrit.

« Le temps va tourner. Il faut rentrer. » Le ciel était éclatant à travers les branches. « Comment le sais-tu ? demanda Pénélope, incrédule.

— Je le sens. La mousson n'est pas finie à cette

date dans cette région. Ce n'est pas une bonne saison. »

Nous nous hâtâmes vers la jetée de bois. Notre batelier nous attendait, soucieux. M. Barclay lui lança quelques mots en marathi. Il dodelina la tête de droite à gauche, en un signe d'assentiment qui me devint familier par la suite.

« Qu'est-ce que tu lui as dit ? fit Alexandra.

— Que les dieux sont avec nous, puisqu'il les a honorés à l'aller. »

Nous étions presque arrivés à Bombay quand il commença à pleuvoir. Une pluie aux gouttes larges, épaisses qui se muèrent en nappes liquides. Quand nous parvînmes enfin à quai, nous étions trempés. Des Indiens s'étaient réfugiés sous la Porte de l'Inde pour s'abriter. L'hôtel Taj ressemblait à une forteresse. Les écolières abordèrent juste après nous. Le toit de leur bateau ne les avait guère protégées. Pourtant, avec leurs foulards et leurs sacs en guise de parapluies, elles paraissaient aussi heureuses sous la pluie qu'au soleil, et communiaient sans effort avec la sauvagerie des éléments. « L'Inde, pensai-je, l'Inde, apprendrai-je jamais ? » Il n'était déjà plus question pour moi de repartir.

CHAPITRE 6

PARIS

Février 1967

Clarisse sortit du lycée après avoir pris congé des élèves qui demandaient des livres et des conseils. Elle longea, chemin faisant, la salle de classe où elle avait commencé le Cahier indien. Il n'était pas question qu'elle s'y arrête. Elle devait rentrer au plus vite chez elle pour relire la traduction qu'elle venait de terminer à la demande de l'Unesco. Il s'agissait des commentaires de l'Union soviétique sur le projet de Programme expérimental mondial d'alphabétisation, le PEMA, qui devait être discuté en avril 1967 au Conseil exécutif de l'Organisation. Un sujet brûlant, objet de controverses passionnées. Comment apprendre à lire et à écrire à tous ceux qui ne le savaient pas ?

En revenant de Pondichéry au mois de janvier 1953, Clarisse avait dû chercher du travail pour se remettre à ses études. Elle n'avait pas eu trop de mal à obtenir un poste de traductrice à l'Unesco. L'Organisation était en pleine expansion. On étouffait dans les locaux, pourtant vastes, de l'hôtel Majestic. Le bâtiment à trois branches où se logerait dans un lieu digne d'eux le secrétariat des cent vingt-deux pays membres que l'Organisation rassemblait en 1967 allait être inauguré en novembre 1958. Le service compétent se souvenait avec émotion de sa mère et la BBC l'avait chaudement recommandée.

Mais elle s'était vite aperçue qu'elle ne pouvait à la fois satisfaire ses employeurs, qui exigeaient un certain nombre de pages par jour, quelle que fût la difficulté du texte, présenter son diplôme sur Pouchkine et préparer l'agrégation de russe. Elle avait donc renoncé à un emploi permanent et était devenue pigiste à ses risques et périls. Au moins pouvait-elle étudier à son gré *La Fille du capitaine* ou lire les auteurs du concours et souffrir de l'absence de Mike tout son saoul au couvent de Sainte-Marguerite où elle s'était réfugiée.

Quand elle avait été nommée professeur à Moulins, elle avait continué de faire des traductions et elle n'avait pas cessé, après son mariage, en rentrant à Paris. C'était un des rares sujets sur lesquels Stéphane s'était gardé d'émettre un avis. Il l'avait toujours connue flanquée de dictionnaires. Cette image devait entrer dans celle, flatteuse, inquiète, démesurée, qu'il s'était forgée de Clarisse dès les débuts. Il se contentait d'observer, parfois, qu'avec deux salaires, ils n'avaient guère besoin de cet appoint. Elle ne répondait pas, ne changeait rien. Cette activité lui rappelait le soin de sa mère à la former aux langues étrangères. C'était aussi une occasion de pratiquer le russe, bien que celui des documents officiels fût très convenu. À présent, d'ailleurs, la rédaction du Cahier indien lui laisserait moins de temps et son mari serait peut-être soulagé de la raréfaction des caractères cyrilliques sur son bureau.

Bien installée à sa table, Clarisse se dépêchait. C'était la dernière de ses « livraisons » pour un bon moment. Elle relut les pages du texte russe et pensa que ses auteurs avaient partiellement raison. Ils émettaient des doutes sur la notion d'alphabétisation « fonctionnelle » proposée par le Directeur Général, qui leur paraissait trop vague pour les adultes auxquels elle était supposée ouvrir les portes du savoir. Cette nouvelle approche devait porter remède aux difficultés des grands « élèves » des pays pauvres qui oubliaient ce qu'ils avaient appris en lecture et en écriture parce que cela ne leur servait à rien dans la vie quotidienne. Et ils n'avaient pas de papier pour faire des exercices.

Il existait pourtant dans ces pays des capacités exceptionnelles puisque leurs habitants se remémoraient avec la plus grande précision les récits des anciens ou les textes sacrés et pouvaient les transmettre sans une erreur. Les Occidentaux avaient baptisé cela « la tradition orale ». Deux mémoires gisaient donc côte à côte, celle de la « tradition orale » qui consistait justement à se passer des livres et celle des programmes d'alphabétisation qui voulaient y donner accès. Les fonctionnaires internationaux ne savaient que faire. Pour conclure, le texte soviétique annonçait l'envoi d'une cargaison de crayons aux pays les plus démunis dans un avenir qui n'était pas défini.

Clarisse avait de l'admiration pour les analphabètes. Elle en avait rencontré beaucoup à Pondichéry et mesuré comment ils palliaient leur ignorance par l'observation et l'ingéniosité. Elle les plaignait d'autant qu'ils combinaient souvent leur manque d'éducation avec l'appartenance à de basses castes et à la pauvreté. Les servantes de la maison Barclay, en revanche, quelle que fût leur origine, savaient toutes déchiffrer leur langue et lire le français, qu'elles aient été ou non à l'école, ce qui était exceptionnel.

*

Clarisse s'étira, respira. Elle aimait la pièce d'angle qui lui servait de bureau.

Au début de son mariage avec Stéphane, il avait été convenu que ce bureau lui appartiendrait et qu'il n'y mettrait pas les pieds. Même les enfants savaient qu'ils devaient frapper avant d'entrer.

Elle s'était faite à l'appartement. C'était un lieu agréable, rempli de soleil, au troisième étage, que beaucoup eussent voulu posséder et que l'oncle de Stéphane, le fameux notaire, lui avait légué. Elle l'habitait depuis dix ans, elle y avait élevé François et Marie, elle y avait quelques bons souvenirs, des lectures, des conversations avec Stéphane, même des coucheries quand elle espérait encore parvenir à l'aimer.

Elle avait rassemblé autour d'elle les meubles de sa mère, son secrétaire à tiroir secret, sa table et une petite armoire où elle avait serré son icône et ses romans anglais ou russes que Stéphane ne voulait en aucune façon voir « à la maison ». Elle tenait toujours l'armoire et le secrétaire fermés à clef comme si elle craignait que les objets bannis ne viennent faire la fête la nuit dans le salon comme les joujoux de l'héroïne dans le *Casse-Noisette* de Tchaïkovski.

Elle jeta un coup d'œil sur l'avenue de Friedland, calme à cette heure. Des personnes âgées traversaient la rue Balzac pour glisser une enveloppe dans les boîtes de la poste où la carte de vœux de Mike Barclay ne se trouvait pas. À quoi bon y penser? Elle se retourna vers son texte. Il fallait avancer.

Quand elle l'eut terminé et relu, elle poussa un soupir de soulagement. Comme d'habitude, le document soviétique mêlait des recommandations moralisantes à des remarques complexes. Il rappelait l'expérience acquise dans l'alphabétisation du temps de Lénine et de sa femme Kroupskaïa. Évidemment par la force on pouvait presque tout faire, pensa Clarisse en imaginant les peuples de l'Empire rouge forcés d'apprendre à parler, à lire, à écrire dans la langue dominante sous peine d'être réduits à rien par le nouveau régime. On souffrait d'être privé de sa langue maternelle et de la voir dévalorisée. On souffrait d'être analphabète. On souffrait d'être alphabétisé dans une autre écriture, une autre langue que la sienne. Derrière ces souffrances particulières et innombrables, il y avait une des pires oppressions que l'homme peut exercer contre les autres hommes. Malgré les commentaires hypocrites des uns et politiques des autres, l'Unesco était au cœur du problème et levait un coin du voile. Clarisse était contente de travailler sur ce sujet.

Elle plaça l'étude et la traduction qu'elle venait de relire dans un dossier. Elle le porterait le lendemain, à la date prévue, au siège de l'Organisation, place de Fontenoy. Ce serait un moyen de voir Marc, le directeur du Bureau des traductions et de l'interprétation, et de prendre rendez-vous avec lui. Marc était depuis un an l'amant de Clarisse.

Il était plus jeune qu'elle. Pas de beaucoup. Assez pour qu'elle le sente. C'était un Juif américain d'origine russe. Son habileté politique autant que son agilité linguistique lui avaient valu une promotion exceptionnelle pour son âge.

Il avait attaqué Clarisse la première fois qu'il l'avait rencontrée.

« Merci de ce texte. Je le ferai réviser et je vous en parlerai. Je sais que vous avez beaucoup d'expérience. » Elle s'était levée pour prendre congé. En lui ouvrant cérémonieusement la porte il avait ajouté : « On m'avait dit que vous étiez très séduisante, quand puis-je vous revoir ? » Engourdie par sa morne vie conjugale et ses regrets, elle était restée de glace.

« Vous n'y pensez pas ?

— J'y pense tout à fait, au contraire », avait-il rétorqué en riant de bon cœur. Plus bas, il lui avait chuchoté en russe :

« Nous ne sommes plus au dix-neuvième siècle, ma petite colombe. La Révolution bolchevique est passée par là et nous a tous libérés. Dis oui, je t'en prie. Je t'invite la semaine prochaine à prendre un verre chez moi à l'adresse suivante.» Et il traduisit en russe, à toute allure, le nom de sa rue, le numéro, l'étage de l'appartement où il habitait. Le résultat était si cocasse qu'elle s'était déridée et y était allée.

Marc était vif et drôle. Elle avait pris goût à ses étreintes rapides, aiguës comme le reste de sa personne. Et puis ils parlaient russe ensemble. Non seulement Stéphane interdisait le russe à la maison mais il ne voulait pas que les enfants l'apprennent. «Quand ils sauront vraiment leur propre langue.» Clarisse avait maintes fois répété que le russe était aussi leur langue mais Stéphane se crispait, balançait son grand corps au bord de la colère et tournait les talons. Peut-être qu'un jour il changera, se disait-elle. En fait, elle n'avait pas la force de lutter. C'était un point trop sensible. Mais qu'est-ce qui ne l'était pas ?

Après l'amour, Marc lui faisait du thé. Puis il allait chercher un dossier d'où il sortait la dernière traduction de Clarisse avec les corrections du réviseur et les commentait.

«Je me croirais en classe, protestait Clarisse. Pourquoi parler de ça maintenant ?

— Parce que je veux que tu sois la meilleure.

— À quoi bon ? Je fais ça pour gagner de l'argent, pas pour l'amour de l'art.

— On ne sait jamais.»

D'autres fois il lui faisait lire à haute voix les textes préparés par les Soviétiques pour la Conférence générale et l'obligeait à les traduire en français le plus vite possible.

«Pourquoi ? disait-elle. Pourquoi ?

— J'aime t'entendre. Ça me fait du bien.»

Quand elle avait fini, il se levait, sortait de la vodka du frigidaire, levait son verre en l'honneur de Clarisse. «À toi, disait-il. Es-tu un peu heureuse avec moi ?»

Il leur arrivait aussi de ne rien faire et de discuter

ferme de l'Organisation. On était en pleine guerre froide et Marc avait un poste d'observateur privilégié. Clarisse lui avait raconté les débuts de la Révolution tels que les avaient vécus son grand-père et sa mère. Il lui avait posé de multiples questions, d'autant que ses propres parents, devenus américains, n'évoquaient jamais leur passé russe. Une connivence s'était créée entre eux qui reposait sur leur goût commun pour l'Unesco, plus que sur leurs personnes. Encore que celles-ci eussent leur importance. Ils étaient l'un et l'autre le produit de deux nations différentes et capables de sortir de leur individualité pour juger du monde à l'aune internationale. Ce que Stéphane, tout intelligent qu'il fût, ne pouvait ni comprendre ni réellement approuver, tant il était marqué par son terroir, sa formation et le milieu frileux de la haute fonction publique française à cette époque.

Plus qu'un amant dont elle n'était pas réellement éprise, Marc était devenu une indispensable bouffée d'air pour Clarisse, de mère immigrée, de père militant, formée dès l'enfance à la lecture des journaux, à la politique internationale, aux langues étrangères, et dont les années pondichériennes avaient encore aiguisé le goût des autres cultures.

Stéphane, paradoxalement, ne s'était jamais inquiété des longs moments que sa femme passait à l'Unesco. Il savait que sa mère y avait travaillé, qu'elle-même y était attachée. Comme beaucoup de grands jaloux, il se trompait de cible. Le passé de Clarisse l'intriguait, en même temps il n'existait guère, comme si elle était sortie des limbes sous ses mains. En revanche toute nouveauté lui paraissait dangereuse. Il guettait les modifications de sa vie, comme une bête épie les bruits de la forêt. Quand il prenait peur, son œil se troublait, ses capacités d'analyse s'obscurcissaient, il commettait des bévues. Ses arrivées intempestives à l'Institut Goethe en étaient un bon exemple.

Stéphane était fidèle à Clarisse, elle le savait. Pas à sa personne. À une force qui était en elle et à laquelle il la réduisait. « Pour moi, tu es le sexe », confessait-il au début de leur mariage, pendant leurs rares moments d'euphorie. « Comme au Moyen Âge », avait-elle répliqué. De fait, cette déclaration l'avait blessée. Son écho avait retenti des années dans ses pensées. Puis l'habitude avait gainé cette phrase et l'avait rendue indolore.

Chacun son style, pensait-elle non sans désenchantement. Il y avait des hommes de sexe et des hommes de peau. Les hommes de sexe, tel Stéphane, s'abattaient comme des aigles sur le corps des femmes et s'en emparaient. Les hommes de peau – certains étudiants, par exemple – les parcouraient en un long et incertain voyage. Ils étaient sympathiques, tendres, plus faibles aussi, plus attachants.

Rien de cela ne se comparait au charisme de Mike quand il s'était approché d'elle dans le train de Mettupalaiyam, quand il l'avait prise dans l'ermitage de Dindigul. Un manque affreux se creusait en elle chaque fois qu'elle y revenait. Elle se leva, fit quelques pas dans la pièce et se rassit. N'y pas penser, sauf dans le Cahier indien.

Elle laissa son travail sur sa table et alla faire du thé dans la cuisine. Même le samovar était interdit par Stéphane à la maison. Son fils François allait rentrer. Il préparait le Conservatoire de piano. Elle sortit les biscuits de son goûter. Il aurait juste le temps de les croquer avant l'arrivée de la répétitrice. Ensuite, l'appartement entier se remplirait de musique. François était déjà un très bon pianiste. Chaque fois qu'elle l'embrassait avant sa leçon, Clarisse tirait l'enfant vers elle, lui caressait la tête, lui prenait les mains, essayait de comprendre leur secret. D'où provenaient ses dons ? Telle une femme, inconsciente des émois qu'elle éveille, poursuit sa route dans l'indifférence, François se dégageait des bras de sa mère et disait: «J'y vais», comme s'il partait s'amuser dehors. Ses doigts ronds se posaient sur le clavier. Peu après des cascades de sons se répandaient dans le salon et faisaient rêver.

Elle s'était arrêtée pour écouter son fils qui enchantait les après-midi d'hiver où elle n'avait pas de cours. Ce n'était pourtant pas le moment de se dissiper. Elle avait une voie à parcourir, désormais, sous la conduite du Bouddha d'or. Chaque pas en avant comptait si elle voulait atteindre la libération intérieure.

Elle n'avait pas vu Marc depuis les vacances de Noël et l'illumination qui avait suivi au musée Guimet. Quel sens aurait, cette fois, leur rencontre?

Elle se tourna un moment vers la fenêtre pour réfléchir.

De fait, Marc était le résultat de la tyrannie inconsciente et globale de Stéphane sur son corps, sur ses intérêts, sur ses pensées. Ce n'était pas une excuse et elle le savait bien. Elle avait tort de le voir. Il entrait, hélas, dans la confusion de son existence.

Elle avait de bien meilleures mœurs quand elle était la maîtresse de Mike et quand elle se laissait guider par lui vers un amour pur et sincère, même s'il était clandestin. Tout s'était troublé depuis son retour en Occident. Ce dernier soutenait que l'Inde était compliquée. Il se trompait parce que celle-ci était gouvernée par l'idée simple de la totalité. Tandis que l'Europe – prétendue rationnelle et universelle – morcelait les vies et les cœurs: un peu de Stéphane, un peu de Marc, un peu de maternité, un peu d'enseignement, un peu de traductions, quelques rêveries devant le palais Potocki, quand il y avait des fêtes. Une mosaïque: voilà ce qu'elle était devenue.

C'est vrai qu'il n'y avait guère de points communs entre la mystique tamoule et la vie d'une mère de famille, professeur de russe à Paris, capitale du rationalisme et de la Révolution française. L'humble et tendre dévotion à l'égard de la Divinité, la Bhakti, ou la compassion bouddhiste semblaient ne tenir aucune place sur le pavé parisien. Pourtant ils devaient bien s'y nicher quelque part, car eux seuls illuminaient les séparations, la maladie, la mort, mais aussi des réalités aussi quotidiennes et douloureuses que la fuite du temps et l'absence. Elle avait hâte de reprendre le Cahier indien.

CHAPITRE 7

PARIS

Février 1967

Quelques jours s'écoulèrent, pourtant, avant qu'elle ne puisse s'y remettre. Elle avait porté sa traduction à Marc et lui avait dit qu'elle avait moins de temps pour continuer.

« Pourquoi ? avait-il demandé, surpris.

— C'est un passage ; je réfléchis. »

À lui non plus elle n'avait jamais parlé de l'Inde.

« Tu t'y remettras, j'en suis sûr. » Ses yeux pétillaient de malice et d'insolence et par provocation, il lui avait tendu un nouveau travail. Elle l'avait pris en riant, décidée à le lui renvoyer le lendemain. Pour l'instant le dossier gisait sur son bureau dans une des fières enveloppes de l'Unesco qui étaient couronnées d'un temple.

Il était temps qu'elle se prépare pour le dîner de Victor Choukri, le meilleur ami de Stéphane qui était aussi devenu le sien.

Elle passa dans la chambre conjugale, se changea, sortit du coffre le dernier bijou que Stéphane lui avait offert. C'était un papillon aux ailes de quartz rose, bordées de brillants, dont les antennes se terminaient par des cabochons. Elle posa la broche sur la coiffeuse. Elle était prête.

Marie était chez une amie, François prenait une

leçon auprès de son professeur de piano. La maison était vide, Clarisse était en avance.

Depuis sa visite au musée Guimet, cela lui arrivait souvent d'avoir, malgré elle, des temps morts. Dans ces cas-là, une main invisible semblait se poser sur son épaule et la retenir dans l'immobilité. Ce n'était pas désagréable, c'était même plaisant de considérer les gens et les choses de son entourage d'un autre œil, comme s'ils n'avaient jamais existé auparavant, comme les prémices d'une nouvelle naissance. Elle était reconnaissante à la main invisible sans savoir comment la remercier. Elle sentait à nouveau la Voie.

Elle contempla le papillon. Ses pierres étaient fausses pour une bonne partie. Même ainsi, Stéphane avait dû le payer fort cher, mais elle le savait capable de s'imposer des économies drastiques pour lui faire un présent. C'était l'homme le plus avare et le plus généreux qu'elle ait jamais rencontré. Après dix ans de mariage elle s'étonnait encore de ses ruses vis-à-vis de l'argent. Non qu'il fût cupide. Il était collectionneur. Sa seule folie, son seul défaut. Mais il était pauvre, il était intègre. Il fallait donc réussir avec des moyens infimes. En dehors de la passion qu'il portait à sa femme, tourbillonnaient dans sa tête, elle en était sûre, les combinaisons les plus ingénieuses pour assortir dans ses trouvailles l'authentique et la copie. Le résultat était souvent aussi séduisant que la création d'un grand joaillier.

Elle se leva, retourna vers l'armoire où était encastré le coffre, prit les écrins de tous les bijoux que Stéphane lui avait donnés depuis leurs noces et les aligna sur la table. Les écrins eux-mêmes avaient été recollés, nettoyés par lui et il avait fait imprimer sur chacun en lettres d'or la date de son anniversaire. Ainsi posés par ordre chronologique, les étuis ressemblaient à des cercueils dans lesquels reposaient, comme mortes, toutes les années qu'ils avaient passées ensemble.

Elle ouvrit les étuis un à un.

Les premiers temps, Stéphane lui avait donné des bagues. Une améthyste sur un anneau d'or, une citrine ovale, un grenat rouge sang dans une monture en émail vert. Après étaient apparues des broches : une branche étoilée en verre de Bohême, des marguerites liées par un nœud, une grappe de raisins multicolores. Depuis trois ans, venaient des clips : une libellule en pâte de verre, une abeille couverte d'onyx, et, cette fois, le papillon de quartz rose.

Grâce à son expérience de Pondichéry, elle avait aisément identifié les pierres, souri aux morceaux de verre qui les entouraient, admiré les montures revues par Stéphane lui-même.

Il n'avait jamais demandé à Clarisse ce qu'elle préférait. Il avait tiré son inspiration de lui-même. Ce qui la surprenait en considérant l'ensemble de ces dons, c'était la sûreté du goût qui les avait rassemblés. Il existait donc un autre Stéphane, artiste et poète, qui partait à l'aventure quêter des gemmes pour la femme aimée ? Sous quelles influences cet homme, dont l'ambition et l'amour du pouvoir mangeaient la vie, avait-il découvert les jardins secrets de la joaillerie, des bibelots, des œuvres d'art ?

*

Il lui avait raconté sa jeunesse. Elle en retrouvait des bribes.

Stéphane était né en 1921, à Souvigny, la nécropole des Bourbons, dans le centre de la France. Ses grands-parents étaient instituteurs, ses parents professeurs, comme souvent dans l'Éducation nationale. Ils avaient enseigné dans le Massif central et dans le Bourbonnais jusqu'à leur installation définitive à Moulins où ils avaient trouvé un double poste. À la mort de son père, sa mère était devenue directrice du lycée de jeunes filles. Stéphane avait achevé dans cette ville ses brillantes études secondaires. C'est là que bien plus tard Clarisse avait fait sa connaissance.

Un cousin de sa mère était notaire dans la région. Sans enfant, il s'était attaché à son neveu qu'il invitait en vacances et emmenait partout avec lui. Ces pérégrinations les entraînèrent plusieurs fois chez le marquis de Valigny qui possédait le plus beau château de la vallée de la Bresbe et faisait régulièrement venir son notaire pour refaire son testament.

« Va te promener dans les salons, mon petit », disait le marquis, avec bonté.

Stéphane allait d'une pièce à l'autre, s'enhardissant à toucher la garniture d'un fauteuil, le dessin d'une marqueterie, les girandoles posées sur une cheminée. Son oncle l'appelait pour le faire revenir. « Ne le bousculez pas, disait le marquis, ça lui plaît. » L'adolescent traînait les yeux sur les boiseries qui s'écaillaient, les lustres empoussiérés, la soie brûlée des rideaux, s'arrêtait devant les objets de vitrine, les flacons de sels, les petits pots de crème, les boîtes d'écaille ou d'or guilloché, les singes ou les oiseaux automates, enfermés sous leur dôme de verre, d'une grâce extrême dont ne profitait personne. Il était seul. Il s'émerveillait d'une demeure où la beauté était partout, comme abandonnée à elle-même et au temps. « J'arrive », criait-il enfin.

Au cours d'une de ces visites, Stéphane s'aperçut qu'un éventail et qu'un œuf émaillé manquaient dans l'armoire de la salle à manger. Ses jambes se dérobèrent sous lui. Il courut prévenir son oncle. Il apparut que ce n'était pas la première fois.

« Qui ? cria Stéphane les larmes aux yeux. Qui ?

— Des visites, ses enfants peut-être, répliqua le notaire qui en avait vu bien d'autres. On vole beaucoup de choses aux mourants.

— Mais ce n'est pas le cas. Il est seulement aveugle et sans défense.

— C'est presque pareil.

— Ce n'est pas juste», siffla Stéphane les dents serrées.

Cet incident avait modifié sa vision d'enfant laïque et républicain. Plus tard il vengerait le marquis en même temps qu'il servirait la cause de tous les faibles quels que soient leur âge et leur milieu. Il serait un grand homme au service d'un idéal. Et il recueillerait des témoignages du passé en souvenir de son protecteur. D'un bond il avait quitté ses origines et s'était donné une mission.

Quand le marquis mourut, Stéphane reçut un legs qui comprenait une chevalière, des livres rares et une montre en or sur laquelle était gravée la formule de la renonciation de la noblesse à ses privilèges la nuit du 4 août 1789.

Stéphane avait montré ces objets à Clarisse dans leur vitrine le premier jour où il lui avait fait visiter la rue Balzac. Elle avait été frappée par son sérieux sans le comprendre. L'appartement lui importait peu à cette époque. L'essentiel était qu'il fût situé à Paris, dans un quartier calme, où elle puisse disposer d'un bureau. C'était Stéphane qui avait acheté le lit conjugal.

*

Elle ferma les écrins, les rangea. Puis elle poussa la porte du salon et alluma les lampes.

La porte claqua. Stéphane entra.

«Tu es là? dit-il étonné, car elle se tenait toujours dans son bureau.

— Je regardais ta vitrine. Qu'est-il arrivé au château, finalement?

— Je ne savais pas que tu te rappelais cette histoire. Le marquis n'a jamais pu se décider à faire un testament définitif. Tout a été liquidé par sa famille.

Je suis allé à la vente. C'était terrible. Je suis parti avant la fin. De toute manière je n'avais pas un sou pour acheter quoi que ce soit.

— Tu l'aurais fait si tu l'avais pu ?

— Je ne sais pas. Peut-être. Un souvenir de lui. Par exemple la canne avec laquelle il se promenait dans le château avec moi vers la fin. Elle avait un pommeau d'ambre jaune. Il y tenait beaucoup. » Il ajouta d'un ton grave qu'elle ne lui connaissait pas : « Il faut savoir se souvenir, mais aussi oublier ; c'est difficile. » Elle craignit un instant qu'il fît référence à Pondichéry. C'était impossible. Elle acquiesça : « Très difficile, sûrement. »

Ils entrèrent ensemble dans leur chambre. Pendant que Stéphane se changeait, Clarisse alla vérifier à la cuisine que le dîner des enfants était prêt. Puis elle retourna agrafer à son corsage le papillon rose.

« C'est une nouvelle blouse, dit Stéphane. Elle est bien décolletée. »

Quoi qu'elle achetât, elle suscitait ce genre de réflexion.

« Elle va avec le papillon.

— C'est vrai. » Il lui jeta un regard en biais dont elle connaissait la signification. Jalousie, désir, intelligence, souffrance, tout y était, comme autrefois. L'ancien Stéphane réapparaissait, ou plutôt il ne disparaissait jamais tout à fait. « Tu es de plus en plus coquette, ronchonna-t-il, hélas la toilette te va. »

La soirée fut pourtant une accalmie. Comme tous les dîners chez Victor Choukri. Clarisse appréciait beaucoup l'atmosphère des repas libanais, qui la rapprochaient de cet Orient dont elle avait la nostalgie. Quant à Stéphane, il conversait et riait de bon cœur. Il avait été le professeur de Victor Choukri à Sciences Po après la guerre et il savait que son ancien élève lui portait une admiration qui ne s'était pas démentie. Avec la maturité elle s'était doublée d'une amitié sans faille.

Après la soirée, avant de reprendre la voiture, Stéphane proposa à Clarisse de faire quelques pas dans la rue de Grenelle où leurs amis s'étaient établis. La tour Eiffel s'apercevait entre les arbres du square qui faisait l'angle du boulevard des Invalides.

« Mais, Stéphane, il fait froid, nous sommes en plein hiver.

— Tu es bien couverte. Tu as ton manteau de fourrure. Allons jusqu'à l'esplanade, cela me fait plaisir.

— Si tu veux. »

Elle avait bu du champagne. Elle se sentait bien. Elle était portée par l'idée qu'elle avait progressé dans la connaissance de son mari, qu'une clarté allait pénétrer leurs relations, que leur tension allait peut-être diminuer.

Ils partirent donc d'un bon pas. Clarisse tenait le bras de Stéphane, essayait de respirer l'air de janvier sans être transie. Étaient-ce les rigueurs de la guerre quand il n'y avait pas de chauffage ? Était-ce la chaleur de Pondichéry qu'elle avait si bien supportée malgré ses excès ? Elle n'avait jamais pu s'habituer, depuis son retour, aux températures françaises.

Ils atteignaient la place. Clarisse s'apprêtait à faire demi-tour quand Stéphane, en bifurquant, poussa la porte du square et tira Clarisse à l'intérieur.

« Qu'est-ce que tu fais ?

— Tu vas voir. »

Il prit le chemin de droite, bordé de buissons décoratifs, qui s'avançait vers le bâtiment construit par Mansard pour les blessés du Roi-Soleil.

Il hâtait le pas.

« Cette promenade n'a aucun intérêt. Je suis fatiguée. Je veux rentrer.

— Un instant. » Il obliqua à gauche.

Dans une allée transversale, sur une pelouse entourée d'arceaux, il y avait une pierre blanche.

« C'est une stèle à la mémoire de Taine, viens la voir.

— Tu es fou ! » On avait planté autour du monument

des myrtes, des lauriers, des aubépines qui avaient peu à peu formé une sorte d'arche. Avec une rapidité incroyable Stéphane traîna Clarisse dans ce réduit, s'adossa contre l'autre face de la stèle, plaça sa femme devant lui, malgré sa résistance, releva sa jupe de soirée, lui laboura les seins qu'il avait fait sortir du corsage décolleté, et la prit en la soulevant de terre.

« Tu l'as voulu, bafouillait-il. Tu l'as voulu en adoptant cette tenue libidineuse. Les autres désiraient tous t'avoir. Je les ai bien observés autour de la table. Mais c'est moi, moi qui te possède. »

Clarisse était disloquée sous la violence de cet assaut. Elle réussit à dire :

« On va nous voir, Stéphane. Arrête, je t'en prie. Nous sommes sous les fenêtres de nos amis.

— S'ils nous voyaient, je serais encore plus heureux. » Il eut un râle, un long soubresaut. Elle se dégagea. L'odeur du sperme se répandit dans la nuit, d'autant plus puissante qu'elle n'était combattue par aucun parfum.

Clarisse se rajusta, la mort dans l'âme.

« Je pense que tu n'as plus froid maintenant ? »

Elle ne répondit pas. Soudain il eut un cri :

« Tu as perdu ton papillon rose ! Où est-il ? » Il fixait la blouse de satin chiffonnée, aux boutons arrachés.

Ils se mirent à quatre pattes derrière la stèle, à la recherche du bijou. Clarisse avait l'esprit vide. La fatigue l'emportait sur l'amertume. Elle cherchait à tâtons sur le sol, se griffant aux brindilles, humiliée, glacée. Soudain, entre deux plants de mœnia, à quelques centimètres de la terre, elle entrevit une lueur. Le papillon était resté accroché à un rameau par l'aiguille de la broche. On eût dit qu'il volait de travers, épuisé lui aussi.

Avant qu'elle ait eu le temps de le saisir, la main de Stéphane s'en empara. Il s'avança hors de la cachette pour l'examiner.

« Il n'a rien », dit-il.

Clarisse ne pouvait détacher les yeux de son visage. Peu lui importait qu'on les aperçoive désormais. Dans son manteau noir, Stéphane faisait tourner le bijou sous toutes ses faces. Il aurait pu être un enchanteur sorti d'un conte dangereux qui jouait avec un talisman. Ses traits impérieux, ses lèvres volontaires s'adoucissaient devant la fragilité de la broche. Jetait-il un sort à Clarisse chaque fois qu'il lui donnait un bijou ? Elle avait peur de lui. Jusqu'où pouvaient l'entraîner ses délires ? Elle frissonna.

« Je te fais attendre dans le froid, toute mouillée, suis-je bête. » Il sortit un mouchoir de dessous son manteau.

« Tiens, sèche-toi. »

Elle le lui rendit.

« Merci, j'ai ce qu'il faut. » Cette bénévolence d'après l'amour lui faisait horreur. Il mit le papillon dans sa poche : « Je ferai vérifier demain le sertissage des pierres et je te le rendrai. Tu es fâchée ?

— Ça t'est déjà arrivé de venir ici la nuit ?

— Autrefois, avec mes secrétaires. Le ministère n'est pas loin. Mais maintenant, Clarisse, maintenant – il lui pinça cruellement l'épaule –, je n'en ai envie qu'avec toi. » Il soupira : « Pour mon malheur. »

Elle n'osa rétorquer que c'était aussi pour le sien.

Ils repartirent, courbés, vers la voiture. Elle n'aimerait jamais cet homme inconnu qui était son mari. Le quitterait-elle un jour ? Jusque-là, elle ne s'était pas posé la question. Les blessures qu'ils s'infligeaient les unissaient comme une branche pleine d'épines relie deux floraisons. Mais il y avait désormais le Cahier indien, l'idée d'une sagesse sinon d'un bonheur, une dalle qui se soulevait lentement vers la liberté intérieure, étrangère aux excès des passions humaines, à Stéphane mais aussi à Mike et à Clarisse elle-même.

CHAPITRE 8

LE CAHIER INDIEN

Bombay, Madras, Pondichéry, octobre 1950

Notre voyage vers Pondichéry me passionna.

Nous étions une fois de plus en avance, les enfants et moi. Il n'y avait personne dans l'entrée. Nous décidâmes d'aller admirer les galeries marchandes qui étaient établies à l'intérieur de l'hôtel. Les antiquaires les plus connus, les meilleurs joailliers y exposaient. Je fus stupéfiée par la qualité des soies, l'abondance des pierres, la préciosité des coffrets. Mes élèves s'apprivoisaient. Je saisis à travers leur babillage qu'elles avaient été élevées par des nourrices indiennes auxquelles leur mère faisait des recommandations qui n'étaient guère suivies d'effet car elle était aussi souvent absente que son mari.

Cela les surprenait d'avoir une « demoiselle ». Elles m'observaient à la dérobée bien que nous ayons déjà dormi dans la même chambre et que je les aie aidées à prendre leur douche, à se coiffer, à ranger leurs affaires de toilette avec tout le soin possible. L'une maigre, l'autre dodue, elles étaient très sympathiques.

Pour commencer notre programme de français, je leur fis énumérer dans cette langue les particularités des boutiques. Puis nous cherchâmes chacune notre objet préféré. Pour Alexandra ce fut un collier de perles d'argent, pour Pénélope un éléphant noir brodé de fils multicolores, pour moi un châle de laine.

« Déjà au travail ! » s'exclama M. Barclay. Il parut sans que nous l'ayons entendu arriver, comme à son habitude. Il portait un costume de lin bleu assorti à ses yeux. Il y avait une coquetterie chez cet homme qui paraissait si viril, un sens du vêtement que je remarquai pour la troisième fois.

« Il fera chaud à Pondichéry, même le soir, m'avait-il dit la veille. Habillez les enfants légèrement. »

Il jeta un coup d'œil à ma blouse, lavée et repassée, dans notre hôtel de luxe, mais la même, hélas, qu'au départ de Londres.

« Nous faisons du vocabulaire appliqué. J'espère que je ne les ennuie pas trop, dis-je, gênée de mon accoutrement.

— Pas du tout, Mademoiselle, dit Alexandra en faisant attention de bien détacher les mots sans accent anglais.

— Papa, viens voir nos objets préférés. » Pénélope prit la main de son père et l'entraîna vers les vitrines.

Il s'en alla donc vers le collier et l'éléphant. Son impassibilité s'était évanouie. Une flamme éclairait son visage. Il avait l'air heureux. J'eus le souvenir de mon père m'emmenant d'un bon pas acheter une gâterie avant la guerre.

Quand ils revinrent, Alexandra portait un fil d'argent autour du cou et Pénélope tenait bien serré l'animal, dans un de ces paquets indiens de papier marron que j'ai appris à aimer par la suite.

« Vous avez un objet préféré ?

— Je serais bien embarrassée pour choisir. Tout me plaît. Je n'ai guère l'habitude d'acheter. »

Il demeura interdit. J'avais jusque-là réussi à masquer ma pauvreté par la combinaison de quelques vêtements. J'étais bien obligée de les porter à nouveau. Cette fois il toisa ma jupe, mon sac, mes mocassins. J'avais commis la folie, à Londres, de louer un appartement sur un square, non loin de Bush House, qui avait dévoré mon salaire de traductrice. De toute façon, je n'avais plus rien, sauf le studio de Boulogne.

« Je comprends. Vous apprendrez. »

Nous retrouvâmes Mme Barclay dans le hall. Elle était contrariée.

« Vous voilà enfin ! » bougonna-t-elle. Elle embrassa ses filles sur le front, me salua non sans grâce, se dérida pour son mari.

« Tu leur as encore fait des cadeaux !

— Ce n'est pas si souvent ! Nous avons tout le temps. Nous sommes mieux ici qu'à l'aéroport », répliqua-t-il.

Il commanda des citrons pressés pour tout le monde. Nous nous enfonçâmes dans des fauteuils. Les petites écoutaient leurs parents discuter en anglais.

Je pus enfin observer la mère de mes élèves tout à mon aise. Plus extraordinaire que belle, elle avait comme deux corps – une tête, un cou fragiles, une taille, une musculature, une puissance d'athlète. Son visage déconcertait aussi, malgré la blancheur de son teint, l'immensité de ses yeux gris, les reflets cuivrés de sa chevelure. Ses traits étaient d'une immobilité inquiétante. J'ai su plus tard qu'elle avait eu une polio dans sa jeunesse qui l'avait complètement immobilisée. Elle s'en était sortie et on l'avait rééduquée. Puis un médecin avait conseillé à ses parents de la mettre au tennis. Elle y avait manifesté une volonté et des capacités exceptionnelles. Mais des paralysies imperceptibles empêchaient à tout jamais sa narine droite de frémir, son front de s'étonner, ses impressions de s'exprimer sur-le-champ.

« Vous faites du sport ? me demanda-t-elle soudain.

— Non. J'ai seulement suivi des cours de danse classique. Et puis la guerre est venue. Les salles n'étaient pas chauffées. On a eu le plus grand mal à trouver des chaussons. Je n'ai pas pu continuer. » Je n'avais avoué ni notre pénurie ni le fait que l'ami allemand m'avait apporté plusieurs fois des pointes et que la communauté russe m'avait donné des leçons gratuitement.

Elle parut, pour la première fois, intéressée par moi. « Après ? demanda-t-elle.

— C'était trop tard pour la danse. Et puis je voulais poursuivre mes études. Je me suis contentée d'aller régulièrement à la piscine sans jamais faire partie d'un club. Je n'avais pas le temps de m'entraîner.

— Et à Londres ?

— Je venais de perdre ma mère. Je me suis plongée dans le travail. »

Elle eut une moue. « Il ne faut jamais s'arrêter, jamais. Vous allez pouvoir vous y remettre. Pénélope joue déjà très bien au tennis. Elle a un excellent professeur. Alexandra doit faire de la gymnastique. Vous aurez à l'encourager, à la surveiller. Vous pourrez naturellement vous joindre à elle, vous intéresser aux autres sports si le cœur vous en dit. Je vous aiderai.

— Je vous remercie. » J'étais embarrassée. Son mari ne m'avait parlé de rien de tel. Il se tenait coi, l'air pensif.

« Si je peux être utile », déclarai-je. Comment ferais-je face à toutes ces tâches, comment donnerais-je satisfaction à Mme Barclay dont les décisions semblaient sans appel ?

Nous partîmes pour l'aéroport. Je vis alors les bidonvilles qui s'étiraient le long de la route. Je ne les avais pas aperçus en arrivant, faute de lumière. Je compris que la nuit indienne couvrait d'abord le malheur des pauvres. Je pensais à toutes ces vies enfouies sous des chiffons, dans des tuyaux. Était-ce possible ?

« Ce sont des paysans qui viennent chercher du travail à la ville, dit mon mentor.

— Ils en trouvent ?

— Oui, s'ils arrivent à tenir assez longtemps. Bombay est une formidable consommatrice de main-d'œuvre. J'ai connu un jeune homme, bien éduqué par sa communauté rurale, qui était monté jusqu'ici et avait fini par habiter dans Bombay même. Il couchait dans une sorte de fente située dans le mur d'une pièce où logeaient dix personnes. C'était mieux que les canalisations du début. Heureusement pour lui, il était musulman.

— Pourquoi heureusement ?

— Parce qu'il avait peu d'interdits alimentaires. Les hindouistes sont ligotés par des règles innombrables, surtout les brahmanes. Non seulement ils sont végétariens mais seul un brahmane doit faire leur cuisine. Comme beaucoup sont pauvres, surtout dans le Sud, ils la font eux-mêmes, extrêmement mal. Vous verrez, par la suite. Toujours est-il que mon jeune musulman parvint à se faire recruter comme comptable dans une banque originaire de sa région. Il savait bien calculer comme nombre des habitants du nord de l'Inde coupée en deux par l'Indépendance. S'il ne se fait pas abattre dans une lutte de clans, il aura deux pièces, une femme et des enfants et pourra nourrir sa famille. »

Nous arrivions à l'aéroport. Dans l'avion je m'assis près d'Alexandra à l'avant. Pénélope s'était installée près d'un hublot avec ses parents à l'arrière. Un parfum lourd, un peu sucré, mêlé de désinfectant, flottait dans la cabine, parcourue par des hôtesses qui portaient sans cesse des boissons sucrées et des friandises.

« J'adore voyager sur Air India, dit Alexandra, même si Maman dit que c'est très dangereux depuis que les pilotes anglais ont quitté l'Inde. Elle se dispute toujours avec Papa sur ce sujet.

— Nous ne pourrions pas aller à Pondichéry en voiture ?

— Vous n'avez jamais encore vu une route indienne,

Mademoiselle. Elles sont tellement encombrées qu'on n'avance pas», répliqua Alexandra. Regardant les hôtesses, elle ajouta :

«Elles sont probablement parsis, les dames. Sinon elles n'auraient pas le droit de voyager comme ça.

— Que veux-tu dire ?

— Leur religion leur permet de circuler. Les hindouistes ne le pourraient pas. Les musulmanes encore moins. C'est pour elles que c'est le plus dur.

«Un jour j'ai vu dans un aéroport du Golfe une dame arriver avec sa famille. Elle était ravissante mais elle portait un masque de cuir qui la défigurait, une sorte de muselière. Elle avait l'air très triste, bien qu'elle soit entourée de servantes. Son mari ressemblait à un nain. Elle avait quatre enfants, trois garçons, une fille de mon âge, habillée d'une jupe et d'un chemisier comme moi. La petite fille jouait, son père la câlinait, elle s'amusait avec ses frères. Elle porterait un jour cet horrible masque d'animal sauvage. Je me suis mise à pleurer. Maman m'a repoussée en murmurant : "De toute façon ce sont des barbares." Papa m'a prise dans ses bras et il a dit : "Il faut accepter ce qu'on ne peut pas changer. Apprends plutôt à comprendre. Je t'aiderai." Depuis ce temps-là, il m'a emmenée dans les temples, il a demandé à mon grand-père, qui est un grand savant, de m'expliquer les religions de l'Inde, de me parler de l'islam, du bouddhisme, des parsis, des sikhs et aussi des castes de l'hindouisme. Mais je continuais à faire des cauchemars, à me sentir mal à l'aise.»

Elle m'avait fait cette confession moitié en français, moitié en anglais.

«Par moments, je ne peux pas supporter tout ça. Je voudrais vivre dans un monde où ces différences n'existent pas.

— Qu'est-ce que tu préfères à l'école ?

— Les sciences naturelles et le dessin.

— Tu as des amies ?

— C'est Pénélope qui a des amies.
— Avec qui parles-tu alors ?
— Avec mes grands-parents. Avec Papa. Je parle aussi avec Dieu, ou avec Lord Shiva, ça dépend des moments.
— Tu es catholique ? Hindouiste ?
— Les deux à la fois, comme Papa. Tous les Barclay sont catholiques, ils sont d'origine écossaise. Maman est protestante. Quelle est votre religion, Mademoiselle ?
— J'ai été élevée dans un couvent de bonnes sœurs. Mais en réalité, je suis orthodoxe.
— Qu'est-ce que ça veut dire ? »
Sa question m'émouvait. Comment imaginer qu'une petite fille de onze ans m'interrogerait en Inde sur mes croyances ?
« Ce sont les mêmes conceptions, répondis-je. Mais, à mon avis, il y a plus d'adoration, plus d'espoir, aussi, dans la Résurrection.
— Vous savez ce que c'est qu'un ashram ?
— J'ai traduit à la BBC un article sur les ashrams. Ce sont des communautés dirigées par un maître.
— Il y a un ashram à Pondichéry. Celui de Sri Aurobindo. Vous en avez entendu parler ?
— Non, pas du tout.
— Sri Aurobindo est mort. C'est Mère qui dirige tout.
— Tu la connais ?
— Oui, j'ai eu beaucoup de chance. Comme je maigrissais de plus en plus, Papa a persuadé Maman de m'envoyer voir Mère. Il pensait qu'elle saurait m'aider. J'ai donc été lui rendre visite un jour où Maman était partie disputer un tournoi.
« Maman aime bien l'ashram parce que Mère a construit une piscine, qu'elle demande à tous les ashramites de faire du sport, et surtout qu'elle joue elle-même tous les jours au tennis. Mais elle sait que Mère déconseille la compétition et ça, Maman ne

l'admet pas. Mais j'étais si malade qu'elle a fini par céder.

« J'ai attendu avec un disciple toute l'après-midi dans l'escalier de Mère, assise sur les marches, avec un bouquet de fleurs qui se fanait un peu. Il y avait beaucoup d'autres visiteurs. Quand nous sommes enfin rentrées dans son salon, elle m'a demandé en français – Mère est française, bien qu'elle dirige un ashram indien – pourquoi j'avais choisi ces fleurs-là ? J'ai essayé de lui expliquer. Elle m'a demandé si j'étais bonne en classe. J'ai dit pas trop mauvaise. Elle m'a demandé quelles étaient mes matières préférées. J'ai répondu les sciences naturelles et le dessin. Elle avait des yeux clairs si remplis de lumière qu'ils semblaient illuminés par-derrière. Mère a pris mes poignets et a mis mes mains dans les siennes. Elle avait des grandes mains qui m'enveloppaient, des bras vigoureux et surtout des épaules et un cou de sportive tout à fait déconcertants pour une mère spirituelle.

« "Suis ton aspiration à travers le dessin et les plantes d'ici. Elles sont magnifiques. C'est une voie. Mais n'oublie pas que le plus important, c'est ton aspiration. Tu reviendras me voir dans quelques mois. Et puis il faut que tu manges et que tu fasses de la gymnastique, sinon tu n'auras pas la force. N'aie pas peur. Avance comme je te le dis."

« Depuis je dessine et je peins tant que je peux. J'apprends les plantes tropicales avec des amis de mon grand-père. Je ne vous ai pas dit toute la vérité à Bombay. Bien sûr je veux faire plaisir à mon professeur, à mes grands-parents. Mais je veux surtout obéir à Mère. Vous comprenez ?

— Tu as aussi recommencé à manger, me semble-t-il ?

— C'est ce qu'il y a de plus difficile. » Elle restait très mince, très fine, et je m'inquiétais à la pensée qu'il y aurait peut-être d'autres crises.

Elle continua : « Je ne déteste plus Pondichéry et je suis contente en Inde. Je vais mieux, mais je suis fragile et j'essaie de me fortifier. J'avais envie de vous raconter tout ça parce que vous êtes très savante et que vous avez l'air un peu triste.

— Ma mère est morte il y a six mois.

— Ça doit être terrible, mais maintenant vous êtes ici, avec nous. Il y a des secours spirituels. Il y a le Divin. Papa sait, nos grands-parents aussi savent où le trouver. Malheureusement, ça n'intéresse pas beaucoup Maman. Elle veut gagner comme Pénélope. Elle est un peu brusque. Elle a été élevée à l'anglaise, elle nous embrasse très peu, mais elle est bonne à sa façon. Vous verrez. »

Ainsi c'était la plus faible qui s'occupait de celle qui était la plus forte ou présumée telle.

« Je te remercie de ta confiance, Alexandra.

— Pénélope vous apprendra aussi beaucoup de choses. Elle connaît tous les mudras.

— Qu'est-ce que les mudras ?

— Ce sont les gestes que font les divinités avec leurs mains pour enseigner, pour bénir, pour prendre la terre à témoin, pour protéger. Elle peut aussi vous montrer des postures de yoga. Mais ce qu'elle préfère, c'est la gymnastique de compétition. C'est la plus forte des membres de l'équipe de Pondichéry. Maman n'est pas contente parce qu'elle veut qu'elle devienne championne de tennis.

— Vous en avez eu, une longue conversation, dit Pénélope, venue nous rejoindre et un peu jalouse. Je suis sûre qu'Alexandra vous a parlé de Mère.

— Oui, un peu.

— C'est un vieux singe malin.

— Pénélope !

— Je sais que Mère t'a guérie, que grâce à elle tu fais de la gymnastique et du dessin. Mais moi je n'ai pas besoin de l'ashram. Je n'aime pas cette atmosphère stupide. » Elle parlait le français moins bien que sa sœur, avec un fort accent anglais.

« Tu es contente de rentrer à Pondichéry au moins ?

— Non. Je voulais rester en Angleterre, au collège, pour m'entraîner. Il suffisait de me mettre en pension. Pourquoi est-ce que les parents ont des idées sur l'avenir de leurs enfants ?

— Tu m'aurais laissée ! » s'écria Alexandra. La détresse qui s'exprimait dans cette exclamation me laissa bouche bée. Pénélope, troublée, répondit par défi :

« Tu as Mademoiselle. Maintenant, tu ne seras plus seule quand je partirai en compét. »

Sa sœur n'osa pas, devant moi, avouer que ce n'était pas la même chose. Mais deux larmes rondes, transparentes comme du cristal de roche, se détachèrent de ses yeux mauves.

« Elle pleure tout le temps, dit Pénélope dont la goguenardise cachait la mauvaise conscience.

— Ce sont de bien jolies larmes, Alexandra. »

Je pris un mouchoir brodé dans mon sac, un des luxes qui restait de ma mère. Je cueillis donc les pleurs d'Alexandra avec un morceau de batiste blanc et les séchai de mon mieux. Son père m'observait. L'idée ne me traversa pas qu'il avait été touché par mon geste.

« Je suis sûre que ta sœur ne pensait pas vraiment à te quitter. Elle aime l'ambiance sportive anglaise et elle voudrait progresser. Rien de plus. Ne t'inquiète pas. Lisons plutôt un conte français que je vous ai apporté. Chacune son tour. »

M. et Mme Barclay ne s'occupaient pas de nous. Ils donnaient l'impression de se retrouver avec plaisir après une longue absence. Je n'avais aucune expérience du mariage, hormis celle de l'heureuse union de mes parents avant la guerre. J'évitai de les regarder, tant je craignais d'être indiscrète ou maladroite ou de commettre une erreur qui romprait l'harmonie dans laquelle je devais prendre place.

*

Quand la porte de l'avion s'ouvrit, l'odeur de Madras me saisit, une odeur qui ressemblait à une pâte tiède qu'on aurait goûtée dans la bouche autant qu'aspirée par les poumons. Malgré l'amoncellement des colis jetés à même le sol, nos bagages furent immédiatement reconnus et chargés par le chauffeur et son acolyte.

Nous partîmes en tête dans un break.

La nuit tombait, une nuit claire, amicale. Entre les maisons blanches s'élevaient des bosquets de palmiers. Madras était une grande ville, parsemée de verdure, une suite de demeures rectangulaires à terrasse, qui montaient des collines, redescendaient vers la mer, s'étiraient le long de la côte indéfiniment. Les marchands, les religions, les nationalités successives portugaises, hollandaises, anglaises, françaises, s'étaient ajoutés aux anciens villages brahmaniques au gré d'une histoire mouvementée de sorte qu'il n'y avait pas d'unité dans les espaces que nous traversions par Mount Road, nommée Anna Salai depuis l'Indépendance, sauf celle de deux siècles de présence britannique. C'est ce que M. Barclay expliqua à mon intention, assis auprès du chauffeur. Il continua :

« Madras paraît calme à cette heure. Mais elle est aussi active que Bombay si l'on tient compte du fait qu'elle a été fondée sur une langue de sable et n'a jamais disposé d'un vrai port naturel. Elle n'est pas seulement commerçante, bien que la Compagnie anglaise des Indes orientales ait été créée ici en 1639. Elle est aussi industrielle et artiste. Les plus grands studios de cinéma de l'Inde qui est le premier producteur du monde sont installés un peu plus loin. Le Collège international de Madras, une des premières universités indiennes, a été créé par les Anglais sur la côte, à quelques pas d'ici. La littérature tamoule est une des plus importantes du monde. Le Sud est riche de tout, même si peu le savent.

— C'est nous qui avons fait de ce pays ce qu'il est devenu. Que serait l'Inde sans l'Angleterre ? interrompit Monica, une immensité de pauvres villages et de royaumes en guerre, s'enfonçant dans la famine et les luttes religieuses. Nous avons mis de l'ordre, créé une administration, développé éducation et médecine, jeté les fondements d'une presse libre, d'une vraie démocratie et nous avons été chassés sans pitié. » Elle s'énervait.

« Mais vous avez conservé au fond de vous un mépris profond des Indiens, quelles que fussent leurs castes, leurs opinions, leur formation, leurs convictions religieuses. Cela s'est retourné contre vous. Derrière toutes les conduites humaines il y a le refus du mépris.

— Tes discours moraux français sont insupportables », répondit-elle, furieuse.

À ce moment la voiture fit un détour et nous passâmes sous un pont. Une dizaine de corps vêtus de chiffons étaient allongés sur le sol. Le clair de lune les éclairait comme en plein jour. Leur immobilité évoquait la mort ou l'accablement qui y mène. Le chauffeur accéléra.

« Mon Dieu, dis-je.

— C'est un des lieux de Madras où on peut mourir le plus tranquille, observa M. Barclay. On se couche quand on ne peut plus rester debout, et on attend la fin.

— Comment supportez-vous ça ?

— Je ne le supporte pas. La mort fait partie de la vie. Simplement ici il y a moins d'hypocrisie. J'ai vu des gens finir leurs jours à l'hôpital en Europe. C'était pire que sous ce pont parce qu'il y avait tout un système qui vous tuait lentement sous prétexte de vous soulager.

— De notre temps, on ramassait les morts plus vite, dit Monica.

— Oui, mais vous emportiez aussi des gens qui respiraient encore.

— Tu n'as que des critiques pour le Raj.

— J'ai fait la guerre à ses côtés, pourtant.

— Qu'est-ce que le Raj ? osai-je demander.

— La période où les Anglais ont gouverné l'Inde et l'Empire qu'ils ont constitué.

— Maintenant, nous sommes partis, soupira-t-elle. Toi, tu es resté un sale contrebandier pondichérien. Vous quitterez l'Inde aussi, quoi que tu fasses, même si le gouvernement français traîne les pieds.

— Papa, Maman, quelle route prenons-nous ? demanda Alexandra. J'aimerais tant passer par la route française pour voir le Temple de la Mer par clair de lune.

— Il n'en est pas question. Nous prendrons la route anglaise. Elle est plus courte. Notre voyage a été assez long comme ça. Ce n'est pas bon pour ta santé.

— C'est une bonne occasion, insista Alexandra, une occasion inespérée. D'habitude, à cette heure-là, nous sommes couchées. »

Son père, toujours inquiet de l'état d'Alexandra, s'inclina devant sa femme. « Ta Maman a raison. Il y aura d'autres occasions. »

La route anglaise était chargée de camions qui montaient et descendaient à toute allure sans aucune considération pour les autres véhicules. Je voyais surgir de l'ombre leur énorme cargaison, leurs vitres fièrement décorées de guirlandes de Noël bien que nous fussions en octobre. Leurs klaxons se répondaient puis s'évanouissaient avec leurs lourdes silhouettes. J'admirais le chauffeur qui restait impassible dans ce flux de volumes et de sons qui m'étourdissait.

Pénélope s'était endormie entre sa mère et moi, Alexandra, droite et muette, regardait par la fenêtre, Mike Barclay se retourna à nouveau.

« À la gare de Delhi, dans le Nord, si vous arrivez après dix heures du soir, il y a des centaines de gens couchés sur la place, à la sortie. La première fois que je les ai vus, je n'en ai pas cru mes yeux. Étaient-ce des voyageurs qui attendaient un train réel, des mourants qui partaient pour un convoi imaginaire ? Je m'étais rendu le matin, par le train, à Agra. La place était "normale". Mais au retour, quand je suis sorti, il y avait au bas de l'escalier une masse de corps humains par terre, en rangées, qui avaient surgi des entrailles de la ville et attendaient par terre, Dieu sait quoi, Dieu sait qui. J'ai été envahi par un sentiment de totale impuissance. Ils étaient trop nombreux, ils étaient trop malades, ils étaient trop énigmatiques. Cette image m'a poursuivi. Et puis j'ai compris que derrière elle gisaient une force, une foi, une obstination propres au peuple indien, soutenues par l'idée spirituelle des cycles, qui change tout. J'ai de nouveau adhéré à ce pays.

— Les morts se réincarneront en fonction de leurs mérites, dit Monica. Comment peut-on croire à des bêtises pareilles ? Je ne m'habituerai jamais à ces contes de bonne femme. » Nous nous tûmes et roulâmes plus d'une heure sans mot dire.

Enfin, la voiture prit à gauche une route défoncée sur laquelle il n'y avait personne. Nous atteignîmes Pondichéry puis la maison des Barclay dans ce qu'il était convenu d'appeler la ville blanche. Quand je vis le jardin, le fronton, les colonnes, et derrière, le vaste salon, j'eus l'impression d'entrer dans le décor d'une pièce de théâtre connue de tous, sauf de moi. L'angoisse m'étreignit à nouveau. Que venais-je faire chez des inconnus, dans ce pays étranger, pour enseigner le français à des enfants qui le savaient déjà ?

Mike Barclay prit Pénélope endormie dans les

bras. Je montai au premier étage avec lui en tenant Alexandra par la main. Monica nous avait précédés et gravissait seule les marches comme une reine. Une sorte de souffrance raidissait sa montée. Elle ne semblait pas, même de dos, heureuse de revenir. Les servantes, paralysées par sa froideur, n'osaient pas accueillir les petites, poser des questions sur notre voyage, me regarder franchement. Quand nous arrivâmes au palier, je m'avançai pour lui dire bonsoir. Elle embrassa ses deux filles, ne me donna aucune instruction à leur égard et me fit un petit sourire : « Dormez bien. » Ses yeux gris brillaient d'un éclat excessif, au bord des larmes. Elle tourna les talons pour le dissimuler.

Son père déposa Pénélope sur son lit. Elle suçait son pouce. Alexandra avait déjà placé sur la table son sac de toile où se trouvaient le précieux carnet, les crayons, la gomme, car elles habitaient la même chambre.

« Je vous les confie, dit M. Barclay en me dévisageant. Ne soyez pas désemparée ; c'est le premier soir. » Il lisait sans peine en moi, et cela m'agaça un peu. « Allons voir votre chambre. »

Elle était contiguë de celle des enfants. J'avais un lit blanc, couvert de coussins volantés, une commode en acajou, un bureau, des fleurs, des gravures. Une moustiquaire pendait du plafond. « C'est Papa qui a fait tout arranger pour vous. Maman ne s'occupe pas beaucoup de la maison », dit Alexandra. Ma serviette était déjà rangée à côté du bureau et ma misérable valise sur une chaise. Il l'examina. « Je verrai cela demain, dit-il d'une voix neutre.

— Mike, tu viens ? » La voix de sa femme, une voix profonde, cuivrée comme ses cheveux, retentit de l'autre côté du palier. Celui-ci était très vaste et par un encorbellement permettait de voir ce qui se passait au rez-de-chaussée.

Nous sortîmes.

« Tu viens ? » répéta-t-elle. Elle avait appuyé son bras vigoureux contre le chambranle de leur appartement qui faisait face au nôtre. Ainsi placée, elle était aussi majestueuse qu'une cariatide sculptée dans la pierre. Ses yeux gris avaient le même éclat humide.

M. Barclay pressa Alexandra contre lui, me fit un signe de tête et partit la rejoindre.

Je le regardai s'éloigner. L'espace qu'il parcourut en ces quelques secondes me parut immense, je ne sais pas pourquoi.

« Venez, Mademoiselle, vous devez être fatiguée. » Alexandra me reprit la main. Ce fut elle qui me ramena vers la réalité.

« Tu as raison, allons nous coucher. »

Je déshabillai Pénélope, j'installai Alexandra, je me douchai, je m'allongeai dans la blancheur de mon lit et de mes oreillers. Je n'avais pas le courage de déballer mes affaires.

Sur les conseils d'Alexandra, j'avais enfoui les pans de ma moustiquaire sous ma couverture. Elle formait un dôme exotique au-dessus de mon lit, un dôme de tulle qui évoquait le dix-neuvième siècle. Jamais je n'avais habité une chambre aussi raffinée dans sa simplicité. D'autres se fussent réjouies sans se poser de questions. Ce n'était pas mon caractère, où la recherche de la perfection en toutes choses, liée à mon éducation, se mêlait à un excès de sensibilité que je domptais de mon mieux. Ma condition d'orpheline accroissait mon angoisse. Que ferai-je, à quoi serai-je utile, comment vivrai-je dans cette maison si loin de tout ce que j'avais connu jusque-là ? Seule la respiration des petites filles – j'avais laissé la porte communicante ouverte entre les deux pièces – me consolait un peu d'avoir quitté Londres et l'Europe.

CHAPITRE 9

LE CAHIER INDIEN

Pondichéry, novembre 1950

La nuit effaça mes soucis, car je me suis tout de suite plu à Pondichéry.

La maison était vaste et aussi fraîche que possible dans un pareil climat, la vie bien réglée. Alexandra et Pénélope allaient en classe le matin au milieu des bougainvillées, tirées en rickshaw par un Tamoul préposé à cet office. Elles rentraient déjeuner. Après la sieste je surveillais leurs devoirs, leur faisais réciter leurs leçons, en français naturellement, et complétais par des exercices, des lectures, des contes, des jeux, le travail de l'école. Puis nous partions faire du sport. Pénélope prenait sa leçon de tennis, jouait un peu avec sa mère si elle était là. Alexandra et moi faisions de la gymnastique, fermement encadrées par un professeur selon les instructions de Mme Barclay. Quand elle avait le temps, elle venait suivre nos exercices, accompagnée de Pénélope. Alexandra perdait pied dès qu'elles arrivaient.

« Mais non, mais non, disait Pénélope à sa sœur. Pas comme ça. Regarde, c'est très facile. » Et elle faisait deux retournements en arrière qu'elle terminait par le grand écart sans une hésitation. C'était un plaisir de la voir s'enrouler autour d'elle-même, ronde et souple, en s'amusant de si bon cœur. « Tiens-toi tranquille, disait Mme Barclay. Alexandra, recommence. » Alexandra reprenait un mouvement simple avec une raideur toute militaire. Sa mère soupirait : « C'est un peu mieux. » Elle n'osait pas me demander de performance. Mais elle me lâcha, un jour, approbatrice :

« Si vous continuez à vous muscler comme ça, vous pourrez bientôt vous mettre au tennis. » J'avais compris, malgré ma naïveté, qu'il faudrait bien en passer par là.

Nous avions surtout des conversations sur l'éducation physique et sur la diététique. Je l'interrogeais. Ma curiosité lui plaisait et favorisa notre entente. Je lui appris que pour les apprenties danseuses l'essentiel était de rester maigre à la puberté.

« Quelle horreur ! » s'exclama-t-elle.

Je n'osai pas lui dire que ses compétitions me paraissaient aussi exigeantes.

Elle s'imposait des régimes successifs, que la maison suivait en traînant les pieds. Elle allait aussi beaucoup à Madras, la ville de son enfance, en conduisant elle-même à toute allure pour se mesurer avec des joueuses dignes d'elle, malgré les mises en garde de son mari.

Je ne le voyais presque pas. Il m'avait fait visiter Pondichéry au pas de charge, et emmenée un instant dans son bureau, sis aux confins de la ville noire – la ville « indigène » –, où il brassait ses affaires d'import-export avec l'aide d'un seul comptable. « Ce sont les meilleurs du monde », avait-il dit en le désignant. Visiblement Pondichéry était sa ville, le tamoul une de ses langues, l'Inde du Sud son vrai pays. Pourquoi alors me montrait-il tout ça avec une brusquerie, une précipitation qui contrastaient si fort avec notre entretien de Londres, notre visite à Elephanta ? J'en éprouvais de la tristesse, alors qu'il ne me devait rien, après tout. Je me disais que l'évolution politique du Comptoir lui donnait des soucis, ou, désolée, que je le décevais auprès de ses filles et je m'appliquais avec plus de zèle encore à m'occuper d'elles.

Comme j'avais des loisirs pendant qu'elles étaient à l'école, je lui demandai, la deuxième semaine, un jour où il était passé par la maison dans l'après-midi, de me prêter quelques livres et une grammaire tamoule. J'avais emporté fort peu de choses et elles s'épuisaient.

« Je voudrais aussi la *Bhagavad Gîtâ* que je ne connais pas et dont vous m'avez parlé à Elephanta. »

Pour la première fois depuis notre visite là-bas, il eut l'air satisfait et reconnaissant.

« C'est un des plus beaux textes spirituels de l'Inde. Il fait partie du *Mahâbhârata* mais a un rayonnement propre, tout à fait indépendant de l'épopée. Excusez-moi, j'aurais dû y penser de moi-même. Je vais m'en occuper tout de suite. » Il désigna les étagères du salon où il y avait des romans sur l'Inde anglaise et des Mémoires en français dont j'avais déjà repéré les titres. « Naturellement, prenez là-dedans tout ce que vous voulez ! Et puis nous irons dîner chez mes parents prochainement. Eux qui ne voyagent jamais ont été rendre visite aux jésuites de Madras. Ils rentrent demain. Ils vous pourvoiront en lectures savantes de toutes sortes. Je suis sûre que vous vous entendrez très bien avec eux. »

Le soir, je trouvai sur ma table une pile d'albums et de manuels avec un petit mot : « La couturière viendra vous proposer des tissus pour vous faire des robes moins chaudes. C'est indispensable. Nous en reparlerons. Ne vous inquiétez pas des prix. Ils sont minimes. » J'eus un début de garde-robe qui me ravit. Plus tard, il m'avoua qu'il avait lui-même choisi étoffes et coloris.

Nous prîmes tous des habitudes.

Le soir, après avoir câliné et couché les petites, je redescendais dans le grand salon et je lisais en attendant le retour de leurs parents qui rentraient tard et rarement ensemble. Quand ils s'étaient rafraîchis, ils venaient me rejoindre, changés, superbes, comme je les avais vus la première fois à Londres. Après avoir servi une citronnade à sa femme, ainsi que l'exigeait la discipline sportive, M. Barclay me tendait un verre, rempli d'un mélange coloré, « sans alcool », disait-il, ironique. Le mélange, différent chaque fois, me pénétrait, me remplissait d'un bien-être réel. « Je vais y prendre goût », me disais-je effrayée.

« C'est bon », fis-je une fois. Sa femme sursauta et lui jeta un regard critique. « Ne la rends pas malade. Les Français ne savent pas boire. Puis-je vous appeler Clarisse ?

— Bien sûr.

— Alors, vous m'appellerez Monica.

— Je n'oserai jamais. »

Elle éclata de rire. « Mais si. Fais comme moi, enjoignit-elle à son mari. Désormais je ne veux plus de Monsieur, Madame. »

Je baissai le nez, mal à l'aise.

« Que lisez-vous ? » me demanda celui que je ne parvenais pas à appeler Mike pour détourner la conversation, sachant bien qu'il s'agissait d'un des textes sur l'Inde qu'il avait fait déposer dans ma chambre.

Au commencement, ces soirées étaient le seul moment où nous communiquions. Nos conversations se déroulaient toujours en anglais. Nous parlions des enfants. Je les tenais informés avec le plus de détails possible des leçons, des devoirs, des progrès. Monica Barclay faisait des efforts pour me suivre, mais s'ennuyait. Elle ne se réveillait que si j'évoquais Londres, la BBC ou mes leçons de danse classique. M. Barclay m'écoutait, posait des questions, m'interrogeait sur le caractère de ses filles. Il les chérissait d'un amour presque maternel.

Au début, la cérémonie des « drinks » terminée, nous ne dînions pas ensemble. Je prenais mon repas seule, avec un livre. Les Barclay sortaient beaucoup. Pondichéry en 1950 était une ville d'argent et de fêtes. Bientôt ils me proposèrent de les accompagner. J'hésitais à accepter, disant que je préférais rester avec les enfants à la maison et me coucher tôt. Ils insistèrent. Je cédai le jour où ils m'annoncèrent une soirée musicale. Mon imprudence me valut d'autres invitations. Je recommençai, adorant la musique, cette ambiance et mes nouvelles robes qui me plaisaient fort. On nous vit beaucoup tous les trois.

Pendant ce temps, souterrainement, notre véritable histoire enchaînait ses épisodes.

Un soir, pendant que nous dégustions nos boissons, « Mike » demanda à sa femme : « Pourquoi n'emmènes-tu pas Clarisse à Madras ? Tu y vas si souvent. Tu pourrais lui montrer le musée, en particulier le pavillon des Bronzes, puisqu'elle cherche à connaître l'Inde du Sud. Elle parle déjà un peu de tamoul avec nos servantes. »

Je rougis. Il avait donc remarqué mes efforts.

« Elle ne peut pas rester éternellement ici. »

Elle avait grommelé que cette visite ne s'accordait pas aux exigences de son tennis.

« Bon, je le ferai à l'occasion », dit-il en se préparant un deuxième cocktail.

Quelques jours plus tard, nous partîmes lui et moi de très bonne heure dans la voiture que pilotait le chauffeur. C'était la première fois que je me trouvais seule avec lui depuis Elephanta.

Nous nous arrêtâmes dans une rue animée devant un immeuble jauni couvert de noms d'entreprises. « Excusez-moi. J'en ai pour dix minutes. Vous pouvez peut-être vous promener un instant. »

Je marchais dans la rue encombrée, essayant d'identifier dans les annonces publicitaires écrites en anglais et en tamoul les caractères que j'avais appris dans ma grammaire. Je n'y arrivai guère, sauf devant une gigantesque affiche de cinéma où quatre acteurs violemment maquillés souriaient au-dessus de lettres argentées qui scintillaient au soleil. Ça devait être le titre du film. Je reconnus péniblement le signe qui marquait le début du mot.

« Que faites-vous donc, Clarisse ? Vous voulez aller au cinéma ?

— Je cherche à lire.

— Pourquoi ? Vous pouvez vous contenter de parler.

— Ce n'est pas suffisant. Et cela n'aurait pas plu à ma mère qui m'a élevée dans le respect des langues. Il faut aussi que je sache lire et écrire.

— Vous pensez beaucoup à elle ?

— Son souvenir m'accompagne. Ses gestes, ses phrases, ses goûts reviennent se mêler aux miens. J'essaie d'agir comme elle l'aurait souhaité. Parfois sa mort me fait tant de peine que je voudrais l'oublier à jamais. Et si cela m'arrivait, à la suite d'un accident cérébral par exemple, ce serait pire encore de ne pas souffrir en pensant à elle, de ne plus être fidèle à ce qu'elle a été, représenté et fait pour moi. »

Je n'avais jamais parlé de cela à personne.

« Allons voir les bronzes, c'est une très bonne réponse à nos chagrins », dit-il en se dirigeant vers la voiture.

Government Museum était un ensemble de quatre bâtiments répartis dans un parc, à l'autre bout de la ville.

« Ces lieux sont pleins d'histoire, comme tout à Madras. La National Art Gallery et son annexe ont été construites en 1902 en hommage à la reine Victoria. Mais le musée avait été fondé dès 1851 par la Madras Litterary Society. C'était une originalité à l'époque. La culture des lettres et des arts a toujours hanté ce pays. À Madurai, il y a, dit-on, la plus ancienne académie de poésie du monde. Quant à la reine Victoria, elle est partout présente ici. Sur ce point ma femme a raison. »

Nous entrâmes dans une longue salle remplie de

statues. Le soleil éclairait leur corps noir du haut des fenêtres du premier étage. Mon guide s'arrêta devant un cercle de bronze, plus haut que lui, où se tenait un personnage énergique, à quatre bras, en équilibre sur un pied.

« Voilà le fameux Shiva Nataraja, le roi de la danse. Vous avez déjà vu les trois visages du Dieu, dans les grottes d'Elephanta, créateur, conservateur, destructeur. Ici Shiva, par sa danse, fait tourner le monde. Son mouvement engendre à la fois la vie et la mort. C'est la plus belle pièce du musée. »

La chevelure de la divinité jaillissait jusqu'à la roue, tandis que ses mains et ses chevilles lui imprimaient un mouvement sans avoir l'air d'y toucher. Shiva avait l'air aussi violent à Madras qu'il respirait la volupté amoureuse et la maturité à Elephanta. Je comprenais de moins en moins.

Je n'osais pas communiquer ces pensées à mon compagnon tant il semblait absorbé par sa contemplation. Prenant mon courage à deux mains, je finis par demander : « Je ne vois pas en quoi cette statue peut nous consoler de la mort des êtres que nous aimons ? »

Il sursauta. « Pas directement, c'est vrai. Surtout cette représentation de la danse cosmique. À la même époque, en Europe, au douzième siècle, nous construisions des cathédrales et nous adorions des crucifix. Nous pensions qu'il y a un salut des âmes. Ici les individus se fondent dans le tout ou se réincarnent dans la vie qu'ils ont méritée. L'Inde n'est pas indifférente à nos souffrances. Mais son élan spirituel dépasse nos drames individuels, les englobe, si vous voulez. La roue emporte les destins. On peut en tirer une certaine paix. Vous n'avez pas encore été dans les temples. Vous verrez la ferveur qui y règne. Shiva Nataraja, celui qui nous fait face emporté par sa danse, est un symbole de l'énergie qui passe à travers nous et nous entraîne sans fin comme je vous l'ai raconté à Elephanta. Je vous explique ça très mal. Mon père, dont vous ferez la connaissance demain, répondra bien mieux à votre question. »

Nous avançâmes dans la chaleur qui s'accroissait, entre d'autres statues, plus petites, presque semblables. Parmi elles j'aperçus un être surprenant, debout, comme divisé en deux parties.

« C'est Ardhanarishvara, Shiva encore, homme et femme à la fois. Je suis toujours étonné par la manière dont les deux formes passent gracieusement d'une moitié à l'autre. Il y a beaucoup d'androgynes dans le panthéon hindou. Chaque Dieu a sa compagne, son équivalent féminin, si vous voulez. On les représente séparés, ou unis en un seul être. Certaines statues sont même composées d'une moitié de Shiva et d'une moitié de Vishnou. Ces glissements, ces amalgames, sont un des secrets de l'Inde.

— Vous venez souvent ici ?

— Chaque fois que je peux. Après la guerre, j'y suis resté des heures. Cela vous paraîtra tout à fait déraisonnable. Je trouvais un apaisement dans ces roues qui tournent, immobiles, rangées dans cette salle poussiéreuse. Pour moi elles sont non seulement la seule réponse à la mort individuelle, comme je vous le disais tout à l'heure, mais aussi à la bombe atomique que l'Amérique a lancée sur Hiroshima.

— Vous êtes resté à Calcutta toute la guerre ?

— Pas du tout. On a essayé de m'utiliser au mieux. Grâce à mes parents, j'avais une solide culture religieuse hindouiste et bouddhiste. Et puis, à Pondichéry, les gosses sont des "tirtou payen", des "petits malins", habiles à se faufiler entre les frontières, les aldées. Naturellement, appliquée comme vous êtes, vous savez maintenant ce que sont les aldées.

— Ce sont des villages qui sont dispersés autour du Comptoir en terre anglaise et qui appartiennent à la France.

— J'ai donc été envoyé en Birmanie. Les Anglais

se sont battus opiniâtrement dans ce pays pour enrayer l'avance des Japonais qui gagnaient en même temps la Malaisie et Singapour. Comme vous le savez, ceux-ci n'ont pas envahi l'Inde et se sont dispersés vers l'Indonésie et les Philippines. Quand la situation s'est retournée en faveur des Alliés, j'ai été travailler à la construction de la route birmane qui devait mener de l'Assam à la Chine pour ravitailler les armées de Tchang Kaïchek avec qui la jonction s'est faite en août 1944.

« J'ai pu revenir deux fois retrouver Monica. J'ai toujours voulu repartir malgré ma peur. C'était une guerre mondiale pour la justice et la liberté. Nous le sentions dans la plus petite des rizières ou la plus terrible des jungles. »

Nous étions au bout du rez-de-chaussée. Il prit la rampe, s'immobilisa.

« Les Occidentaux n'ont guère d'idées sur l'horreur de ces combats. Longtemps, j'ai vu l'ennemi partout. Nous avons eu beaucoup de pertes, de disparitions, de morts lentes et atroces. La torture de l'Asie est la plus perfectionnée du monde. Pour certains il eût mieux valu ne jamais revenir.

— Vous, par exemple ? »

J'osais à peine l'interroger.

« Ils ne m'ont jamais pris physiquement. C'est mon esprit qu'ils ont éprouvé.

— Et maintenant ? »

Ses traits se détendirent.

« Et maintenant, vous m'écoutez, posée et réfléchie, à votre manière, comme si je vous enseignais un chapitre d'histoire. Le thème du guerrier qui n'arrive pas à rentrer à la maison est tout à fait ridicule. Je vous prie de m'excuser. Je ne parle jamais de tout cela. Venez. »

Nous montâmes l'escalier de bois qui conduisait sous le toit.

Alignés sur le vaste rebord qui longeait le mur, il y

avait d'autres Shivas dansants, de toutes les tailles. On voyait aussi le Dieu, flanqué de son épouse Parvati et de son fils Skanda, assis sur un trône, qui considérait, en famille, le mouvement des cercles de bronzes.

Les vitres étaient maculées des pluies passées. Il faisait une chaleur épouvantable.

« L'Inde absorbe tout, même sa propre violence. Et Dieu sait si elle est terrible. L'Occident n'en est pas capable.

— Pourquoi me dites-vous tout cela ?

— Je ne le sais pas moi-même. J'ai envie de m'adresser à vous. Et nous n'avons guère le temps de parler dans la vie ordinaire, n'est-ce pas ? »

Je n'eus pas l'audace de lui confesser que je l'avais remarqué et qu'il l'avait sans doute voulu.

« J'ai peur d'être une mauvaise interlocutrice. Je n'ai pas vraiment vécu cette guerre.

— Pourquoi ?

— Ma mère et moi étions particulièrement isolées. Papa était mort. Maman était française, mais d'origine russe. Les Allemands pouvaient à tout moment nous chercher querelle. Ce n'était qu'une menace. Je n'ai jamais été en danger et je n'ai rien fait qui mette ma vie en péril. Nous souffrions d'une misère très ordinaire. Il me semblait que le travail intellectuel était la seule échappatoire.

— Vous étiez très jeune.

— Peu importe. Maintenant je me réveille et je suis affamée de tout. »

Au moment où je prononçai ces imprudentes paroles, mes jambes plièrent sous moi, ma tête se brouilla, je basculai en arrière. « Mike » me saisit au vol avant que je ne m'écroule au pied de Shiva et de Parvati.

« Il fait trop chaud, excusez-moi », bafouillai-je, les yeux fermés. Il s'était mis à genoux pour me soutenir. Mon malaise était si puissant que je ne sentais pas sa présence jusqu'au moment où, me retenant d'une main, il plaça l'autre à la racine de mes cheveux et détendit mon front. Petit à petit ma nausée s'apaisa, je repris conscience.

« Ne m'en veuillez pas. Ce n'est pas un très bon jour pour moi aujourd'hui.

— Pourquoi ne pas me l'avoir dit plus tôt ?

— C'était gênant. Et puis, je me faisais une fête de voir les bronzes.

— C'est de ma faute. Nous nous sommes levés très tôt, je vous tiens de grands discours dans un endroit brûlant et j'oublie de vous offrir à manger et à boire. Pouvez-vous vous relever ? Je vais vous aider. » Je me remis sur pied. J'étais couverte de sueur.

« Vous êtes aussi belle quand vous transpirez qu'après votre toilette du soir. Marchons vers l'escalier, à l'autre extrémité de la galerie. Quand nous serons parvenus aux marches, je vous lâcherai. Ici, se toucher est grave. Les choses les plus simples sont compliquées, la nourriture, le contact des peaux, le regard sur des êtres impurs, même l'espace qui entoure chacun d'entre nous. C'est très profond et très déconcertant. » Il me soutenait. Cette fois je sentais l'ampleur de son épaule, la souplesse de son torse, l'aisance de ses mouvements. Mais j'étais bien trop malade pour savoir qu'elles me plaisaient.

Nous avancions à très petits pas le long du premier étage, entre le rang des Shivas tournoyants et la balustrade. Au rez-de-chaussée, les divinités les plus importantes continuaient de danser. Dans ce vertige, c'était une musique sans fin.

« Mike » m'enlaçait et me portait à la fois. Il continuait de s'expliquer, comme si une digue s'était rompue.

« L'Inde m'a formé ensuite, elle m'a sauvé. La science, la bonté de mes parents m'ont beaucoup aidé. Mais c'est surtout la piété du pays tamoul qui a rénové mon âme à mon retour. Mille légendes de la dévotion, de la bhakti m'ont bercé quand j'étais enfant. Elles ne m'ont pas abandonné dans le besoin. Elles n'étaient pas intellectuelles. Cela me convenait tout à fait. J'ai retrouvé mon maître; j'ai découvert une femme et des enfants que je ne connaissais pas et à qui je me devais. J'ai relu la *Bhagavad Gîtâ*. Je suis parvenu à rentrer dans la vie normale.»

Nous arrivions au palier. J'éprouvai une lassitude extrême.

«Je vous parle encore de moi. Je suis fou. Comment vous sentez-vous à présent?» Il me scrutait. Ses cheveux souples, ses traits lisses, son regard bleu, ombré de ses étonnantes paupières, lui donnaient un air méditatif qui contrastait avec la vigueur de sa silhouette. Je l'appréhendais, à travers mon malaise. Sans doute avait-il vieilli trop tôt, du fait de la guerre. L'enfance était là, pourtant, et laissait à son visage une sensibilité corrigée sans pitié par la maîtrise de soi.

«Pas très bien.

— Vous pouvez descendre seule?

— Je vais essayer.»

Il se plaça devant moi pour me rassurer. Je me cramponnai à la rampe et je bredouillai:

«Ce sont la volonté et la raison qui découvrent la vérité, pas tout ce déploiement de bronzes.»

Je mesurai le caractère prétentieux de mes paroles dans la précarité de mon état. Mais nous ne pouvions nous empêcher de parler même hors de propos.

«Ça ira?

— Il le faut.

— Tout ce que je vous demande, c'est de marcher jusqu'à la voiture. Après, vous vous laisserez aller et je m'occuperai de tout.»

Je traversai en chancelant la cour pour atteindre la voiture stationnée sous un arbre. Le chauffeur avait ouvert la portière. Le siège de vilain tissu paraissait un morceau de paradis. Encore trois pas, deux pas, un pas. Je plongeai les mains en avant.

« C'est fini, maintenant. Vous allez pouvoir vous reposer. Dans quelques minutes nous aurons quitté Madras. » « Mike » glissa un coussin derrière ma tête et parla tamoul avec le chauffeur.

« Nous allons déjeuner dans un village de l'intérieur. Ne vous étonnez pas si ses habitants vous regardent. Ils ne voient jamais personne. »

C'était en effet un lieu bien modeste. Le restaurant, si c'est le nom qui convient, paraissait au bas d'une piste qui serpentait entre les bananiers.

En un instant je fus installée à l'ombre de ses murs verts. Une porte ouvrait sur les lavabos. Dans le premier, un homme se lavait les dents, dans les suivants, d'autres se savonnaient les cheveux. Il y avait de grandes flaques de mousse par terre.

Je demandai comment me retirer. En un clin d'œil, les clients disparurent. On ferma la porte. Je me retrouvai seule devant des tubes de dentifrice et une bouteille de shampooing. Ce n'était guère joli mais très propre et je pus faire mes ablutions, retrouver un peu de tenue dans ces toilettes inondées d'eau et d'odeur de cannelle.

Quand je revins, M. Barclay – je n'arrivais pas encore à l'appeler Mike – avait commandé notre repas qui arriva sous forme de bols posés sur un plateau de métal. Il me tendit une tasse.

« Je préfère ne pas vous offrir le café traditionnel. Buvez ce thé. Il contient un remontant. Avalez-le sans crainte. Tout n'est pas sale ou dangereux en Inde.

— Je n'ai pas peur. »

Ce thé, j'en sens encore l'odeur et les bienfaits. Il offrit à mon corps toute l'étendue de ses parfums, pénétrant chaque pore de ma peau d'un bien-être inconnu. Je l'avalai à petites gorgées, me sentant revivre.

« Maintenant il faut manger », dit M. Barclay.

Il me tendit un chapati plié qu'il avait trempé dans un curry de légumes. Il avait les doigts pleins de sauce. « Essayez. »

Je me perdis dans le mélange des senteurs, mais je les laissai fondre dans ma bouche.

« Un peu de riz à présent. »

Je mastiquai docilement les bouchées qu'il me proposait, soigneux, patient, attentif.

« Avez-vous moins mal au ventre ?

— Un peu.

— Il faut boire, encore. » Il demanda une autre tasse de thé. « Ici le thé est jeté dans l'eau ou le lait bouillants. On y ajoute ce que l'on veut. Cette fois je pense que vous ne souffrirez plus du tout. » Le liquide fit son œuvre. Je m'assoupis.

« Vous êtes capable de repartir ?

— Si je ne m'endors pas d'ici la voiture, oui.

— Ne vous inquiétez pas. Nous allons rejoindre la route de la mer, celle qu'aime Alexandra.

— Elle est plus longue.

— Justement. » Il y avait un élan inconnu dans sa voix.

Je m'étais levée en me tenant à la table et j'avais mis en bandoulière mon sac de Londres, aux poches et aux bords écornés. Comment pouvait-on s'intéresser à une pauvresse, une orpheline, une obscure traductrice qui ne représentait rien ? Je baissai les yeux, consciente de mes faiblesses.

Il m'observait sans doute et se méprit.

« J'espère que vous ne vous inquiétez pas de votre santé et que cet épisode ne va pas vous dégoûter de l'Inde. Nous avons tout ce qu'il faut ici pour vous soigner. Et mon père, chez qui nous dînons demain, est médecin.

— Je sais. »

Je me laissai conduire telle une princesse entourée de serviteurs invisibles, sous les yeux ravis du village, vers notre véhicule. Il glissa à nouveau le coussin sous ma tête et s'assit près de moi.

« Vous êtes bien ?

— Oui. »

Je fermai les yeux. Un espace demeurait entre nous conformément aux convenances. Nous ne nous touchions pas. La pensée hindoue dit que le vide est plein. C'était bien cela.

Plus que la présence de mon compagnon, je sentis sa méditation tout le long du trajet. Une méditation dont je n'étais pas exclue, bien au contraire, une sorte de prière qui m'englobait avec lui. J'étais bien trop fatiguée pour le désirer, à supposer que j'aie une grande expérience du désir, ce qui n'était pas le cas. Je crois qu'il ne me voulait pas non plus. Il recherchait déjà autre chose avec moi, une expérience spirituelle qui fût un amour, un cocktail subtil et profondément attirant. Un lac souterrain s'était ouvert entre nos deux personnes, ses eaux nous pénétraient en silence, ses lotus, déjà, embellissaient nos vies. Nous ne le savions pas, le chauffeur, silencieux à son ordinaire, en était peut-être conscient. Personne n'y pouvait rien. Disparaîtrait-il un jour ? C'était possible, mais cette question était lointaine et inopportune. Je m'assoupis sur des images de paix et d'étrangeté.

*

Quelques semaines plus tard se produisit l'incident du piano.

Dès mon arrivée, j'avais remarqué dans le salon un piano de concert noir qui occupait un angle de la pièce. Profitant une après-midi de l'absence des enfants, parties pour une fois avec leur mère, je l'ouvris, ravie, et je l'essayai. Hélas, les marteaux de feutre étaient usés, les notes désaccordées, les sonorités incertaines. Le soir, pourtant, quand nous fûmes rentrées du club sportif et transformées en demoiselles pour le dîner, je pris plaisir à fredonner à mes élèves des chansons françaises et russes, en utilisant les bonnes touches du clavier. Pénélope et Alexandra battirent des mains. Leur père nous surprit.

« Vous pourriez leur apprendre un peu de musique ? » J'acquiesçai.

« Si j'ai un instrument normal, bien sûr. »

L'accordeur, convoqué dès le lendemain, expliqua qu'une remise en état serait coûteuse et longue. Il proposa de livrer un demi-queue d'occasion, très robuste, moins sensible aux variations du climat de Pondichéry. Deux jours plus tard, le nouveau piano était là, répondant aux exigences de l'oreille.

Monica prit très mal cette transformation dont elle avait été avertie à la dernière minute. Elle déclara qu'elle ne voulait en aucun cas entendre de la musique quand elle se trouvait chez elle. C'était déjà bien assez d'accompagner son mari dans toutes les soirées où ils étaient invités et d'écouter des cantatrices amateurs en ayant l'air d'aimer ça. Les éclats de sa colère parvinrent jusqu'à la chambre des enfants que je préparais pour la nuit.

« Je n'aime pas quand Maman crie comme ça, dit Pénélope, ça me fait aussi peur que si elle cogne au tennis. » Alexandra resta figée, la tête droite, les poings serrés, n'en perdant pas une miette. Je les mis au lit, les embrassai et passai dans ma chambre. Une de nos servantes vint me demander de descendre.

Mon patron était sombre.

« Vous n'avez pas pris votre verre », dit-il en me le tendant pendant que sa femme avalait le sien, silencieuse et très rouge. La conversation du dîner se déroula en anglais, entre les époux, sur des événements d'autrefois, que je ne pouvais connaître. Dès le repas fini, je remontai au premier étage, je m'assis devant mon icône.

Étaient-ce nos servantes ? Était-ce le chef de famille lui-même ? Depuis que je lisais des livres sur le Sud et baragouinais le tamoul, il y avait, tous les matins, une guirlande de fleurs fraîches au pied de l'image de la Mère de Dieu et un bouquet près de la photo de mes parents. Comment cette dévotion, cette piété pouvaient-elles se concilier avec cette scène de ménage, le chagrin des enfants, ce repas insupportable ? Il fallait repartir pour l'Europe.

Car derrière ces difficultés, derrière l'apparition du nouveau piano, il y avait la visite que je venais d'effectuer avec Mike, puisqu'il fallait l'appeler ainsi, au pavillon des Bronzes, il y avait notre conversation, il y avait mon étourdissement, les repas, les soins, les attentions qui avaient suivi. Même si notre chauffeur – à qui son patron avait sauvé la vie autrefois – était la statue de la discrétion, même si nous avions mangé dans le plus reculé des villages du Tamil Nadu, même si, à l'évidence, j'avais été si souffrante ce jour-là que je n'avais pu représenter une rivale pour sa femme, il était impossible qu'elle n'éprouve pas, elle, l'ancienne infirme, aux sens aiguisés par la souffrance, la lutte et le sport, qu'un pas risquait d'être franchi dans l'intérêt que me portait son mari depuis mon arrivée.

Pourtant j'aimais déjà tant cette vie, ce pays. Je fixai mes objets chéris et leur demandai secours. Aucune lumière ne me vint des orbites de la Vierge Marie, vêtue de bleu sur un fond or. Quant à la photo de mes parents, bras dessus, bras dessous, prise dans la rue par un ami en 1938, elle témoignait de leur amour l'un pour l'autre et des modes de l'époque. Rien de plus.

Je me couchai, j'éteignis ma lampe de chevet, je réfléchis sous ma moustiquaire. Les petites reposaient à côté. Dans la maison il n'y avait aucun bruit, comme s'il ne s'était rien passé. Dès le lendemain matin, je demanderais l'autorisation de me rendre à Madras pour une journée de congé. J'emprunterais le bus, sous prétexte de perfectionner ma connaissance du pays et j'irais dans une agence de voyages m'informer du moyen le moins cher de rentrer à Londres. On m'avait dit qu'il était possible de prendre le bateau à Ceylan. Pourquoi pas ? Qu'importait ? Je laisserais mes quelques sous et je paierais le reste plus tard. J'espérais qu'on me ferait confiance. J'ignorais encore la mentalité indienne. Mais cette pensée me rassura. Je finis par m'endormir.

Le lendemain, une fois les enfants en classe, je me réfugiai dans le salon avec un livre, sans m'approcher de l'instrument maudit. Monica était partie pour son club. Mike m'avait demandé au petit déjeuner de l'attendre.

Il surgit sans bruit, à l'accoutumée.

« Je vais emmener ma femme quelques jours en vacances dans le Nord. Ses excès sportifs la fatiguent. Je vous confie les enfants. La maison marche sans problèmes. Si vous aviez besoin de quelque chose, mes parents sont à trois pas. Vous leur avez beaucoup plu. D'ailleurs ils vous attendent toutes les trois à dîner ce soir. Nous devons aussi parler d'argent. Pouvez-vous aller à mon bureau voir le comptable ? Il vous donnera ce que je vous dois chaque mois et vous aidera à placer vos économies si vous le souhaitez. On peut faire de bonnes affaires ici, même légalement. Je l'ai prévenu. Il est à votre disposition. Je pense que cela vous plaira de faire sa connaissance. C'est un homme plein d'agilité et de malice. »

Je pris mon courage à deux mains : « Je ne fais peut-être pas l'affaire ? » Il fronça les sourcils.

« Au contraire. »

Puis, comme s'il avait deviné ou consenti à imaginer que je puisse partir, son visage changea. Il eut un recul qui le grandit encore, une immobilité qui m'impressionna. Une teinte bleue, énigmatique, envahit son front.

« Restez avec nous, Clarisse, je vous en prie. Laissez-moi au moins le temps de revenir.

— Je ne quitterai certainement pas les enfants que vous m'avez confiées en votre absence.

— Je vous remercie. »

Il s'approcha du divan où j'étais assise, où le livre que j'avais posé à son arrivée gisait entrouvert, et resta au-dessus de moi. Je fermai les yeux, je portai ma main à ma gorge tant l'émotion qui s'empara de mon corps fut subite et forte. Je souhaitais la dissimuler. Je crois y être parvenue.

« Si vous saviez comme ce salon vous va bien et comme Pondichéry vous sied », dit-il enfin, en s'éloignant à la hâte.

Est-ce là que tout s'est décidé ? Avons-nous eu plusieurs chances de ne pas perdre l'esprit, de détourner le cours des choses ? Chaque fois nous l'avons cru, séparément ou ensemble. Chaque fois nous nous sommes trompés.

*

Cette question n'a pas de sens. On distingue le commencement d'un désir, on n'identifie pas les débuts véritables d'une histoire d'amour. Je suis ici, à Paris quinze ans plus tard. Le passé est loin, mais il vit toujours, éclatant, intact, inaccessible à ma volonté. Un mausolée qui brille dans la nuit. Il n'y a pas de rapports entre ces souvenirs et les autres parties de ma vie. C'est une souffrance indescriptible. Pourtant je ne renoncerais pour rien au monde à raconter tout cela dans le Cahier indien. C'est ma voie, sans doute, et je la parcours pas à pas, comme le pèlerin suit son trajet sous la pluie vers le lieu sacré où il trouvera la vérité.

CHAPITRE 10

MOULINS

Fin juin 1957

Clarisse avait rencontré Stéphane, haut fonctionnaire au ministère de l'Éducation nationale, à Moulins en 1957. C'était le jour mémorable où l'on avait remis la croix de la Légion d'honneur à sa mère, Mme Jardillier, directrice du lycée de jeunes filles de la ville. À cette époque la mixité n'était pas obligatoire et il régnait entre les établissements de filles et de garçons une vive émulation. Le proviseur du lycée des garçons n'était pas décoré. Il était vert de jalousie, mais prudent dans l'expression.

Clarisse était depuis un an et demi professeur à Moulins. « Un très beau poste », lui avait dit l'inspecteur général à Paris en lui annonçant la nouvelle. Il avait ajouté : « Presque la grande banlieue », en feuilletant l'annuaire Chaix qu'il gardait toujours à portée de main. C'était un mensonge flagrant. Les horaires de train entre Paris et Moulins étaient épouvantables. « Vous vous y installerez ?

— En grande partie. » Elle savait l'importance que l'Éducation nationale attachait à ce que les enseignants résident sur place. Cette exigence était impossible à satisfaire pour la plupart des intéressés qui étaient établis ailleurs et ne pouvaient se payer le luxe de deux habitations. Clarisse, elle, ne souhaitait rien de particulier, si ce n'est souffrir un peu moins. Peut-être trouverait-elle à Moulins la paix à laquelle elle aspirait.

L'inspecteur général l'observa, surpris, bien qu'il fût las d'avoir noté et casé tant de générations de professeurs et qu'il ne crût plus guère à leurs déclarations.

« Sincèrement ? C'est vrai que vous aurez un double service, chez les garçons et chez les filles, ce qui est exceptionnel, et que les options de russe sont rares. Nous sommes fiers d'en avoir une à Moulins.

— J'envisage de faire une thèse sur Pouchkine. Je suis habituée à travailler dans le calme.

— Je n'oublierai pas que vous auriez pu éviter d'aller en province étant donné votre rang de sortie. Je suivrai votre carrière avec intérêt. Bonne chance. » Et il l'avait congédiée.

« À combien de professeurs avait-il prodigué des paroles comme celles-là ? » se demanda Clarisse. C'était un vieux routier, mais il était dévoué à la cause du russe. Elle l'avait trouvé sympathique.

On chuchotait en ville que Stéphane n'était pas étranger à la distinction qu'allait recevoir sa mère. Clarisse avait fait son trou à Moulins et ne se souciait guère des on-dit.

Sa vie cachée avec Mike l'avait habituée à l'observation et à la prudence. Elle comprit qu'il fallait immédiatement louer une chambre en ville si elle voulait être considérée. Son premier essai fut malheureux. Des familles proposaient des locations bon marché. Elle en prit une au hasard et se retrouva dans une rue en biais, plus déserte encore que les autres, dans une pièce où l'on allumait en son honneur un poêle de fonte et dont l'unique fenêtre donnait sur une courette. Toute à son chagrin et à sa volonté de le noyer dans le travail, elle s'était dit : « C'est la province », et avait déposé dans sa chambre quelques livres, des bibelots. Mais lorsqu'elle s'aperçut, deux semaines après son installation, que celle-ci avait été fouillée de fond en comble, que l'on avait retourné ses cahiers, tripoté ses notes et déplacé ses photos sous prétexte de faire le ménage, furieuse elle décida de partir.

Bien lui en prit. Elle mit elle-même une annonce dans le journal local en demandant une pièce confortable, une salle de bains et la disposition d'un piano. Cette exigence plut à l'opinion et fut sa chance. Elle se retrouva chez un professeur de chant, Mme Joly, qui était veuve, avait peu de moyens et fut heureuse d'augmenter ses ressources en se dotant d'une compagne qui aimait la musique. On chuchota que le nouveau professeur de russe se plaisait à Moulins contrairement aux autres Parisiennes, qu'elle avait la possibilité de payer un loyer conséquent et qu'elle avait une voix de mezzo-soprano. À l'instigation de son hôtesse, Clarisse s'inscrivit à l'Association des Amis de la musique. En sa compagnie, elle ne manqua pas un des concerts donnés à la cathédrale ou à Souvigny, dans les environs, où se trouvaient les orgues célèbres de Clicquot. Elle prit des leçons de chant avec Mme Joly et, pour la remercier, lui servit d'accompagnatrice. Elles furent souvent invitées ensemble.

La circonspection provinciale, bien loin de l'exubérance pondichérienne, convenait à son état. Elle retournait à Paris, certes, mais de façon irrégulière. Moulins ne lui en tenait pas rigueur. L'âme russe dont on l'affublait autorisait des déplacements, voire un comportement mélancolique et un peu sauvage qui attirait les élèves. C'était le succès. Elle s'attacha à la ville, à ses habitants, au Bourbonnais dont l'histoire dramatique la fascinait.

Devenu par une succession de mariages, d'apanages et de chances l'État princier le plus important du royaume de France avec la Bretagne et la Bourgogne, le Bourbonnais, au sommet de sa puissance, avait accueilli avec faste François Ier et sa mère, Louise de Savoie, en 1519, à l'occasion d'un baptême. La reine mère s'offusqua de la splendeur de la cour de Moulins et fit, par un artifice, confisquer une partie des terres de Charles III de Bourbon-Montpensier, son prince, nommé connétable par François Ier pour ses exploits guerriers. Le fameux connétable trahit alors le roi de France et devint le lieutenant général des armées de Charles Quint qui écrasèrent les troupes royales à Pavie. Deux ans plus tard, il mourut au combat à Rome et le Bourbonnais fut rattaché à la Couronne de France. La province avait tout perdu comme le Comptoir. C'était une raison de plus de s'intéresser à son destin.

Quand Clarisse partait, elle allait retrouver Sainte-Marguerite et ses religieuses. Leur intelligence et leur renoncement, leur affection aussi, mettaient un peu de miel sur sa peine qui ne s'atténuait pas.

On s'étonnera peut-être qu'une fille de vingt-trois ans ait pu mener une vie quasi conventuelle après avoir connu en Inde un amour aussi radical. Pourtant, l'un poussait à l'autre.

Certes elle avait rencontré des étudiants quand elle préparait l'agrégation de russe, et certains ne manquaient pas d'attrait. Ils avaient la gracieuseté de l'adolescence, l'angoisse du concours à passer, le désintéressement, un certain irréalisme blagueur. Elle se sentait plus vieille qu'eux bien qu'elle eût leur âge. Elle ne restait pas.

*

Quelques mois après son arrivée au couvent, elle avait été obligée de prendre une décision qui lui avait beaucoup coûté et qui marquait un pas de plus dans son éloignement d'avec Mike.

Pour faire face à ses études, elle avait, dans un premier temps, vendu l'appartement de Boulogne et transporté à Sainte-Marguerite les meubles de sa mère. La somme dégagée s'était épuisée. Et elle n'avait plus assez de temps à consacrer aux traductions de l'Unesco pour subvenir à ses besoins.

En la déposant à l'aéroport de Madras le matin de son départ, le chauffeur lui avait remis un paquet, enveloppé dans le papier de mauvaise qualité caractéristique de l'Inde. « Quelques provisions pour votre voyage, avait-il dit. Ne les ouvrez que dans l'avion. » Elle l'avait fourré dans son sac, trop émue pour l'interroger. Quand elle l'avait ouvert en plein ciel, elle avait trouvé une bourse, gonflée de toutes les pierres précieuses qu'elle avait reçues à Pondichéry. Elle s'était juré de la garder. C'était impossible.

Un matin donc, après la messe à laquelle elle assistait parfois, elle prit la valise qu'elle avait rangée sous son lit et se rendit dans une étude spécialisée de la rue Drouot. Dissimulant son chagrin, elle avait montré à l'expert un saphir d'un bleu parfait, ni trop clair ni trop foncé, que Mike lui avait rapporté de Ceylan. Cet homme blême, moustachu, l'avait évalué à un prix dérisoire. Elle avait souri et lui avait demandé si pour la prochaine vente de bijoux il avait d'autres pierres. Il en avait sorti quelques-unes sur le tapis usé de son vilain bureau. Clarisse les avait examinées, en avait énuméré le poids, les défauts, les qualités, l'origine, sans s'arrêter. Il avait appelé son collègue qui siégeait à côté.

« Écoute donc. Vous pouvez recommencer ? »

Clarisse avait pris deux gemmes au hasard et répété ses commentaires.

« Ça alors ! »

Le second expert était revenu avec une boîte pleine de bijoux anciens et les avait éparpillés devant elle.

« Et ça ? Qu'en pensez-vous ?

— Je ne connais pas bien les montures occidentales. Mais sur ces rubis, je peux vous donner mon avis. Ils sont bien trop roses. C'est un troisième choix. Quant à cette bague, elle est écornée et il y a une inclusion dissimulée dans le sertissage.

— Sans la loupe ?

— Sans la loupe. »

*

« Le seul bien matériel auquel je suis attaché, lui avait dit Mike dans le passé, ce sont les pierres. Je veux que tu apprennes à les connaître et à les goûter. » Elle revoyait les séances qu'elle avait passées avec lui et avec son comptable dans la ville noire pour choisir celles qu'ils expédieraient à travers les aldées. Le Comptoir alimentait sans relâche la passion des Indiens pour les bijoux. Certains Pondichériens allaient jusqu'à faire avaler des diamants aux poules pour franchir sans encombre les barrages du Tamil Nadu. Sans se prendre au jeu, elle avait beaucoup appris.

« Mon saphir vaut tant. C'est un prix raisonnable. Je n'ai pas le temps d'attendre votre vente. Pouvez-vous m'indiquer un joaillier qui me le reprendrait tout de suite ? » Ils appelèrent devant elle un spécialiste de la rue Buffault.

« Nous t'envoyons une cliente intéressante, dirent-ils. Prends garde à toi ! » Puis se tournant vers elle : « Si vous en avez d'autres et si vous êtes moins pressée... »

Elle s'éclipsa. En fait elle était riche. Tout ce que lui avait donné son amant avait été choisi de main de maître.

Quand elle rentra à Sainte-Marguerite, elle alla à la chapelle. Prier ne lui était plus possible depuis longtemps. Mais elle se sentait mieux là qu'ailleurs. Une religieuse était agenouillée au premier rang. Qu'est-ce que cela signifiait ? La nonne s'adressait à quelqu'un, Jésus, la Trinité, la Vierge Marie, une sainte. Le cœur de Clarisse, lui, se dilatait sans objet. C'était insupportable.

Le lendemain elle ouvrit un compte à la banque la plus proche du couvent et y loua un coffre où elle plaça la bourse qu'elle avait si pieusement gardée pendant des mois dans sa valise. C'est ainsi qu'elle put payer une pension à Sainte-Marguerite, s'acheter les livres dont elle avait besoin et faire, plus tard, bonne figure à Moulins.

*

Mais la pierre abandonnée se vengea. Comme si sa propriétaire l'avait avalée, quelque chose de son sombre éclat, de ses facettes indéchiffrables, d'une promesse de lumière qui ne serait jamais tenue, s'imprima sur son visage. Clarisse devint d'une beauté plus surprenante, et tout à fait inaccessible. Ce fut sans doute ce qui attira Stéphane lorsqu'il la vit au banquet qui suivit la remise de la croix à sa mère.

L'émotion qui s'empara du haut fonctionnaire quand il aperçut une jeune femme inconnue en robe noire échancrée, bordée d'un col de dentelle blanche, au fond de la salle, ne se produisit pas tout de suite. Clarisse en effet, en dépit de l'estime où on la tenait, n'était, dans la hiérarchie de l'Éducation nationale, qu'un professeur agrégé, certes, mais de russe, c'est-à-dire d'une langue qui intéressait peu d'élèves. On l'avait donc placée, selon les principes d'un protocole où tout avait été passé au peigne fin, à une des tables les plus éloignées de celle de l'héroïne de la cérémonie. Celle-ci présidait le repas en face du recteur, entourée du proviseur, du représentant officiel du ministre et de son fils dont tout le monde savait l'importance croissante.

Soudain Stéphane se leva. Très grand, déjà lourd, il dominait les tables qui tendaient à prendre l'aspect relâché des fins de banquet. Ses yeux perçants, derrière des lunettes juchées sur un nez aquilin, évoquaient l'intelligence et la rigueur malgré la sensualité de la bouche. Ils parcoururent l'assemblée et se fixèrent sur le professeur de russe. Comprenant avant les autres qu'il allait faire un discours, Clarisse se plaça bien droite sur sa chaise, les mains croisées, et s'apprêta à l'écouter. L'orateur détailla quelques instants la nouvelle venue qui gardait les paupières baissées, perdue dans un rêve de correction et d'indifférence. Puis il rendit hommage à sa mère, lui remit le présent, affirma qu'il était le plus reconnaissant de ses élèves et annonça que le proviseur du lycée de garçons, le lycée Banville, offrirait le café et les petits fours dans la cour d'honneur de son établissement pour profiter du beau temps. On applaudit, on admira le cadeau, on se déplaça par petits groupes vers la rue de Paris où se trouvait le porche monumental du lycée créé par Napoléon en 1804 dans l'ancien couvent de la Visitation. *Scientia hominis ornamentum et solacium*, lisait-on sous un aigle – « la science est l'ornement et la consolation de l'homme ». Cette fière devise enchantait Clarisse.

Quelques minutes plus tard, fendant la foule, Stéphane avait rejoint Clarisse avec deux tasses et une assiette de gâteaux.

« J'espère que vous ne refuserez pas de partager ces friandises avec moi. Qui êtes-vous ? »

Clarisse, plus surprise que flattée, avait répondu :

« Je suis le nouveau professeur de russe. Merci beaucoup. » Déjà quelques regards se tournaient vers le grand homme et l'épiaient. Méfiante, elle recula vers le buffet pour rejoindre les participants.

« Je crois qu'on vous réclame.

— Vous avez raison. Je reviendrai. »

Elle se demanda vaguement s'il valait mieux partir, mais n'en vit pas les raisons. Elle était heureuse de participer à la cérémonie où on honorait la directrice, le cadre était magnifique, la journée superbe. Bien accueillie de tous, elle ne courait aucun danger.

Elle croyait, en outre, ne plus s'intéresser aux hommes. Mais derrière sa présente chasteté, se dissimulaient mal la sensualité, la féminité que Mike avait développées en d'autres temps et que la robe noire et le col de dentelle laissaient s'exhaler au soleil blanc du Bourbonnais. Même si Clarisse ne le savait pas, sa retenue constituait un attrait qui s'ajoutait aux autres. Et Stéphane avait un corps de bûcheron et des besoins, malgré sa tête d'intellectuel et son regard trop astucieux derrière ses lunettes.

D'instinct, elle chercha la compagnie de Mme Joly qui était de la fête. Celle-ci s'était coiffée d'une capeline italienne et avait drapé une écharpe autour de sa robe d'été. En dépit de son âge, elle portait une tenue de jeune première et elle était charmante. La cour d'honneur, entourée de petites arcades, contenait à peine la foule des invités. Sur un des toits était fixée une horloge imposante qui contrastait avec la sobriété du cloître où avaient déambulé les Dames de la Visitation. À côté, dans l'isolement, se trouvait la chapelle sinistre qui abritait le tombeau du duc de Montmorency décapité par Richelieu pour s'être battu en duel. Mais personne n'y pensait plus depuis longtemps.

« Bien sûr, vous connaissez tout ça », dit Stéphane, en montrant le lycée d'un geste ample. Il était revenu et avait embrassé Mme Joly, qui était une amie de sa mère, sur les deux joues.

« J'ai un double service. J'enseigne régulièrement ici. C'est un plaisir.

— Votre passage doit déclencher une révolution. »

Ce compliment laissa Clarisse impavide. Elle était à cent lieues du badinage amoureux.

« Vous croyez ? » dit-elle d'un air songeur que Stéphane jugea sublime.

Un serveur arriva, chargé d'un plateau. Le proviseur offrait le champagne.

Stéphane prit deux verres pleins et les tendit aux dames sans leur demander leur avis.

« Je vais vous dévoiler un petit secret. Ma mère a sa propre centrale d'achats pour les boissons et entretient avec M. le Proviseur une lutte courtoise pour qui aura les meilleures.

— Les deux sont délicieux, surtout sous notre ciel qui est si chaud à partir de juillet », remarqua Mme Joly qui transpirait sous son chapeau.

Autrefois, pensait Clarisse, en buvant sa coupe, c'était Mike qui lui offrait à boire. Depuis leur entretien de Londres le jour où il l'avait recrutée, c'était devenu un cérémonial. L'amour se nourrit aussi des rites qu'il crée et celui-ci se remit à flamboyer dans son cœur.

Mme Joly intervint :

« Il y a longtemps que vous n'êtes pas venu, Stéphane. Vous nous oubliez ?

— J'ai trop de travail. » Il n'avait d'yeux que pour Clarisse.

« Vous habitez Moulins ? C'est rare pour une Parisienne.

— Je me trouve très bien ici pour écrire.

— Quoi ? » Il était curieux, précis, attentif.

« Je prépare un avant-projet de thèse. Je fais aussi des traductions pour l'Unesco.

— Vous connaissez d'autres langues ?

— Quelques-unes. Je suis surtout heureuse de pouvoir, à travers mon enseignement, donner aux élèves des exigences plus grandes dans leur manière de parler ou de rédiger.

— Vous vous exprimez vous-même très bien, Mademoiselle.

— Vous m'avez à peine entendue, Monsieur le Directeur.

— Clarisse fait aussi du chant, intervint Mme Joly.

Je lui donne des leçons et je l'accompagne au piano. Nous habitons ensemble quand elle vient ici.

— Les trajets ne vous fatiguent pas trop ? L'Éducation nationale n'a jamais résolu le problème du déplacement des professeurs.

— Rien ne me presse réellement de rentrer à Paris. »

Elle rougit. Il s'en aperçut, en fut charmé. Elle s'en voulut. On commençait à les regarder. Sa sollicitude était réelle pourtant et cette conversation lui faisait du bien. Il valait peut-être mieux ne pas la prolonger.

« Excusez-moi, dit-elle. Cette température m'indispose. Je rentre rue Berwick. Au revoir Monsieur le Directeur. » Stéphane fut aussitôt entouré de mille solliciteurs, mais Clarisse aperçut ses lunettes qui brillaient dans sa direction au moment où elle franchit le porche du lycée Théodore-de-Banville.

Il ne renonça pas.

*

Cette année-là, Clarisse avait fait, pour la première fois depuis son retour de Pondichéry, des projets de vacances. Une religieuse avait raconté à table, un soir d'hiver, qu'une de ses cousines, devenue veuve, avait été saisie d'une vocation impérieuse d'ermite. Après mille difficultés, elle avait obtenu l'autorisation de l'évêque de Fribourg de se retirer dans la proximité du village de Chandolin en Suisse pour y mener une vie de solitude et de prière.

« Ermite ! s'était-on exclamé.

— Il y a près de quatre cents ermites, hommes et femmes, dans notre pays, dit le professeur de grec, qu'on n'entendait pas souvent. L'Église contemporaine ne favorise pas ces vocations, mais elle les accepte. C'est pourtant une des grandes formes de la spiritualité orientale. » Chacune s'était demandé par-devers soi si l'helléniste avait songé, pour elle, à cette solution.

Cette année, la solitaire des Alpes suisses, en envoyant à sa parente des vœux pour Noël, lui annonçait qu'il était possible de trouver alentour une location avantageuse pour l'été si on s'y prenait à temps. « Non que je recherche une compagnie, vous savez bien que ce serait contraire à mon appel. Mais cette montagne est une source de grâces, écrivait la recluse dans le langage étrange des mystiques, et certaines d'entre vous peuvent désirer y séjourner. » L'intéressée n'avait pas obtempéré. À la surprise générale, Clarisse, jusqu'alors rétive à tout déplacement, avait sauté sur l'occasion.

« Un ermite n'étonne personne en Inde, avait-elle affirmé. Ils sont présents dans les grandes épopées. Il y en a même sculptés dans la pierre du grand rocher de Mahabalipuram. »

La supérieure remarqua, pensive : « Vous ne retrouverez pas ce rocher dans les Alpes du Valais. Mais je suis heureuse que vous vous décidiez enfin à prendre du repos. Vous travaillez trop, Clarisse. Laissez-moi vous le dire en ces jours où tout commence ou recommence. Il faut que vous trouviez un nouvel élan. Nous nous inquiétons pour vous.

— Je le sens et je vous en remercie. Vous voyez, je fais des progrès, je vais partir dès le 13 juillet prochain. »

Elle avait donc préparé ses vêtements et ses livres. Ceux-ci remplissaient une valise à eux seuls.

Le coup de téléphone de Stéphane retentit pendant le dîner de la communauté, le lendemain de la cérémonie de la Légion d'honneur.

« C'est pour vous, Clarisse. Un monsieur. »

Jamais Clarisse n'avait reçu un appel masculin au couvent. Quand elle avait rendez-vous avec des étudiants, elle arrangeait tout de l'extérieur. Sa surprise ne fut donc pas feinte.

« Je vous dérange ? C'est Stéphane Jardillier à l'appareil. J'ai essayé de vous joindre à Moulins, mais vous étiez déjà repartie. Mme Joly a bien voulu me donner ce numéro. Je veux vous inviter à dîner. Quel jour vous conviendrait ?

— Je vous remercie. Mais je m'en vais demain matin. » Elle mentit d'instinct.

« Loin ?

— Assez. »

Il n'osa pas demander où.

« Puis-je au moins vous conduire à la gare ?

— C'est très aimable. Je me suis arrangée avec une collègue. »

À la méfiance que lui avait inculquée Mike s'ajoutait une réticence à l'égard de cet homme qui la poursuivait depuis la veille.

Il le sentit.

« Je me permettrai de vous rappeler à la rentrée. Bonnes vacances. »

Quand il eut raccroché, elle laissa pendre le récepteur un instant, puis le reposa.

« Rien de grave ?

— Rien. L'Unesco veut me confier un travail supplémentaire. Ils ne doutent de rien. Ils savent que j'accepte toujours. Je leur avais dit de ne nous déranger que s'il y avait urgence. Je passerai prendre le texte en allant à la gare. »

La communauté opina. Elle était persuadée que Clarisse payait sa pension grâce à ses traductions et elle admirait son don des langues. Elle n'avait évidemment jamais parlé aux demoiselles de la vente du saphir.

Stéphane Jardillier ne perdit pas courage pour autant.

CHAPITRE 11

LE CAHIER INDIEN

Pondichéry, novembre 1950

Monica était rentrée à Pondichéry seule et mal lunée. Mike l'avait laissée à Calcutta où il avait à faire. Elle n'avait pas retrouvé dans le Nord tous les amis qu'elle espérait voir. Nombre de ceux qui avaient tenté de rester après l'Indépendance étaient repartis pour l'Angleterre sans la prévenir. Peut-être craignaient-ils de la décourager. De l'ancien Empire des Indes, il n'y avait que des survivants.

Elle reprit son entraînement les dents serrées tandis que la maison, si joyeuse et détendue en son absence, devenait silencieuse.

En l'absence de son mari, elle refusait toutes les invitations. Assez distante avec moi depuis mon retour du pavillon des Bronzes, elle s'adoucit quand nous fûmes seules ensemble. Je dînais donc avec elle une fois les enfants couchées, et ne savais que faire pour la dérider. Elle m'avait demandé si elle pouvait me tutoyer, j'avais accepté, mais ça n'avait rien changé. Naturellement, toute la conversation était en anglais.

À bout de ressources, je lui proposai un soir de partager avec moi une bouteille de bordeaux. À cette époque, les plus grands crus parvenaient sur les tables pondichériennes. À ma surprise, elle accepta. Nous ouvrîmes un château Beychevelle dont le goût est désormais associé pour moi à cette conversation et, le vin aidant, elle me fit quelques confidences.

« Dans mon enfance, les femmes anglaises, à Madras, étaient encore des memsahibs, des maîtresses femmes entre lesquelles régnait la même hiérarchie militaire qu'entre leurs époux. Comités et réceptions prenaient tout leur temps avec la supervision tatillonne de leur maison. Beaucoup de rivalités internes, de ragots, de mesquineries, de snobisme. Mais du courage. La vie était beaucoup plus rude qu'on ne le croit. Je revois ma mère dire adieu sans ciller à mes frères qui partaient en pension en Angleterre pour devenir de petits gentlemen et ne reviendraient plus en Inde. Les filles, moi en l'occurrence, n'avaient pas d'importance. Elles pouvaient donc rester. La règle était féroce. C'était ainsi.

« Il y avait aussi de gros risques pour la santé.

« Les memsahibs étaient avant tout responsables de l'hygiène de la vie quotidienne. La qualité du lait, de l'eau, la propreté des salles de bains, de la cuisine, des torchons, des plats, étaient un sujet d'angoisse perpétuelle.

« Il y avait beaucoup de personnel, c'est vrai. Mais c'étaient des gens de basse caste – les autres n'auraient jamais voulu venir – qui avaient chacun leur spécialité et se chamaillaient sans cesse. Dans les années trente, on mourait en une journée d'une maladie inconnue. Quand j'étais petite, nous allions au cimetière deux fois par mois pour accompagner les nouveaux convois. Je regardais les tombes, je lisais les dates. Elles m'effrayaient. Il y avait des hommes et des femmes de tous âges, mais surtout des enfants, disparus ici pour une grande idée et pas seulement pour le commerce comme le disent vos compatriotes. Mais quelle beauté, quelle splendeur ! L'Inde était pacifique et bien administrée sans avoir perdu son originalité comme les colonies françaises. »

Elle se versa un nouveau verre de vin rouge.

« Maintenant, les Indiens nous ont chassés en nous empruntant notre langue qui leur permet de communiquer entre eux et en singeant nos règles démocratiques. Ils copient même la typographie de nos journaux. Depuis qu'ils sont indépendants, ils ont décidé de ruiner leurs maharadjahs et leurs nababs à qui nous avions prudemment laissé leurs privilèges et que nous recevions deux fois l'an. À quoi tout cela les a-t-il avancés ? L'Inde a perdu une de ses provinces du Nord les plus intéressantes : l'actuel Pakistan. Il y a eu des massacres entre musulmans et hindouistes qui ont fait rougir les rivières de sang. La famine et la misère n'ont pas diminué, bien au contraire. Quant au commerce... Mike croit que je ne m'intéresse pas à la politique, mais je connais l'Inde mieux que lui. Ma famille y a vécu pendant trois générations. Nous lui avons beaucoup sacrifié. Nous l'avons fabriquée, en quelque sorte. »

Notre repas était fini depuis longtemps. Monica se leva, prit la bouteille, son verre, me fit signe d'emporter le mien. Nous nous assîmes sur le grand divan, pas loin du piano, surmonté d'un bouquet de fleurs, tel un meuble sans destination musicale. Elle reprit :

« Moi, au lieu de t'emmener au pavillon des Bronzes, je t'aurais conduite à Mysore, pour te montrer comment nous savions tenir un pays sans en avoir l'air. Tu aurais vu ce que sont les palais des maharadjahs que nous avons favorisés et qui nous ont rendu la pareille. Tu aurais contemplé la demeure, ahurissante, du prince local, ces colonnes de fer peinturlurées, ces lustres extravagants, ces tableaux représentant la dynastie royale, habillée à l'occidentale, figée dans une immobilité qui reflète son embarras. Même le palais d'été, vu de près, est une catastrophe. Nous avons joué la règle du jeu, eux aussi. Mais comment veux-tu que nous pensions que ces gens-là nous sont supérieurs, ou au moins égaux ?

— La Grande-Bretagne les accueillait pourtant ?

— Si on peut appeler ça ainsi. Les fils des familles riches ou aisées indiens allaient faire des études supérieures à l'université anglaise. Même Gandhi, simple enfant de marchands d'Ahmedabad, est parti chez nous déguisé en étudiant et il nous a combattus par la rhétorique qu'il avait apprise dans nos écoles. Nous avons formé des soldats, des administrateurs, des hommes politiques, éduqué, soigné, créé même une nation. Qu'est-ce que tout ça nous a rapporté ?

— De la richesse, de la puissance, des vies que vous n'auriez jamais menées en Angleterre, la fierté de façonner un empire. »

Nous avions beaucoup bu, je me risquai à ajouter : « Et la connaissance d'une grande civilisation. »

Elle demanda une autre bouteille de vin et répliqua :

« Mon mari te déforme. Il aime trop l'Inde. Il n'arrive pas à se dégager de son enfance, de l'influence de son ayah, de ses parents qui se consacrent à des travaux incompréhensibles et vivent dans un rêve. Il croit que les Tamouls l'adorent. Parce qu'il a été élevé ici, parce qu'il est à moitié français. Les Tamouls de Pondichéry sont des commerçants, non des mystiques. Ils vous quitteront comme nous. Plus brutalement encore s'ils arrivent à négocier les mêmes privilèges avec les Indiens. Chaque fois que je vais dans une réception, je me demande qui resterait français en cas de changement. Personne, sauf les héros de la France libre et les pensionnés. Ce sont souvent les mêmes, d'ailleurs. Les quelques familles créoles rentreront comme les nôtres. Et tous les aventuriers, les trafiquants que la France encourage s'envoleront quand les lois iniques que votre horrible République maintient dans ce Comptoir auront disparu avec elle. »

Elle avait enlevé ses chaussures et s'était allongée sur le divan. Je me poussai et m'assis dans un fauteuil. Son laisser-aller me surprenait, mais son récit me captivait et la révélait plus intelligente que je ne le croyais.

« Encore ? dit-elle, en me tendant le nouveau beychevelle.

— Non, merci. Nous ferions mieux de nous arrêter de boire. »

Elle éclata de rire.

« Ça fait du bien de temps en temps. » Elle se versa encore un verre et en avala la moitié, en me provoquant. « Tu as tort, il est aussi bon que le premier. »

Elle s'étira voluptueusement et me lança :

« Je n'aime pas les Français. Ils prétendent faire les meilleurs vins du monde et ils sont incapables de tenir la boisson. Toujours cette vantardise pour cacher leurs faiblesses. Et ces leçons de morale sous prétexte qu'ils ont fait la Révolution et éclairé l'humanité. L'égalité, ils ont tout le temps ce mot à la bouche avec les peuples qu'ils ont colonisés. La vérité, c'est qu'ils ne savent pas garder leurs distances et sont beaucoup plus hypocrites que nous. »

Elle m'impatientait. Mon instinct me disait néanmoins qu'une telle conversation ne se reproduirait pas, que c'était une occasion à ne pas perdre. « Mais alors, fis-je, pourquoi accepter une gouvernante française pour vos enfants, épouser un homme dont la mère est française ? » Elle vida son verre d'une traite.

« Je vais répondre à tes deux questions, bien que rien ne m'y oblige. J'ai accepté que tu nous accompagnes en Inde parce que, visiblement, tu n'as plus de nationalité, et que rien, en toi, n'évoque spécialement ta prétendue patrie. Avec ta natte, tes pommettes saillantes, tes yeux en amande, tu pourrais venir du fond des steppes russes. Et ta patronne nous avait dit, à la BBC, combien tu aimais l'Angleterre et l'anglais. Cela m'a plu. Il fallait quelqu'un. Tu étais libre. Pourquoi pas ? »

Elle se leva, pieds nus, pour se servir à nouveau. J'avais, pendant qu'elle parlait, essayé d'éloigner la bouteille. Elle avait murmuré : « Tu veux te la garder ? » en se moquant de moi et je n'avais rien pu faire d'autre que d'en reprendre un peu.

« Pour Mike, c'est une vieille histoire. Quand je suis tombée malade, j'avais quinze ans. J'étais déjà bonne en sport mais ça ne m'intéressait pas particulièrement, je rêvais de devenir archéologue. La poliomyélite m'a brusquement paralysée, sauf le cou, la tête et les poumons. "C'est sa seule chance, disait le médecin, que le haut du corps ne soit pas pris." Il avait raison. Peu à peu, par miracle, la maladie s'est retirée de moi.

« Un pied a commencé à bouger, puis l'autre, j'ai eu le bassin plus mobile, j'ai pu me retourner presque seule. Restaient mes épaules et surtout mes bras. Cela a été beaucoup plus long. On m'a prescrit de la gymnastique et de la natation. J'ai beaucoup souffert pendant cette rééducation qui me faisait mal partout, surtout la nuit. J'ai progressé. Dans notre club de Madras, il y avait un excellent professeur de tennis. Il a proposé à mes parents de me donner des leçons pour voir si ça m'aiderait à me remettre. J'avais peur d'être ridicule. Il n'a pas cédé. La première fois que j'ai couru sur une balle, j'ai cru entrer au paradis. Je pouvais bouger, associer mes mouvements, même si j'étais aussi maladroite que possible. Je n'ai plus lâché ma raquette.

« Au début de la guerre j'ai assisté à un tournoi à Pondichéry. Malgré la vieille rivalité anglo-française, il y avait beaucoup d'échanges entre les clubs. J'étais là en spectatrice. Mon futur mari s'est approché de notre groupe et m'a demandé pourquoi je n'étais pas sur le court. Je lui ai répondu que je commençais. "Il faut, il faut, c'est épatant, je viendrai vous admirer à Madras. En attendant, je vais vous faire visiter le Comptoir dès que le match sera fini.

« — Mais je le connais déjà.

« — Pas avec moi.

« — Je ne peux pas me fatiguer.

« — Je vous porterai. »

« Il ne m'a pas lâchée. Les autres étaient furieux et jaloux. Tout le monde savait que j'avais eu une polio et me ménageait. Lui aussi, bien sûr. Mais la différence, c'est qu'il ne m'a jamais traitée comme une malade. Au contraire. Comme une égale. Comme une future championne. D'une certaine façon, comme un camarade qu'il aurait aimé. Il a des notions d'anatomie et de médecine, comme tu sais. Quand j'en avais assez, il était capable de me détendre, de me rendre des forces. Il n'a jamais douté de ma guérison. Cela m'a transformée. J'ai compris mes ressources. Pendant les mois qui ont précédé notre mariage, nous avons parcouru le Tamil Nadu en tout sens, sans qu'il semble se préoccuper de ma santé. Nous avons même été à Ceylan. Le passé était révolu, je me portais bien.

« Pourtant, autour de nous, tout allait de mal en pis. La défaite de la France, l'embarquement des soldats anglais à Dunkerque, avaient accru les prétentions des politiciens indiens à réclamer l'indépendance de l'Inde. Gandhi, qui avait lancé la rébellion dès 1927 avec la marche pour le sel, saisit cette bonne occasion de militer pour une neutralité favorable aux Allemands. Qu'avaient donc à faire les Indiens d'une guerre européenne ? Il y avait de plus en plus de grèves, des mouvements de non-violence, d'emprisonnements en masse. Les relations que les Britanniques entretenaient avec tant d'habileté avec les différents groupes de l'Inde se dégradaient. Le cri général était clair : "Quit India !"

« Dès le début de nos relations, mes parents accueillirent bien le jeune homme énergique que je leur présentai. Nous nous sommes mariés en mai 1940. J'ai eu Alexandra en 1941. Mike était parti pour Calcutta dès septembre, après le ralliement du Comptoir au général de Gaulle. J'habitais chez mes parents avec le bébé. Mais je me rendais bien compte que, malgré tous les comités où je siégeais pour aider nos soldats, je ne faisais rien d'utile. Alors j'ai joué de plus en plus au tennis pour vaincre quelque chose. Mon mari est venu me voir deux fois. La guerre est tombée sur nous sous un de ses aspects les plus sauvages. Pénélope est née en 1942, juste avant l'avance japonaise en Birmanie et la défaite de Mandalay. Nous savions qu'il était là-bas. Nous sommes restés des mois sans nouvelles, pensant qu'il avait disparu.

« Pour tromper mon attente, j'ai essayé de hisser mon tennis au meilleur niveau. Je me suis déplacée dans toute l'Inde pour participer à des tournois. C'était dangereux parce qu'il y avait des incidents et des émeutes partout, mais ça n'avait plus d'importance. J'avais vingt ans et j'étais virtuellement veuve.

« Il faut rendre à l'Angleterre l'hommage qui lui est dû. Plus les choses allaient mal, plus le style de l'Empire des Indes, du Raj, comme on dit, était fièrement maintenu. Les tennis de nos clubs étaient impeccables, les pelouses toujours vertes, les soirées, en smoking et en robes longues, avec des orchestres excellents. L'avenir était si sombre pour les Alliés que les mœurs étaient devenues très libres. Je gagnais beaucoup. J'étais très entourée.

« Quand Mike est rentré, j'étais au nord de Delhi. J'ai mis une semaine à le rejoindre. Nous nous sommes regardés comme des étrangers malgré le champagne. Il a fallu apprendre à vivre ensemble. »

Elle était toute rouge et s'agitait sur le divan.

« Nous avons appris. »

La seconde bouteille était aux trois quarts vide. Elle la partagea équitablement entre nos deux verres.

« Nous avons beaucoup bu.

— Le bon vin ne rend pas malade. Demain je te donnerai ta première leçon de tennis. Tout de suite après le départ des enfants.

— Mais je ne sais pas jouer !

— Je t'expliquerai quelques principes, quelques trucs. Ensuite notre professeur te prendra. Il est formidable. Et plus tard tu pourrais te mesurer avec Pénélope. Elle est épatante, tu verras. Je te prêterai une tenue. Elle sera trop grande mais ça ne fait rien pour un début. Nous trouverons des chaussures là-bas. Ça te va ? » Ce fut proposé si gentiment que j'eus l'impression de me trouver devant une autre Monica.

« Bien sûr », m'entendis-je répondre, bien que je n'en eusse pas très envie.

Au club, le lendemain, de très bonne humeur, Monica me fit essayer plusieurs raquettes et en retint une.

« Celle-là, pour commencer. Sinon tu auras d'abominables courbatures. Même ainsi. »

Elle me plaça en face d'elle sur le court, m'envoya des balles faciles, précises, me corrigea plusieurs fois. Je voyais mal la balle et je ne savais pas calculer mon élan.

« Tous les débutants font les mêmes bêtises. Ce n'est pas grave. Pour les gens de tennis, chaque joueur forme un tout. Grand, petit, râblé, fin, ça n'a pas d'importance. L'essentiel, c'est l'ensemble corps-tête. Au premier coup d'œil on comprend qu'Alexandra ne réussira jamais. Pénélope, peut-être. Toi, pour l'instant, on ne peut rien dire. » Elle me laissa aux mains du professeur. Au bout d'une demi-heure j'étais épuisée.

« Vous n'avez pas de résistance. Il y a le climat. Mais c'est surtout une question d'entraînement. Ça vous plaît ? »

Je n'osai pas dire non.

« Allons voir jouer Mme Barclay. Vous apprendrez beaucoup en la regardant. Elle avait tout pour être une grande championne. Son mariage a brisé sa carrière. Elle n'a personne d'assez capable pour l'entraîner dans ce trou. Et elle vieillit. Quel dommage. »

Il y avait du ressentiment dans sa voix. C'est vrai que Monica était surprenante. Sa maîtrise rendait tous ses gestes faciles. Sa volonté de marquer le moindre point était saisissante. Brusquement elle s'arrêta et se dirigea vers nous. « Tu aurais dû prendre ta douche tout de suite au lieu de me regarder. Il ne faut jamais rester en sueur. C'est dangereux. Viens avec moi. »

Les vestiaires étaient propres et rudimentaires. De minces cloisons séparaient les pommes d'arrosoir qui pouvaient dégager un filet d'eau. Monica se dévêtit sans aucune pudeur. C'était la première fois que je voyais le corps d'une femme nue dans un total naturel. Au cours de danse classique autrefois, nous étions des fillettes ou des adolescentes. Il fallait être maigre si l'on voulait entrer à l'Opéra. Cela donnait des silhouettes malingres, que seul le mouvement transfigurait.

Monica s'avança pieds nus vers le jet qu'elle fit ruisseler sur ses épaules en chantonnant. Je me glissai dans mon alvéole, le nez contre le mur. Le soulagement de la chaleur sur mes membres me fit fermer les yeux. Quand je les rouvris et me retournai, je la vis qui m'étudiait soigneusement.

« Il faut étoffer tes bras. Ah, ces danseuses ! Des sylphides ! Le reste va à peu près. »

Une curiosité paraissait dans son regard, un excès d'attention, une sympathie un peu gauche. Elle était magnifique, les épaules carrées, le ventre plat, des cuisses fermes sous lesquelles on devinait à peine les muscles. Il y avait un contraste d'une grande sensualité entre le désordre de ses mèches humides, répandues sur son buste et le triangle de son sexe dont rien n'adoucissait le tracé. Nous nous toisâmes, au bord de l'étreinte, aussi déconcertées l'une que l'autre. Le désir montait, mal défini, une gourmandise où les lèvres, les seins, avaient la plus grande part.

« Viens te sécher. » Elle me prit par l'épaule, posa ses lèvres sur ma nuque un instant comme si elle respirait ma peau, attrapa un peignoir, m'enroula dedans.

« Ma petite poupée russe », fit-elle en français. Puis elle éclata de rire.

« J'ai un accent épouvantable et tu ne le changeras jamais. »

Nous revînmes à la maison comme si de rien n'était.

L'habitude fut prise par Monica de m'emmener au tennis tous les matins de bonne heure. Nous ne nous retrouvions pas dans la douche, mais nous repartions ensemble, du même pas.

« Contente ? demandait Monica, tu es contente ? Au moins que tu profites de tes loisirs », disait-elle sans en imaginer d'autres.

Lorsque Mike rentra, une semaine plus tard, il fut placé devant le fait accompli.

Monica ne supprima ni le tutoiement ni les leçons de tennis.

« C'est très bien », dit-il impassible.

*

Les choses se gâtèrent quelques jours plus tard.

Le docteur Barclay avait été sollicité par un éditeur pour écrire un livre intitulé : *Pourquoi je suis resté en Inde : de la médecine à l'hindouisme.* Nous avions ri de ce titre. « Il ne faut jamais manquer une occasion de faire passer une vérité, ma petite fille », avait fini par affirmer le docteur Barclay. J'étais loin de penser que je serais peut-être associée à cette entreprise.

Je faisais répéter leur poésie française à Pénélope et à Alexandra quand leur père nous rejoignit sur la véranda.

Ses déplacements lui avaient fait du bien. Il rayonnait d'une vitalité un peu folle qui ne lui était pas habituelle. Était-il content de rentrer, de nous retrouver à la maison, de voir que je m'entendais avec sa femme ? Je me pris même à penser qu'il avait fait pendant son voyage quelques rencontres féminines qui l'avaient revigoré. Cela ne m'était pas pénible. C'était une explication parmi d'autres. Je ne savais pas encore ce que c'était que l'amour. Je n'imaginais pas que cette allégresse pouvait s'adresser à moi.

Il envoya ses filles s'amuser dans leur chambre.

« J'ai besoin de vous parler, Clarisse.

« Mon père aimerait que vous l'aidiez le matin à écrire son livre. Il vous installera dans sa bibliothèque. Vous devrez mettre de l'ordre dans les documents, les lettres, les articles qui jalonnent sa vie, l'interroger, consigner ses propos, rédiger une première version du texte qu'il corrigera ensuite. Nous savons que vous avez réécrit des textes, pour la BBC, à la section française. Votre soutien lui sera certainement très utile. »

Mike continuait de me vouvoyer, contrairement à Monica. Il régnait entre nous une distance que la conversation la plus banale n'arrivait pas à combler.

« J'essaierai. À condition que cela ne trouble pas l'emploi du temps d'Alexandra et de Pénélope, leur calme, leur bien-être. Vous comprenez ?

— Naturellement il vous rétribuera pour cette tâche supplémentaire.

— Si j'accepte, ce n'est pas pour de l'argent, mais pour la confiance qui m'est faite et l'intérêt de ce travail. »

Une méfiance me fit ajouter :

« Je ne voudrais pas que cet engagement m'attache à Pondichéry sans que je puisse m'en aller si je le souhaite.

— Vous parlez sérieusement ? Pourquoi cette remarque, soudain ?

— Je ne sais pas. Par honnêteté, par scrupule. »

Il explosa. « Ne prenez pas tant de précautions.

On ne gouverne pas sa vie, Clarisse, comme vous l'avez appris dans votre maudit couvent, par des décisions ou des oukases. On a le droit d'avoir des émois, des impressions, des élans. Nous ne sommes pas des machines.

— Justement. »

Il sortit de sa poche un vilain sachet.

« Ouvrez-le. » Je vis trois cailloux noirâtres.

« Ce sont des cristaux tabulaires de rubis. Je les ai rencontrés sur mon chemin comme le Petit Poucet quand il cherche à rentrer chez lui. Je les ai ramassés pour vous.

— Je ne peux pas accepter. C'est une folie.

— Cette fois, c'est un ordre. Je vais les confier à mon comptable. Je verrai comment les faire tailler. Il les mettra dans votre cassette personnelle. Croyez-en mon expérience. Les pierres précieuses passent partout. Elles sont aussi agiles que merveilleusement belles. Comme…

— Comme… ? »

Il s'arrêta devant ma confusion.

« Vous m'agacez. Comme vous. »

Il me considérait, solide, taquin aussi, résolu.

« Rassurez-vous, j'en ai apporté aussi à Monica. »

Était-ce l'influence de mes religieuses ? Jusque-là, je n'avais jamais regardé des hommes que leur visage et leurs épaules. Au-dessous de la ceinture, il y avait une zone interdite qui descendait jusqu'aux genoux. Pendant mes aventures à Londres le sexe de mes partenaires jaillissait dans les draps comme un morceau de chair que j'osais à peine toucher. Mais Mike, tel qu'il se présentait devant moi ce soir-là, était d'un seul tenant, sans lieux défendus, sans coins inavouables, un homme tout entier qui se proposait dans la fierté et dans la retenue qui caractérisaient son être.

« Je vous remercie beaucoup d'avoir pensé à moi. »

Je le voulais de toute la force de mon inexpérience,

comme une sorte d'archange. Une soif me prenait d'épouser ses moindres mouvements, d'absorber l'air qu'il respirait, ses pensées, son être. En même temps mon embarras était extrême. Comment une jeune fille ignorante pouvait-elle réaliser ce programme d'enveloppement charnel, et si j'avais osé me l'avouer, de rapt total ? Monica était bien loin. Le reste aussi. Ne rien montrer. Surtout ne rien montrer.

Je reculai, je fermai les yeux. Quand je les rouvris, il était parti.

Monica, mise au courant de mon nouvel emploi du temps, explosa.

« Et son tennis ? Elle peut réussir. »

Il y avait tant d'emportement dans ses paroles que je restai interloquée.

« Je pourrai aller à mes leçons le soir, pendant qu'Alexandra fait sa gymnastique », bafouillai-je pour la calmer. Elle me fixa, moqueuse, pleine de rancune.

« Ça ne sera pas la même chose.

— Prenez votre verre, Clarisse, dit Mike.

— Et en plus tu la fais boire.

— Oui, dit-il. Chez mes parents elle n'a avalé que du thé, et avec toi, certainement guère plus que des jus de citron. »

Sa femme lui lança un regard de feu auquel il n'accorda aucune attention.

« C'est ainsi », conclut-il. Le salon nous entourait de sa fraîcheur. Il y avait des bouquets partout, des assiettes précieuses de la Compagnie des Indes, des meubles pondichériens, le grand canapé d'inspiration anglaise sur lequel nous étions assis. Le maître de maison était rentré, et dégustait sa part du cocktail qu'il m'avait préparé. « J'en voudrais encore, dis-je en tendant mon verre. — Bien sûr. » Je le désirais si fort que je le voyais à peine. Était-ce la présence de sa femme, le souci de ne pas me troubler davantage, le goût du secret, un recul méditatif ? Il avait repris sa réserve habituelle et son autorité. Son rayonnement n'en était pas moins perceptible dans la pièce. Il s'était accru depuis son retour et il me pénétrait malgré tous les obstacles.

Je sentais Monica respirer près de moi. Nous avions l'intimité physique de la douche et elle ne s'était pas effacée. Mais nous étions sensibles au même être et nous étions à nouveau tous les trois sous les plafonds de la haute maison.

CHAPITRE 12

PARIS

Mars 1967

Au début du mois de mars, pendant qu'elle faisait son cours, Clarisse aperçut à travers les fenêtres vitrées du couloir la silhouette de la surveillante générale qui se dirigeait vers sa classe. Cela devait être grave car l'administration ne dérangeait jamais les professeurs pendant leurs heures d'enseignement. La vieille femme lui annonça que Stéphane avait eu un malaise dans la rue et avait été hospitalisé d'urgence par Police-Secours. Il fallait qu'elle parte immédiatement à l'hôpital Laennec. Déjà le petit groupe des élèves se levait sans oser rien dire.

Dans l'autobus, elle laissa ses pensées errer à leur gré. Elle n'était pas inquiète. Il s'agissait certainement de surmenage et c'était un miracle que cela ne se fût pas produit plus tôt. Mais elle connaissait trop Stéphane pour ignorer qu'il serait insupportable si on lui demandait de se ménager. Il était fier de sa vigueur, de sa capacité de travail, de sa résistance. « C'est ma lignée », avouait-il dans ses rares moments d'abandon. Il montrait ses poignets épais, ses doigts couverts de poils, habiles à manier n'importe quel outil. Clarisse admirait les qualités qu'il prétendait avoir héritées de sa famille de paysans et d'instituteurs. Quand il bricolait le soir dans la cuisine, elle venait s'asseoir près de lui pour l'observer et lui tenir compagnie. Sans lever les yeux de sa tâche, il esquissait un sourire qui mettait une plénitude sur son masque impérieux. Concentré, soigneux, adroit, il était vraiment beau dans ces moments-là.

*

Pendant sa traversée de Paris, elle revoyait les premières années de leur mariage.

Quand il était devenu secrétaire général de l'Éducation nationale, ils avaient dansé de joie dans l'appartement de la rue Balzac. C'était le plus jeune nommé à ce poste prestigieux.

Stéphane s'était installé dans le bureau auquel ses fonctions lui donnaient droit et avait immédiatement affirmé son autorité. Il avait prié Clarisse, non sans fierté, de venir l'y chercher une fois par semaine pour aller dîner au restaurant. C'était devenu une habitude. À cette époque, ils s'entendaient bien.

« Sois là à huit heures moins vingt », précisait-il chaque fois.

Elle le retrouvait, ponctuelle, le jeudi, devant sa table Empire où ne traînait aucun papier, éclairé par deux lampes bouillotte allumées même en plein jour, dans la pièce d'angle que bordaient la rue de Grenelle d'un côté, la rue de Bellechasse de l'autre. À cette heure il n'y avait plus ni huissiers ni secrétaires. Elle frappait, entrait. Il lui faisait signe de s'asseoir. Il détonnait, trop carré, trop rustique pour son siège d'apparat, au sein du décor qu'il avait choisi dans les collections du Mobilier national et en surveillant les travaux qu'il avait exigés des corps de métiers de la maison. Elle prenait place en face de lui.

« J'ai presque fini. »

Il achevait de son écriture mince, à l'encre noire, sa dernière note de la journée, ces remarques manuscrites, envoyées sous enveloppe personnelle, qui faisaient trembler leurs destinataires. Elle entendait le crissement de sa signature. Il posait ses lunettes, passait son poignet sur son front. Il soupirait. Puis il se levait, prenait Clarisse par l'épaule, l'entraînait devant la glace de la cheminée et se mettait derrière elle.

La pendule représentait une femme de bronze noir, debout sur un socle de marbre, appuyée, songeuse, contre un cadran marqué de chiffres romains. Elle sonnait enfin les huit coups du départ.

Stéphane posait les mains sur les hanches de Clarisse et contemplait leurs images jointes dans le miroir.

« Je veux te voir, et je veux que tu me voies te voyant. Ainsi je te capture, je te garde près de moi, où que tu sois. »

Il lui filait un regard sournois dont elle ne connaissait que trop le sens. « Stéphane, tout de même, pas ici ! »

Il frémissait et se mettait à rire.

« Partout, n'importe où. »

Elle lui échappait en pivotant. Il ne s'en offusquait pas. Parfois la gaieté envahissait leur vie, l'allant de la jeunesse, les succès de Stéphane, la naissance des enfants, couvraient leur dissemblance. Ils éteignaient les lampes, fermaient le bureau, prenaient l'escalier usé. Puis ils quittaient le ministère enténébré, abandonnant ses huit cent cinquante mille salariés à leur destin nocturne.

*

Elle descendit à la station Vaneau. Le porche de l'hôpital jouxtait la bouche du métro, ce qui ajoutait à la tristesse des lieux. Dans l'entrée principale, après la cour, on vendait des bonbons, des jouets bon marché, des trousses de toilette. Un autre monde.

Elle en acheta une, prit les journaux et réclama Stéphane. On l'avait mis en pédiatrie parce qu'il n'y avait pas de place ailleurs. Il y avait des lits d'enfants partout. Certains dormaient malgré les cris. Dans sa chambre, Stéphane était seul mais le bruit était infernal.

Il était pâle et furieux.

« Ils ne veulent pas me lâcher. Peur d'une chute de tension, de Dieu sait quoi. On va me réveiller toutes les deux heures pour la prendre. Si tout va bien, on m'emmènera en ambulance – tu te rends compte – à l'hôpital de la Cité Universitaire pour faire des analyses. Ensuite, je rentre, quoi qu'il en soit. C'est insupportable.

— Qu'as-tu ressenti ? »

Pourquoi restait-il allongé ?

« Une fatigue incroyable. J'ai perdu conscience. Je me suis réveillé dans un car de police qui m'a emmené ici. » Il serra son drap.

« Tu vas me promettre quelque chose sur la tête de Marie et de François. Tu ne parleras de cet épisode à personne. Tu ne me poseras jamais de questions. Je ne veux pas de la maladie entre nous.

— Je ferai ce que tu voudras. »

Il se laissa aller contre son oreiller. Elle éparpilla les journaux sur le lit. « Je suis sûre que c'est de la fatigue accumulée.

— Tu crois ?

— Tu ne t'arrêtes jamais.

— Tu as raison. Il faudra prendre plus de vacances, louer un chalet en montagne. Nous pourrions aussi emmener les enfants faire un voyage.

— Mais oui, dit-elle, sans en croire un mot.

— Comment as-tu su que j'étais ici ?

— On m'a appelée au lycée.

— Tu donnais un cours sur quel sujet ?

— Je parlais aux élèves de l'écrivain Paoustovski. Le sixième volume d'*Histoire d'une vie* vient de paraître en français. Je garde toujours dix minutes pour les événements importants de la Russie contemporaine.

— C'est une bonne idée. Pourquoi ne me racontes-tu jamais ce que tu fais ?

— Je croyais que ça t'agaçait.

— As-tu été inspectée récemment ?

— Autrefois, à Moulins, comme je te l'ai raconté.

— Et à Paris ?

— À Paris, jamais. L'Inspection générale ne doit pas souhaiter déranger la femme de Stéphane, à l'improviste, pendant son cours. »

Il eut une lueur d'amusement puis ferma les yeux, se tut longtemps, demanda soudain : « Tu as sûrement des textes dans ta serviette. Lis-moi un peu de russe, pendant que je me repose. »

Elle n'en croyait pas ses oreilles.

« Tu veux vraiment ?

— Oui. »

Elle articula les premiers vers du chant XXXIX d'*Eugène Onéguine*.

« C'est beau à entendre, surtout quand tu le prononces. »

Il ne demanda pas de traduction.

« C'est la première fois que tu m'écoutes parler le russe, Stéphane, en dix ans !

— Je sais, Clarisse, j'ai tort. Je crains toujours de te perdre.

— C'est absurde. Voyons : quel rapport peut-il y avoir entre ma langue maternelle et notre séparation ?

— Je ne sais pas. En ce qui te concerne, j'ai peur de tout et je me trompe souvent. C'est dur d'aimer sans comprendre. »

Elle se leva, redoutant sa fatigue et le tour de la conversation.

« Tu pars ?

— Non. Je vais m'entretenir avec les autorités médicales, fit-elle enjouée, et revenir te donner des nouvelles. »

Elle eut grand-peine à obtenir ce qu'elle voulait. Les patrons faisaient leur visite le matin. Stéphane avait été hospitalisé l'après-midi. Il y avait peu de personnel dans le service où les visites des familles créaient un désordre supplémentaire.

Elle finit par trouver une surveillante dans son bureau. L'interne de garde avait donné des instructions en ce qui concernait Stéphane. On les communiquerait aux infirmières de nuit.

« De toute façon, il n'est là qu'en passant. Il n'y a rien d'autre à faire », conclut la surveillante, mécontente d'être dérangée. Une aide-soignante passait en courant avec un biberon d'eau.

Clarisse communiqua ces détails à Stéphane qui ne se fâcha pas.

« Somme toute, je suis un intrus, une sorte d'aérolithe au milieu des enfants.

— Demain tu seras rentré. Nous oublierons tout cela. Mais il faudra être un peu plus raisonnable. »

Il lui prit la main. La sienne était froide à l'excès.

« Tu es gentille ; je te remercie. »

Elle ne l'avait jamais vu ainsi, faible et presque confiant.

« Laisse-moi dormir, maintenant, dit-il à son étonnement. Je n'ai droit à aucun somnifère et dans ce vacarme, il faut que je profite des moments où j'en ai envie. »

Elle resta un moment près de son lit, puis partit sur la pointe des pieds.

La boutique de cadeaux était en train de fermer quand elle parvint au rez-de-chaussée. Pourtant il faisait encore jour.

*

Elle sortit rue de Sèvres et décida d'aller à pied jusqu'au métro Bac. Le ciel fonçait entre les platanes du boulevard Raspail. Un de ces ciels qui font augurer du printemps sans en apporter la tiédeur.

Elle était passée par le boulevard en rentrant de Pondichéry quinze ans auparavant. Le caractère cossu, lourd, ornementé des immeubles l'avait choquée. De même que la pierre de taille, jamais rongée par la mousson, les portes en fer forgé, les longs trottoirs propres. Comme ils sont fortunés, ces Occidentaux, avait-elle pensé, dégoûtée. Et puis elle s'était réhabituée à la richesse des rues.

L'état de Stéphane la préoccupait. Avait-il quelque chose de grave ? Elle ne l'avais jamais vu malade. Et son désir soudain d'écouter du russe, qu'en penser ? Clarisse s'était tellement maîtrisée pour supporter ses rebuffades qu'elle n'osait pas se réjouir. Pire, elle craignait un de ces retournements dont sa jalousie avait le secret dès qu'il irait mieux. Pourtant, en marchant à grands pas en direction de la Seine, elle souhaitait de toute son âme qu'il guérisse. Elle s'en voulait de ne pas le plaindre davantage, de n'avoir à lui prodiguer qu'une affection craintive, meurtrie par les coups qu'il lui avait donnés pendant dix ans, sans réellement le vouloir, à cause de sa personnalité ou de l'amour excessif qu'il lui portait ou encore de l'impossibilité pour Clarisse de parler en toute liberté avec lui.

Elle avançait sur le trottoir encombré à cette heure-ci. Les bureaux fermaient. Chacun retournait à la hâte chez soi. Elle enviait ces femmes chargées de paquets, ces hommes qui se précipitaient vers un but. Leurs vies avaient une direction, un sens. Pas la sienne.

Une rancune subite lui venait en pensant à Mike. Se remettrait-elle un jour ? À quoi bon ces amours folles, ces souvenirs qui la rendaient insensible à tout le reste ? Que lui avait-il apporté finalement ? Ses talents sexuels et un peu d'encens indien ? C'était trop cher payé.

Et son cahier, à quoi lui servait-il ? Plus elle avançait dans sa rédaction, moins il lui montrait une

Voie, concept chancelant mais néanmoins acceptable. Tout à l'inverse, il la rapprochait de l'homme qui l'avait rejetée comme s'il méritait pitié, sympathie, admiration. À travers lui, elle déifiait un lâche, un baroudeur, qui avait lu la *Gîtâ*, et se servait de la mystique pour entortiller les femmes qui lui plaisaient si son somptueux physique n'y suffisait pas. Elle allait s'arrêter d'écrire.

« Je blasphème », se dit-elle, égarée.

Elle dut ralentir à cause de la foule. Les fenêtres du carrefour Bac s'éclairaient les unes après les autres. Elle s'adossa contre un mur du boulevard Saint-Germain où elle était parvenue.

De nouveau, mais moins fort qu'au musée Guimet, Clarisse eut le sentiment que des larmes coulaient, invisibles, dans sa gorge. Elle en ressentit le même soulagement.

Dans les étages qui s'illuminaient il y avait des gens comme elle, pleins d'appétit, de joie, d'élan à vingt ans, dont les ailes avaient été coupées. Ils étaient partis vaillamment dans la vie, même si leurs débuts avaient été difficiles et ils avaient tout surmonté. Un chant enthousiaste sonnait à leurs oreilles, ils avaient déployé les ressources de l'énergie, de l'intelligence, de l'amitié, de l'amour. Pour une raison ou pour une autre, ils avaient été brisés. Ils étaient seuls, même avec leur famille, leurs enfants, leurs amis, et ils s'affligeaient, comme Clarisse, d'être incapables des sentiments les plus ordinaires, l'affection, la pitié, ceux que tout le monde éprouve. Ils auraient bien voulu pleurer. Ils ne souffraient pas de leur solitude, ils pâtissaient de leur appauvrissement intérieur. Clarisse aurait volontiers partagé le sien avec eux, en esprit, un peu comme on prie, mais elle n'en était pas capable. Et les autres, tous ces habitants des fenêtres inconnues qui avaient vécu des expériences analogues, portaient des blessures semblables, se penchaient-ils parfois à leur balcon, regardaient-ils les gens traverser le carrefour aux feux rouges, avaient-ils la même insensibilité qu'elle pendant qu'elle rendait visite à son mari à l'hôpital, avant que le flux des larmes ne vienne lui apporter un mystérieux secours ?

Comment osait-elle maudire le passé ? Il méritait des pleurs certes, mais des pleurs de joie puisque la zone des profondeurs avait été atteinte, puisque les limites du moi égoïste avaient explosé, puisqu'un monde plein de trésors s'était offert à elle au travers d'un homme. Elle pouvait dire, en étant sûre de ne pas se méprendre : « Oui, j'ai aimé, j'ai été aimée, nous avons été dans l'Amour. »

Elle continuait de scruter les façades, d'observer les balcons des privilégiés qui, malgré leur fortune et leurs diplômes, en savaient dix fois moins qu'une Indienne pauvre et pieuse devant la maladie, l'absence et la mort.

La nuit tombait. La nuée qui entourait les cheminées se transforma en un mince nuage lumineux et vint se fixer au bord extrême de l'horizon. Puis elle disparut dans les ténèbres.

Les réverbères s'allumèrent d'un coup. Clarisse put enfin se détacher du mur et s'en aller prendre le métro à quelques pas de là. Elle n'avait ni guide ni maître et pourtant une pression s'exerçait sur elle pour la conduire quelque part. Où fallait-il qu'elle aille ? Que fallait-il qu'elle fasse ? En grinçant, les vieux wagons de la ligne douze la ramenèrent chez elle sans réponse. « Quand le disciple est prêt, le maître arrive », disait l'adage indien. Ne pas renoncer, surtout, continuer le Cahier indien où qu'il la conduise.

*

Sitôt revenu de l'hôpital le lendemain, Stéphane repartit pour le bureau. Il avait à peine embrassé Clarisse et les enfants, tout à sa hâte de retourner au ministère. « Je rentrerai tard », avait-il lâché à la cantonade en s'élançant hors de la maison, les laissant pantois. Son malaise, son épuisement, son désir d'écouter du russe, ses confidences, semblaient n'avoir jamais existé.

« Il faut comprendre Papa, avait dit François pour cacher sa déception. C'est comme si je n'avais pas joué du piano pendant deux jours. » Marie était restée les bras ballants devant la porte qui venait de claquer. Elle avait des yeux marron très bombés, qui faisaient une grande part de sa beauté.

« Papa est bizarre », dit-elle en serrant la main de Clarisse.

Peu à peu, l'entrée prit une étrange luminosité. Elle se retourna :

« Il neige, s'écria-t-elle, il neige sur Paris ! »

Ils coururent aux fenêtres. Des flocons tombaient du ciel comme une étoffe de mousseline et recouvrirent la place Albert-Guillaumin, le kiosque à journaux, l'arrêt de l'autobus. Le manteau de Balzac, les accoudoirs de son fauteuil, la chevelure de l'écrivain, se marquèrent de traînées blanches. Les arbres de la Fondation s'estompèrent au-dessus des pelouses. Les automobiles ralentirent, les passants s'éloignèrent. Tout se remplit d'une harmonie surnaturelle. Le téléphone sonna.

« C'est Victor Choukri, dit François en tendant l'appareil à sa mère.

— Vous êtes seule ? demanda-t-il.

— Il y a les enfants. » Ceux-ci comprirent qu'il fallait s'éloigner.

Stéphane n'avait jamais accepté qu'il y ait le téléphone dans le bureau de Clarisse. Non qu'il pensât qu'elle s'en servirait beaucoup. Ce n'était pas son genre. Mais l'idée qu'on puisse l'appeler en secret lui était insupportable. L'installation devait toujours être à portée d'oreille même s'il n'était pas là.

« Il y a des anomalies dans les premières analyses

sanguines de Stéphane, dit Victor Choukri. Il croit que les médecins exagèrent. À la Cité Universitaire ils ont découvert qu'il avait le foie petit mais très dur. Sur mon insistance il a consenti à ce que ma secrétaire lui prenne un rendez-vous, en gastroentérologie. Je ne suis pas tranquille. Naturellement, il ne vous a rien dit ?

— Il m'a fait promettre de ne jamais lui poser de questions sur sa santé et m'a déclaré que s'il était malade, il ne m'en parlerait jamais.

— Je m'en doutais. Je vous tiendrai au courant. Je sais qu'on peut toujours compter sur votre discrétion. »

Les enfants revinrent. « Et Papa ?

— Il va bien pour le moment. D'ailleurs, vous avez vu avec quelle vivacité il est retourné au ministère », dit-elle.

Elle avait de plus en plus peur.

CHAPITRE 13

PARIS

Mars 1967

La carte de vœux de la famille Barclay arriva le lendemain matin à l'adresse de la rue Balzac. Cette transformation évoquait aux yeux de Clarisse l'écriture de son ancien amant. Pourquoi envoyer la carte chez elle ? Y avait-il là une intention précise ? Il n'était pas facile de savoir où elle habitait, puisque Stéphane était sur la liste rouge. Avait-elle par mégarde, agitation, donné elle-même des indications dans sa précédente réponse ? Que s'était-il passé ?

Elle tourna et retourna l'enveloppe épaisse, doublée de rouge. Malgré la qualité du papier, elle était sale, écornée comme si elle avait traîné de lieu en lieu. Le cachet de la poste avait été brouillé par le mauvais temps et on ne pouvait rien en déduire. Le désordre du courrier des fêtes n'expliquait pas tout. Qu'importait ! Elle était là.

Clarisse la pressait entre ses doigts sans y croire. Cette fois le carton représentait un traîneau enfantin, chargé de jouets, tiré par des rennes argentés qui galopaient entre les étoiles. Une trouvaille de Monica sans doute.

Elle avait signé avec son mari et elle avait ajouté, au-dessous des prénoms d'Alexandra et de Pénélope, celui de David qui devait avoir neuf ans. La naissance de ce bébé avait moins affecté Clarisse que l'absence de la carte. Elle n'avait jamais souhaité avoir un enfant de Mike Barclay à Pondichéry. Elle le voulait pour elle seule.

Heureusement, Stéphane, méconnaissant tous les conseils de prudence, était parti de bonne heure et n'avait pas vu le courrier.

Clarisse regardait à la fois la carte et la place Paul-Guillaumin. La neige s'était transformée en boue puis en humidité. Tout était redevenu quotidien et habituel. Était-il possible que des malheurs graves, des souffrances inattendues habitent ce monde que rien ne semblait devoir bouleverser ?

Quand Bouddha, jusqu'alors protégé de leur vue, était sorti de son palais et avait rencontré un vieillard, un malade et un mort, il avait tout quitté pour comprendre. Il avait réussi. Tous les jours, les humains refaisaient ce chemin. Et la sagesse ne leur venait pas. Clarisse était toujours éprise de Mike. Elle se retenait de ne pas embrasser sa signature. Rien n'était fini. Rien n'était semblable, pourtant, car derrière sa présente exaltation se cachait le spectre de la santé de Stéphane.

La porte de l'entrée claqua. François rentra dans le bureau de sa mère.

« Veux-tu prendre quelque chose ?

— Je veux bien, dit François, j'ai faim ! »

Clarisse avait cette fois préparé des tartines.

« Chic ! De la confiture de myrtilles. Et toi ? » Il servit sa mère gravement, comme s'il remplissait une mission. C'était leurs fêtes intimes, ces goûters. Ils sentaient bien que Stéphane, Marie peut-être, en eussent été jaloux s'ils les avaient surpris. D'instinct, ils les avaient placés à des moments où ils étaient assurés d'être seuls.

François raconta sa journée et partit dans le salon attendre la répétitrice.

Celle-ci venait deux fois par semaine. Clarisse

admirait sa compétence, son respect de la musique, sa modestie. Clarisse devinait qu'elle était là, quand elle ne l'avait pas entendue arriver, par la netteté des mesures qu'elle imposait à son élève et qui lui parvenaient à travers la cloison. Après son départ, François jouait pour son plaisir. Même s'il faisait des fautes ou s'y prenait à plusieurs fois, il tirait des morceaux qu'il avait étudiés une musicalité qui n'appartenait qu'à lui.

« C'est son don, disait son maître, il ne faut surtout pas le lui ôter. »

Car François avait un maître, chez qui elle allait le chercher parfois. C'était un petit homme rond d'une soixantaine d'années, très communicatif, qui n'évoquait en rien les musiciens romantiques dont il était l'un des meilleurs interprètes. Il recevait son élève tous les quinze jours. Son ventre bedonnant, ses petits bras, ses cheveux rares, une fatigue répandue sur toute sa personne ne l'empêchaient pas de tirer de son clavier des sonorités tumultueuses ou pathétiques d'un effet saisissant. À la fin de la leçon, il reprenait le morceau de François et le jouait à sa manière. Clarisse avait la chance d'assister à cette transmutation quand l'enseignement s'était prolongé plus tard que d'habitude et elle pouvait mesurer l'écart qui sépare un grand pianiste d'un débutant. Ce qui était impressionnant, toutefois, c'est que François n'était pas écrasé. Il faisait entendre la faible mais limpide musique qui lui venait de ses dons. L'autre l'écoutait, content, malgré la puissance et la différence des siens. Ils s'aimaient beaucoup sans mot dire.

« Maintenant, François, il va falloir te mettre à l'interprétation, dit-il ce jour-là.

— Comment fait-on ? » dit l'enfant la main levée. Son innocence était prête à tout.

« On vieillit et on apprend, répondit le maître en

riant. Laisse-moi parler avec ta mère. Déchiffre cela en nous attendant. »

Il se tourna et dit à Clarisse en russe : « J'ai bon espoir. Il progresse constamment. Son esprit suivra-t-il ? C'est une grande difficulté pour un professeur, ces enfants exceptionnellement doués, chère Clarisse. »

Il ne lui donnait jamais son nom de femme mariée.

« On a peur de leur en demander trop, poursuivit-il, et on s'aperçoit après qu'on a eu tort d'hésiter. Ils n'ont pas les difficultés qu'on croyait. Mais comment leur enseigner la psychologie d'un auteur, les ressorts de sa création ? Certains s'éteignent comme des lucioles. D'autres – j'espère que ce sera le cas de François – comprennent tout, sans avoir aucune expérience. La pureté de leur cœur leur ouvre le monde des adultes sans les troubler. Vous comprenez cela, vous ?

— J'ai eu autrefois une élève qui saisissait les difficultés d'autrui par une sorte de connivence », dit Clarisse. Elle pensait à Alexandra. « Mais elle avait payé très cher ses intuitions. Par des angoisses et de l'anorexie.

— Je ne vois rien de tel chez François. Son père lui interdit-il toujours d'apprendre le russe ?

— Peut-être va-t-il évoluer. Pourquoi me posez-vous cette question ?

— Pour mieux comprendre. Votre fils a commencé à composer un morceau pour l'anniversaire de votre mari, c'est en octobre, je crois. Il me l'a montré et m'a demandé conseil. Ce qui m'a le plus troublé, c'est qu'il l'a signé de son prénom et de votre nom de jeune fille. Il y a un problème.

— Vous croyez qu'il souffre ? Son père est fier de lui mais François le déconcerte. Cet enfant ne s'intéresse qu'à la littérature et à la musique. Quand nous parlons d'autre chose, il est hors d'atteinte ou il rit avec sa sœur.

— C'est aussi parce qu'il vous ressemble trop. Cette histoire de russe est invraisemblable. Mais nous vivons avec l'invraisemblable. Nous pâtissons tous, n'est-ce pas, des obstacles qui nous sont opposés. Ce sont eux, pourtant, qui nous fortifient.

— Je me demande bien en quoi ?

— Je pense qu'ils nous mettent sur la Voie », dit-il en appelant François et les raccompagnant jusqu'à la porte.

Il n'avait jamais prononcé le mot de Voie jusque-là. Avait-il senti que Clarisse y serait réceptive ?

Il retint un instant sa main dans la sienne : « Ne vous inquiétez pas. Dans ces chemins-là, ceux des créateurs, ceux des enfants, ceux de Dieu, aussi, s'il existe, on avance pas à pas et on se sait jamais où vous conduira le suivant. Mais c'est déjà une grande chance, je dirai même une bénédiction d'avoir pris la route. »

Ainsi le maître de François était-il plus proche d'elle qu'elle ne le croyait. Il avait trouvé la musique pour s'exprimer. Parler de la Voie était presque impossible en Occident, pour des raisons que Clarisse ne comprenait pas. Peut-être parce que cela paraissait ridicule. Le pianiste l'observait malicieusement.

« Vous êtes particulièrement en forme ces temps-ci, si je puis me permettre. Vous faisiez de la musique autrefois ?

— Maman chante, interrompit François. Mais elle n'accepte pas souvent.

— Pourquoi ?

— Je ne sais pas. C'est loin maintenant.

— Aimeriez-vous que j'étudie avec François quelques mélodies ? Il pourrait vous accompagner. Quel genre de voix avez-vous ?

— Mezzo-soprano. Mais je ne sais plus rien faire.

— Essayons, Maman, je t'en prie.

— Si tu veux. Je vous remercie de vous occuper de moi. C'est très généreux.

— À mon âge, c'est tout ce qu'on peut faire, dit-il, en grimaçant sous son crâne déplumé.

— Tu as beaucoup de chance de vivre dans le domaine de la musique, François, je t'envie, dit Clarisse en avançant sur la chaussée humide.

— Pourquoi es-tu si souvent triste ? Même avant le malaise de Papa ?

— Ça doit être dans ma nature, mon petit, et personne n'y peut grand-chose, répondit-elle en sachant bien que ce n'était pas vrai.

— Je vais jouer pour toi plus souvent. Mon maître dit que les artistes souffrent beaucoup mais qu'ils l'expriment dans leur musique et qu'alors ils sont moins malheureux.

— C'est une bonne idée », dit Clarisse en l'embrassant sur la joue.

La carte de Mike passait devant ses yeux. Cette image naïve, ce mince signe qu'elle avait cru ne plus jamais recevoir, la pénétrait d'une ivresse souterraine, issue des entrailles de la terre. Et elle ne pouvait pas la dominer en dépit de la maladie de Stéphane.

CHAPITRE 14

LE CAHIER INDIEN

Pondichéry, janvier-septembre 1951

À Pondichéry, Monica avait retrouvé son calme. Nous sortions presque tous les soirs. Jamais le Comptoir n'avait donné autant de fêtes, de soirées musicales. Jamais non plus la quantité d'or, de pierres précieuses, d'alcool qui transitait à travers ses frontières n'avait été aussi scandaleuse. Son existence même devenait une provocation pour l'Inde de Nehru.

J'étais très entourée. Des éclairs de coquetterie me rendaient plus agréable la présence des hommes. Je les acceptais autour de moi désormais à condition que les candidats soient suffisamment nombreux pour ne présenter aucun danger. Une envie m'était venue d'être convoitée, frôlée par eux. Ce n'était pas pour susciter la jalousie ou pour nouer des aventures. L'emprise du couvent était encore trop forte. Je me suis éveillée tard, au bénéfice d'un seul être, sans bien identifier la progression d'un attrait que toute femme d'expérience eût aisément reconnu.

Quand nous étions ensemble dans ces soirées, Monica me guettait et m'adressait, de temps en temps, des clins d'œil sympathiques. Mike, vers lequel convergeaient les regards des femmes, se gardait de toute privauté avec elles. Il avait d'autant plus de prestige qu'on ne lui connaissait pas de faiblesses, au moins à Pondichéry, Ailleurs ? C'était bien son genre de choisir lui-même le lieu et l'heure, pensais-je, en observant son attitude, sans songer qu'un tel principe pourrait un jour s'appliquer à moi.

Sa froideur à mon endroit se manifestait à nouveau. Il ne semblait pas me remarquer, sauf pour me tendre le mélange qu'il préparait à mon intention le soir avant de partir, sous les yeux désapprobateurs de sa femme, et pour s'enquérir des progrès des enfants. Il ne nous parlait jamais de ses affaires rendues certainement plus périlleuses par la détérioration des relations entre la France et le Comptoir. Toute la maison respectait ses désirs, chacun sentant bien que son destin dépendait de son habileté, de son courage, et de son exceptionnelle connaissance des luttes d'intérêts qui sévissaient autour de nous.

Malgré les miasmes de l'atmosphère politique, comme une plante rebelle aux orages, les sentiments qu'il éveillait en moi m'emplissaient d'une langueur diffuse. Je m'habillais de mieux en mieux, je m'étais acheté du parfum et nos servantes m'encourageaient à soigner mes cheveux, mes pieds, mes mains avec leur sens tout indien de la parure et du plaisir. Elles m'épilaient les sourcils grâce à un fil qu'elles tiraient brusquement. Un jour, elles me maquillèrent les yeux à l'indienne pour une soirée. Quand Mike m'aperçut, descendant l'escalier ainsi embellie à l'heure de l'apéritif, il resta – lui qui était si peu démonstratif – le verre à la hauteur de l'épaule et ne put se retenir de murmurer : « Mon Dieu, Clarisse. » Une seconde le bonheur et l'angoisse se mêlèrent sur son visage d'habitude impassible. Il se leva, fit tourner sa haute silhouette sous le prétexte de me préparer un cocktail. Heureusement Monica n'était pas encore prête. Je remontai dans ma chambre, ôtai le khôl et les ombres placées sur mes paupières. Je prétextai une indisposition pour ne pas accompagner les Barclay ce jour-là.

Quand ils furent partis, je me tins chez moi, plus troublée que jamais. Les enfants dormaient à côté. Je pénétrai chez elles pour surveiller leur sommeil, puis, retournée à ma table, j'essayai de prier. Prier qui ? Prier pour quoi ? Je ne pouvais demander à Dieu : « Faites qu'il m'aime. » Je ne pouvais pas implorer non plus : « Faites que je ne l'aime plus. » Je sentais dans les profondeurs de nos êtres quelque chose se développer malgré nous avec une lenteur insupportable. Je le redoutais, j'appelais en même temps ces événements cataclysmiques de mes vœux et je craignais qu'en dépit de l'ardeur qui m'envahissait tout entière ils ne se produisent pas.

J'essayai de reprendre mon souffle en laissant ouverte la porte de communication avec la chambre de Pénélope et d'Alexandra, m'accrochant par l'esprit à ces fillettes plus fortes que moi dans leur assoupissement. Je contemplai mon icône, je replaçai autour d'elle la guirlande de frangipaniers renouvelée chaque matin sur les ordres du maître de maison, je cherchai une issue dans toutes les directions de ma chambre, faisant intérieurement appel au Divin dont m'avait parlé Alexandra le premier jour dans l'avion et que j'éprouvais grâce à la piété indienne, comme déployé autour de nos faibles personnes. Mais je savais aussi que mon invocation restait à la surface des choses et qu'elle ne pouvait guère avoir de pouvoir sur le reste. Une inspiration me vint soudain, et m'apaisa assez pour que je m'endorme.

*

Comme cela avait été convenu, j'allais chez les parents de Mike Barclay tous les matins travailler dans leur bibliothèque. Du bout du chemin j'apercevais, déjà assis à leurs tables sur la véranda, les pandits qui aidaient le docteur Barclay. Le plus âgé d'entre eux était un brahmane au front imposant, au long nez, sur lequel descendaient des lunettes, jusqu'à une lippe amère, toujours enveloppé, malgré la température, d'un châle blanc décoré d'une bordure de mangues bleues. Il était posté devant deux jeunes gens, plus foncés de peau que lui et aussi attentifs. Jamais ils ne levèrent les yeux sur moi. Leur vue m'aidait pourtant, car ils incarnaient la supériorité de l'étude sur les égarements où je risquais de sombrer.

Je me glissai sans bruit vers mon lieu de réflexion. J'étais fière d'être associée pour une modeste part aux travaux intellectuels de la maison Barclay.

J'avais découvert pendant ma nuit de tourment que si j'étais amoureuse de la culture indienne parce que je m'attachais à Mike, je pouvais aussi me servir d'elle pour me sauver de lui. Il suffisait que je m'acharne à la tâche et que je m'y enferme. C'était la solution qui m'était apparue la veille.

Les mois qui suivirent nourrirent cette illusion. Je commençai à classer les documents relatifs à la carrière et à la vie du docteur Barclay et à en rédiger un résumé. Bien vite cette trame m'orienta vers ses recherches sur la médecine indienne et sur l'indologie. La nécessité de connaître un peu le sanscrit m'apparut. J'eus un moment de découragement. Encore une écriture, une langue à apprendre. J'avais déjà tant de mal avec le tamoul !

Je m'en ouvris à Mme Barclay qui nous offrait du thé, à son mari et à moi, au milieu de la matinée en nous faisant signe, le moment venu, d'aller la rejoindre dans le salon.

« Ce serait mieux, Clarisse. Vous avez tellement de facilités. » Réfléchissant une seconde : « D'ailleurs, il le faut », dit-elle fermement.

Cette déclaration ajouta à mon accablement.

« Je vais vous arranger des leçons avec un pandit et je vous prêterai mon dictionnaire sanscrit-tamoul pour vous montrer que c'est tout à fait possible. »

Elle qui était si frêle, si éthérée, si loin du monde, n'avait cessé, depuis mon premier dîner chez elle, de se soucier de ma santé, de mes humeurs, de mon bien-être sans jamais franchir les limites de la discrétion. Ma confiance en elle se fortifiait, et mon affection. J'admirais qu'une si grande érudite trouve le temps de favoriser les bégaiements d'une débutante et de se préoccuper des détails de la vie quotidienne d'une jeune fille de passage vis-à-vis de laquelle elle n'avait pas d'obligation. Je sentais aussi qu'elle n'était guère satisfaite du mariage dc son fils unique avec Monica et que, sans que personne ne l'ait voulu ainsi, je lui servais de consolation et de contrepoids. J'acceptai donc de commencer le sanscrit comme elle le proposait. Son mari et elle furent si contents de mon zèle qu'ils me présentèrent la possibilité d'un poste dans l'Institut qu'ils voulaient créer en Inde. Cette proposition me renforça dans la certitude que je pouvais me débarrasser de Mike en trouvant mon salut sur place. C'était à l'évidence un moyen de rester près de lui sans me l'avouer.

J'amenais au docteur et à Mme Barclay leurs petites-filles quand leur bru partait disputer des tournois. Mais, sortie de ses études, Mme Barclay ne savait pas trop quoi demander à Alexandra et à Pénélope. C'était le docteur Barclay qui sauvait la situation. Doté d'un talent de conteur qu'il tenait peut-être de sa mère hongroise et pédagogue-né, il leur racontait des épisodes de *Ramayana* et des légendes du Sud où Shiva faisait les miracles les plus inattendus. Alexandra se délectait des récits de son grand-père, posait des questions, dévorait ses réponses. Pénélope avait du mal à suivre. Quand il voyait qu'elle peinait trop, il l'emmenait dans son bureau et lui faisait poser le doigt sur la mappemonde qui en occupait un des angles. Elle devait relater avec sa main les Grandes Découvertes au fur et à mesure qu'il les évoquait. Ravie, elle montrait sur la carte les trajets des navires portugais, hollandais, anglais, français qui s'étaient dirigés vers l'Inde pour l'évangéliser ou s'emparer de ses richesses. Elle se désolait des tempêtes, des naufrages, des disparitions. La mer la passionnait, et l'aventure.

« Si je n'avais pas été médecin, j'aurais été géographe », déclarait le docteur Barclay, si peu fait pour les vicissitudes des voyages, sous les yeux attendris de sa femme.

En observant ses parents, je comprenais mieux certains traits de caractère de leur fils. Il tenait d'eux la culture évidemment mais aussi une retenue qui plaçait les autres à distance et qui pouvait offenser. Le docteur et Mme Barclay allaient toujours bien et si nous leur demandions ce qu'ils avaient vu ou fait, ils répondaient : « Nous avons travaillé. » J'ai pris conscience plus tard qu'en me parlant si franchement de lui-même, il avait abandonné le cadre psychologique dans lequel il avait été élevé et qu'il s'était donné à moi tout entier.

À Pondichéry mes journées s'étaient donc encore remplies. À la bibliothèque je me partageais entre les Mémoires du docteur Barclay et l'étude du sanscrit et du tamoul auxquels me poussaient mes hôtes. La chaleur s'accroissait et quand je courais retrouver les enfants à déjeuner, j'étais déjà éreintée. Ensuite il y avait la sieste, le travail scolaire, le club de sports. Je prenais mes leçons de tennis trois fois par semaine comme je l'avais promis. Mais Monica ne s'y intéressait plus. Je sortais moins parce que je me fatiguais plus et parce que je m'obligeais à revoir le soir ce que j'avais appris le matin. J'étudiais avec la même frénésie que pendant la guerre et pourtant rien ne me menaçait. J'utilisais la tactique que j'avais employée pour survivre à l'occupation allemande, à la faim, au froid, à la peur. Mais il n'y avait pas de soldats bottés, pas d'affiches d'exécution dans le métro, pas de « petite nazie ». Fallait-il que le danger soit grand pour lutter de la sorte ? Fallait-il que Mike occupe une place extraordinaire dans mon esprit pour vouloir le repousser si fort ?

Nous nous retrouvions tous les trois à sept heures, quoi qu'il arrive, pour partager un verre, Monica, lui et moi.

Un soir, celle-ci me demanda d'un air torve :

« Mais enfin, Clarisse, pourquoi restes-tu enfermée ici ? Il y a des jeunes gens séduisants à Pondichéry.

— Je n'en ai pas envie. Je veux étudier, progresser, ne pas perdre mon temps.

— Vous avez raison de profiter de vos dons. C'est beaucoup plus important que de dîner en ville », dit Mike. Il me balaya du regard sans se contraindre, content, rassuré, fier de moi.

« Si ça te plaît », dit Monica, comme si j'étais folle. Et elle entraîna son mari avant l'heure dans une robe de mousseline qui lui allait à ravir et qui la rendait encore plus désirable.

Je remontai dans ma chambre et je repris mes textes.

*

Le redoutable été s'annonçait ainsi que les vacances. Quelques jours plus tard, Mike fit irruption dans la bibliothèque où je travaillais chez ses parents. Nous étions seuls dans cette pièce où il ne venait jamais, qui sentait les reliures et la vanille et où j'avais la chance de ne pas sans cesse penser à lui.

« Nous allons partir pour l'Europe dans quelques jours, Clarisse. Nous séjournerons en Angleterre et en Suisse. Voulez-vous nous accompagner ? Nous serions très heureux que vous veniez avec nous. J'ai besoin d'une réponse rapide pour réserver les billets. »

Elle devait arriver, bien sûr, cette question que j'avais sortie de mon esprit. Devant moi il y avait les rayons, chargés de volumes qui s'étendaient sur deux siècles, l'histoire de la prise de possession de l'Inde par les Occidentaux et de leur échec.

« Votre père m'a laissé entendre qu'il allait obtenir les fonds nécessaires à la création d'un Institut d'indologie. Je ne veux pas perdre le bénéfice d'études qui m'ont donné beaucoup de mal en m'arrêtant plus de deux mois. » Je rassemblai toute mon énergie. « Je préfère rester ici.

— Vous aimez l'Inde tant que ça ?

— Je la découvre. Et je me sens bien auprès de vos parents. »

« Une jeune fille anglaise recrutée sur place me remplacera très bien quelques semaines, ajoutai-je le soir avant le dîner.

— Le climat est atroce, ici, à cette saison. Tout le monde s'en va, observa Monica.

— Clarisse pourra toujours sortir de Pondichéry, aller en montagne. Le chauffeur est à sa disposition.

— Vous savez bien que vos parents se déplacent rarement ou pas du tout. » Mike ne répliqua pas. Il m'avait fait un cocktail plus fort que d'habitude et avait pris le même. Le docteur et Mme Barclay, mis au courant, m'offrirent l'hospitalité et la cause fut entendue.

Deux mois se passèrent pour moi dans une hébétude très spéciale. Je ne souffrais pas de l'absence de Mike. Je ne vivais plus. Parallèlement, je jouissais de la compagnie des personnes les plus remarquables que j'aie jamais rencontrées. Ce dédoublement me permit d'avancer dans la préparation des Mémoires du docteur Barclay et dans la connaissance du tamoul et du sanscrit, si différents pourtant. Bientôt je pus goûter la compagnie éclairée qui fréquentait la maison. J'absorbais tout ce qui se disait, se discutait autour de moi. Mais j'en profitais à peine. Je ne regardais plus mon icône, ni la photo de mes parents. Je m'étais anesthésiée sans le vouloir.

*

En septembre, Mike revint à l'improviste. Nous n'avions reçu que des cartes des enfants. La table avait été mise à la hâte, on avait sorti du vin que nous ne buvions jamais. La pluie roulait au-dessus de nos têtes, sur le jardin qu'elle accablait. Tout était plein d'humidité. « Mike arrive avec la pluie bienfaisante, la mousson salvatrice. » Ce fut la seule idée qui me vint à l'esprit. Pour le reste, sur l'instant, rien ne bougea en moi.

Pendant le dîner, avec son père, nous lui montrâmes l'avancement du manuscrit auquel nous travaillions.

« Vous n'avez pas perdu votre temps, dit-il au docteur Barclay.

— Grâce à Clarisse. Elle note, elle apprend tout, fit celui-ci en me désignant de la tête.

— Justement. Je vais être obligé de vous interrompre quelques jours. Je veux emmener Clarisse dans le Nord. Elle a mérité de se reposer. Puisqu'elle se plaît en Inde, je souhaite lui montrer autre chose que Pondichéry. Sinon vous allez la transformer en pandit. À son âge ça serait vraiment dommage. »

Je restai bouche bée. Le docteur Barclay et sa femme, qui avaient un culte pour leur fils, opinèrent du bonnet. Rien de lui ne les étonnait, tout en eux était amour et respect à son égard. « Tu me la rendras, dit le docteur Barclay.

— Pas tout de suite. » Et il me prit tranquillement par le bras pour sortir de table. Je me laissai faire, pouvant à peine marcher. C'est dur de ressusciter les morts.

Le lendemain, en fin d'après-midi, je retournai dans ma chambre habituelle sans avoir eu le temps de réfléchir. Je remis mon icône à sa place, ainsi que la photo de mes parents. Je contemplai mon lit et le dôme de la moustiquaire de tulle. Je posai mes nouveaux livres et mon dictionnaire de sanscrit sur ma table. La guirlande de fleurs était déjà prête et répandait une odeur délicieuse. Je pris un bain, me maquillai les yeux, me parfumai et sortis du placard où je les avais abandonnées depuis deux mois une de mes robes les plus flatteuses. J'agissais dans un rêve, mais avec précision.

À sept heures je descendis au salon. Mike m'y attendait, changé, plus beau que jamais, détendu, grave.

« Installez-vous comme je l'aime, allongée sur le grand canapé. » J'obéis, il me tendit un mélange rose qui évoquait celui de Londres.

Nous bûmes en silence, goûtant le soulagement qu'avaient apporté la mousson, le silence, le bienfait d'être seuls.

Puis, d'un mouvement plein de flamme, il se mit à genoux contre le divan.

« Clarisse, je ne peux plus attendre. J'ai fait tout ce que j'ai pu pour lutter contre toi. J'ai disparu. Je n'ai pas écrit. Je me suis tu. Devant toi je me suis contraint sans cesse. L'absence a été pire que la présence. Ici je pouvais au moins te voir, te regarder vivre. Nous devons changer tout ça. Tu veux bien ? »

Je laissai mes doigts reposer dans les siens. L'abîme se rapprochait, le magnifique abîme.

« Parle, parle enfin, toi qui te tais toujours.

— Vous vous taisez aussi.

— C'est vrai.

— Cela devait arriver, n'est-ce pas ?

— Oui.

— Nous n'y pouvons pas grand-chose.

— Non.

— Alors je suis d'accord. »

Il se leva, me rapporta un autre verre de liquide rose.

« C'est mon premier office décidément que de te

verser à boire. » Il s'assit dans un des fauteuils anglais. « Nous allons inventer une nouvelle vie. »

Il vit mon effroi.

« Sois sans inquiétude, personne n'en saura rien. Je sais me cacher, je ne le sais que trop, mais cette fois, ce sera pour nous, pas pour les autres. Demain matin nous partirons pour Madras et je renverrai le chauffeur. Je t'achèterai des vêtements indiens. Pas une Purdah où tu disparaîtrais tout entière. Les musulmanes qui les portent sortent à peine de chez elles. Des jodhpurs, une tunique comme celle des étudiantes du Nord. Tu natteras tes cheveux. J'abandonnerai ma tenue occidentale. Nous prendrons des bus, le train. Nous nous fondrons dans la foule. Ce ne sera pas toujours confortable mais tu apprendras à connaître l'Inde, la vraie.

— Serai-je capable de vous suivre ? Je me sens si gauche, si maladroite. Je ne sais pas vivre.

— Comme si cela s'apprenait. »

Il me contemplait, attendri, heureux.

« C'est cela qui t'ouvre les cœurs, le sentiment que tu as de ta faiblesse, Clarisse, une faiblesse qui n'existe que dans ton esprit mais qui te donne un air délicat, appliqué. J'aime que tu sois ainsi.

— Je n'ai jamais eu d'amis. » Je devins écarlate, mais qu'avais-je à perdre dans le flux qui m'emportait ? « Je n'ai aucune habitude des hommes. »

Il faillit se lever pour m'embrasser, se rassit.

« Quelle chance pour moi. »

Nous nous tûmes, d'un autre silence.

À dîner, il me donna des nouvelles de Pénélope et d'Alexandra, de l'Europe aussi, comme si de rien n'était. J'étais parcourue d'une joie sourde qui n'osait pas éclater. Il avait repris sa jeune autorité.

« Il faut aller dormir, maintenant. Demain, nous partons très tôt à l'indienne. N'emporte que tes affaires de toilette et, cette fois, pas de dictionnaires », dit-il en se moquant gentiment.

Nous nous séparâmes sur le palier, sans nous toucher. Sur le pas de sa porte il me lança : « Demain à cinq heures. Je te ferai porter un *early tea.* » Puis sur le seuil : « J'espère que je serai digne de toi. Dors, Clarisse. Je ne te laisserai jamais plus. »

CHAPITRE 15

PARIS

Avril 1967

Le printemps de 1967 fut particulièrement précoce. Dès le début du mois, des bourgeons gonflèrent aux branches des marronniers, aux buissons des squares. L'aspect hivernal de la ville disparut comme par enchantement. Il faisait assez doux, certains jours, pour rester dehors.

À l'Institut Goethe, Clarisse avait été admise à suivre, pour le deuxième semestre, le cours de littérature allemande contemporaine auquel elle rêvait d'accéder depuis son arrivée. Ce jour-là le cours se tint dans le jardin près de la fontaine. L'eau coulait d'un muret autour d'une statue aux formes athlétiques. Clarisse eut un moment de fièvre lorsqu'elle s'aperçut qu'elle comprenait le texte lu par le professeur. Deux pages d'Uwe Johnson décrivant les vagues de la Baltique sous un soleil pâle comme celui qui éclairait la table de fer et le groupe des auditeurs. Une brise les frôlait, caressait les hanches de la statue, effleurait l'eau qui tombait du muret. Le professeur avait une voix grave, bien timbrée. Il aurait voulu que le texte devienne compréhensible à ses élèves par la seule magie de sa lecture. Ce n'était pas tout à fait le cas. Mais le plaisir y était et la découverte d'un écrivain remarquable.

Soudain Stéphane parut. Clarisse fut saisie. Il l'avait toujours attendue jusque-là à la sortie, dans le premier bâtiment, parmi les étudiants. Mais elle contint son irritation car elle perçut dans un éclair qu'il avait encore maigri sans qu'elle y prenne garde. Elle s'excusa, reprit ses affaires et le rejoignit.

« Qu'est-ce qui se passe ?

— J'avais besoin de te parler. Viens, je t'emmène marcher.

— Tu as le temps ?

— Je l'ai pris. »

Au Bois, il y avait des risées sur le lac et peu de promeneurs. Stéphane s'élança dans une allée sans sembler savoir où il allait.

« J'ai un aveu à te faire, Clarisse. J'ai demandé un autre poste, sitôt sorti de l'hôpital. Je vais l'obtenir.

— Mais enfin, Stéphane, pourquoi ?

— Je t'avais dit que je ne te parlerais pas de ma maladie. Mais tu as le droit de savoir. Mes analyses ont été mauvaises dès le début. Elles sont pires. Le diagnostic est certain à présent. Une cirrhose du foie alors que je ne bois qu'un verre de champagne de temps en temps.

— Je ne peux pas le croire.

— Cela arrive parfois, m'ont dit les médecins. On ne connaît pas bien les causes de ces hépatites cachées, comme celle qui est à l'origine de mon mal. Elles cheminent à bas bruit, puis se transforment, sans traces, sauf des accès de fatigue que j'ai toujours surmontés. Et elles s'aggravent. Autrefois, j'ai eu un accident de voiture. Je ne t'en ai pas parlé parce que c'est loin. On m'a transfusé. C'est peut-être ça. Le seul problème qui se pose, c'est le temps qui me reste. Ils ne savent pas. » Il allait à grands pas, halluciné.

« Je quitterai mes fonctions de secrétaire général à la fin de l'année. » Il s'arrêta, la prit par les épaules, pesant de toute sa taille sur elle.

« Tu as peut-être des décisions à prendre et même

– il avait des éclairs dans les yeux – des gens à prévenir. Cela dissipera peut-être enfin ce passé mystérieux qui plane au-dessus de nous depuis que je t'ai épousée.

— Tu es fou.

— Je vois les choses comme elles sont. J'avais tout prévu sauf ça : cette maladie insensée. »

Il repartit à grandes enjambées dans les feuilles qui restaient de l'hiver. Elle avait du mal à le suivre.

« Je vais avoir quarante-cinq ans en septembre. Je ne réaliserai pas cette réforme des collèges à laquelle je travaille depuis si longtemps, qui aurait enfin permis au système scolaire de compenser l'inégalité sociale. Le rêve de mes parents. Le rêve de ma vie. Le rêve de chaque élève.

« Je vais te raconter une histoire. Pour une fois, tu me comprendras peut-être un peu mieux.

« J'avais, à Moulins, un camarade qui s'appelait Fouache. C'était le fils du garagiste. Son père avait été formé par mes grands-parents, qui étaient instituteurs, à Souvigny. Nous nous asseyions toujours côte à côte en classe.

« Quand nous sommes entrés en sixième, je me suis aperçu que Fouache ne comprenait rien. Je l'ai vu s'enfoncer peu à peu. J'ai essayé de discerner ce qui le gênait : les mots, le rythme, les matières. En réalité, c'était tout à la fois. Après les cours, je reprenais ce que nos maîtres avaient dit, je le lui répétais, je le lui racontais. "Je pige quand tu parles parce que c'est toi, mais après, quand je suis seul, j'ai la tête vide, tout s'est envolé", bafouillait-il.

« Sa famille me demanda d'aller le faire travailler chez lui. Au-dessous de sa chambre, nous entendions les bruits du garage. Fouache détestait encore plus la mécanique que le collège. Nous nous obstinâmes. Je débrouillais chaque difficulté et il y en avait tous les jours. Il s'accrocha. En février, Fouache eut la moyenne en dictée. Les maths suivirent en mars. En avril il osa répondre en histoire. À la fin de l'année, il était dans le peloton de tête et ne le quitta plus.

« C'est lui qui m'a donné l'idée de faire l'École d'administration autant que le vieux marquis. J'ai vu par l'expérience qu'un professeur solitaire peut sauver seulement quelques élèves. J'ai compris que c'était l'ensemble qu'il fallait changer. Pour les milliers de Fouache de la France entière. Cette idée ne m'a jamais quitté. Maintenant, j'ai tout en main, l'administration, le ministre, l'accord des syndicats, les crédits et voilà ce qui arrive.

— Tu ne m'as jamais raconté cette histoire.

— Il y a beaucoup de choses que je ne t'ai jamais racontées. Et, pire, il y a tout ce que tu ne m'as pas dit.

— Ce n'est pas mon genre de parler.

— On peut exprimer ses impressions, se laisser aller, livrer un peu de soi. Même dans ton sommeil tu n'avoues rien.

— Je n'ai sans doute rien à dire.

— Tu mens. Quand j'arrive à notre porte, je t'entends bavarder avec les enfants, rire, parfois chanter. Dès que j'entre, tout s'arrête.

— Tu es tellement pris par ton travail, ta carrière. Tu n'as jamais pu nous consacrer du temps.

— C'est de ta faute. Tu n'en avais pas envie. M'as-tu jamais fait la moindre remarque quand je rentrais trop tard du ministère ? Quand j'écourtais nos vacances, as-tu exprimé des regrets, une déception ? M'as-tu jamais proposé de partir avec moi quelque part ?

— Ce n'est pas mon genre de me plaindre.

— Je n'en suis pas sûr. Une plainte intérieure dont tu ne me diras jamais d'où elle vient. Il n'y a qu'au lit que tu perds tes airs de reine, que j'ai enfin ma femme entre mes bras.

— Tu racontes des bêtises parce que tu es bouleversé.

— De toute façon c'est trop tard.» Dans la voiture il dit à Clarisse: «J'ai appelé Victor Choukri et je lui ai dit la vérité. Il nous invite à dîner ce soir. Tu es d'accord?»

*

Victor Choukri avait organisé une soirée à l'improviste pour fêter la prétendue promotion de Stéphane. Ce fut un soulagement de retrouver l'hospitalité libanaise. Stéphane devisait gaiement. On aurait pu croire qu'il n'existait plus de danger.

Après le repas, Victor se tourna vers son hôte.

«Si vous quittez Paris à la fin de l'année, vous devriez vendre l'appartement de la rue Balzac. Il a pris de la valeur. Je suis sûr qu'il y aurait des amateurs», lança-t-il en regardant ses convives. La proposition était si habilement formulée que personne ne pouvait la considérer comme liée à une menace. «Tu accroîtrais le patrimoine de tes enfants. Veux-tu que je m'en occupe?

— C'est une bonne idée, répliqua Stéphane.

— Ce n'est pas possible!» s'exclama Clarisse.

Victor Choukri comprit qu'il avait fait une gaffe et lui lança un regard désolé. Mais dans l'esprit de Stéphane si rigide, si autoritaire, l'idée de vendre la rue Balzac s'était plantée comme une flèche. Et il souriait à cette perspective, qui pour Clarisse était épouvantable. Il ne pouvait pas la déposséder du seul lieu auquel elle était attachée.

Quels étaient ses motifs pour prendre en un clin d'œil une décision aussi importante? Était-ce une conséquence de leur conversation de l'après-midi où il lui avait fait reproche de se taire sur son passé? Imaginait-il qu'en faisant disparaître le plus vite possible l'appartement de Paris il mettrait Clarisse à l'abri des tentations de l'avenir? Ou son esprit, angoissé à juste titre par l'arrêt des médecins, cherchait-il tout simplement à préserver sa famille du besoin ? Stéphane, tout rationnel qu'il fût, était indéchiffrable. Quoi qu'il en soit, il aurait pu la consulter. Son impérialisme lui parut insupportable. Mais c'était un jour exceptionnel, un jour d'avril, un jour de mort.

« Donnez-moi encore du champagne », demanda-t-elle à Victor Choukri qui suivait la scène avec inquiétude.

Quand ils sortirent rue de Grenelle, il faisait presque chaud. Ils passèrent en voiture le long des Invalides. C'était Clarisse qui conduisait. Le square de l'angle semblait renaître. On avait biné les parterres et planté les bulbes. Au pied des arbres, plus loin, entre les massifs, il y avait la stèle de Taine où Stéphane l'avait prise en hiver. Il détourna la tête.

« Tu ne portes pas ton papillon rose ni ta blouse décolletée. Je te dégoûte maintenant que je suis malade ? »

Il cherchait à la mettre en faute, à rendre la situation aussi pénible que possible. Clarisse lui caressa le genou.

« C'est absurde, dit-elle. Bien sûr que non. Tu es malheureux. Je comprends. Ne me sois pas hostile. Ça aggrave mon souci et ma peine.

— Prononcerais-tu soudain une parole amicale ? J'ai tant besoin d'être consolé, même par une indifférente. »

De la main gauche elle tourna vers le boulevard des Invalides, prit la contre-allée. Il y avait une place libre. Elle s'arrêta.

« Que fais-tu ? »

Clarisse désigna le coin obscur où elle s'était débattue contre Stéphane sans succès.

« C'était là !

— Oui. Et tu as perdu ta broche.

— Finalement, ce n'est pas un mauvais souvenir. »

Le visage de Stéphane s'illumina.

« C'est vrai ? Tu aimerais recommencer ?

— Peut-être.

— Vois l'effet de tes paroles sur moi. » Il prit sa main, la remonta. « Pourquoi n'es-tu pas plus tendre, plus facile, plus abandonnée ?

— Et toi, es-tu tendre, facile, abandonné ? Tu ne me demandes même pas mon avis sur la rue Balzac.

— Je croyais que tu n'y tenais pas. Tu es toujours enfermée dans ton bureau, sauf aux repas.

— J'y suis très attachée.

— Pour une fois que tu es attachée à quelque chose. » Il s'était écarté d'elle, avait repoussé sa main. « Malheureusement, nous n'avons pas le choix. Te rends-tu compte, Clarisse, que depuis quelque temps tu es complètement absente, absorbée dans des pensées que je n'appréhende pas, qu'on a le sentiment que tu vis dans un autre monde, que la maison et ses habitants ne sont rien pour toi ? Comment ne me serais-je pas trompé, croyant bien faire ? »

Elle replaça sa main d'autorité sur son genou. Il frémissait mais continua.

« J'ai beaucoup de défauts. Je suis autoritaire, je suis possessif, je suis jaloux. C'est ma manière d'aimer. Mais au moins je dis ce que je pense et tu peux compter sur moi.

— Je le sais, et je t'en suis reconnaissante.

— "Reconnaissante". Quelle expression entre mari et femme. Passons là-dessus. Toi, tu files comme ces poissons que je pêchais à la main dans les ruisseaux de mon enfance, tu pars en biais, et quand tu es présente tu ne te départis jamais de ton effarante retenue.

— Je suis ainsi faite, tu devrais le savoir. Je ne peux pas m'extérioriser. Je me tais quand je souffre ; je me tais quand je suis heureuse. Et je ne me suis jamais remise de la mort de ma mère. Elle me manque tous les jours.

— Tu n'es plus une enfant, Clarisse, tu es une femme. Et quelle femme ! D'ailleurs, tu n'aimerais pas vivre seule. L'autre sexe te plaît, je le vois bien, et hélas tu plais à l'autre sexe.

— Mais enfin, Stéphane, imparfaite comme je suis, je suis là, près de toi. Nous sommes mariés depuis dix ans. Nous avons partagé toutes ces années ensemble, de toutes les façons possibles. »

Il se radoucit. « C'est vrai, je suis injuste. Tu m'affoles sans le vouloir. »

Le grand platane qui dominait le square leur cachait la vue du dôme des Invalides. Le ciel était néanmoins assez clair pour que l'on puisse détailler la vigueur de l'arbre, la masse de son feuillage. Il s'imposait comme la nature à l'homme, le cycle des saisons à nos désirs, la fuite du temps à nos amours. La sève avait donné, année par année, de l'épaisseur à son tronc, à son écorce blanche et grise aux reflets si doux, à sa cime arrogante. Et dans l'indifférence du monde végétal à nos malheurs, il resplendissait au-dessus des pelouses, des bosquets, de la voiture où, serrés l'un contre l'autre, Clarisse et Stéphane affrontaient une nouvelle épreuve.

« Je m'exprime peu, reprit Clarisse, sauf dans les langues étrangères que tu n'aimes pas. »

Ce n'était pas vrai. Avec Mike elle avait énoncé tout ce que la passion lui inspirait dans n'importe quel parler. Auprès de Marc, elle répétait volontiers les termes qu'il lui apprenait et bavardait en russe sans retenue.

« Quant aux hommes, je ne cherche pas à leur plaire, Stéphane. J'éprouve à leur égard un sentiment d'étrangeté. Ils appartiennent à une autre espèce que les femmes. Je n'ai jamais changé de point de vue. »

Elle mentait, là aussi. À Pondichéry, l'inverse s'était produit : la découverte d'une communion inoubliable dont elle ne se dégageait pas.

Il buvait ses paroles.

« Mais avec moi ?

— Tu es mon mari. C'est autre chose, tout autre chose. »

Elle sortit de la voiture, ouvrit sa portière, l'embrassa, le prit par le bras.

« Viens, maintenant. »

Ce fut elle qui le conduisit vers la stèle de Taine et l'adossa à la pierre.

La terre était humide sous leurs pieds. Les buis, les mœnia, les fusains avaient épaissi. Une poussée animait toute la végétation.

« Tu as parfois un peu envie de moi ? demanda Stéphane dans un souffle.

— Tu le sais bien.

— Tu ne me le dis jamais. »

Elle se défit et se pressa contre lui.

« C'est le meilleur des langages. »

Peu importaient les mensonges, s'ils étaient utiles. Elle voulait désespérément qu'il vive et elle ferait n'importe quoi pour y arriver.

CHAPITRE 16

LE CAHIER INDIEN

Ooty (Ootacamund), septembre 1951

Nous quittâmes Pondichéry à l'heure dite. J'avais dans mon sac ma trousse de toilette, mes crayons de maquillage, une chemise de nuit de dentelle. Le thé ne me donna guère de forces. Je craignais le chauffeur, les ragots, mes faiblesses.

Nous prîmes la route la plus courte, celle des camions. Les yeux mi-clos je voyais défiler, entre les arbres, des terres rouges vers lesquelles s'acheminaient des familles entières depuis l'aube. Ce peuple en marche à travers les champs, pour s'attaquer à sa tâche avec un bœuf et une araire, m'encourageait à croire en mon étoile. Mike se taisait à mes côtés. Nous partageâmes jusqu'à Madras un mutisme absolu. Quand nous entrâmes en ville, l'atmosphère se détendit. Il congédia le chauffeur. Nous reprîmes du thé, infusé dans du lait et parfumé au gingembre. Puis j'accompagnai mon compagnon, comme si j'étais sa secrétaire, à ses rendez-vous d'affaires.

Je m'aperçus que je comprenais à peu près tout ce qui se disait en tamoul. La ville, aussi, ne m'était plus inconnue. J'étais capable de déchiffrer les plaques, la publicité, les annonces de films. J'attrapai des bribes de conversation dans la rue. Cela me réconforta. Nous déjeunâmes au fond d'un de ces restaurants vert foncé qui m'avaient tant déconcertée après mon étourdissement au pavillon des Bronzes. Tout m'y parut facile, le thali végétarien et ses pots de riz, de dal, son curry de légumes, ses chapati, la proximité des Indiens, même les gargarismes qui s'échappaient par la porte entrouverte des toilettes.

Il avait plu. La mousson du sud est irrégulière et intermittente. Le soleil réapparut.

Nous allâmes à l'Emporium acheter des vêtements. Il n'était pas question que je me transforme en Indienne. Mais je voyais bien que ma nouvelle mise devait répondre à l'attente de Mike. Quand je sortis de la cabine d'essayage, portant ma tunique, mon pantalon noué à la ceinture, les cheveux nattés, les yeux faits, il s'illumina.

« Je te remercie. »

Il avait acheté pour lui une chemise et une sorte de pyjama en coton. Il me montra dans un sac des chandails, des chaussettes, des bonnets de laine.

« Demain matin nous serons à deux mille mètres. Il fera froid. J'ai aussi choisi un châle pour toi. Depuis notre conversation dans l'hôtel Taj, je sais que tu les apprécies. Maintenant nous allons reprendre nos vêtements occidentaux. J'ai encore deux rendez-vous. Ensuite nous irons dans un des *rest-rooms* de la gare. Nous pourrons nous doucher, nous changer, nous préparer pour la suite. »

Nous partîmes à la fin de l'après-midi pour une des trois gares de la ville. C'était un bâtiment victorien aux murs roses, aux arcades ourlées de blanc.

« Les touristes ignorent les *rest-rooms*, dit Mike. Les Indiens les apprécient et les leur cachent. Ce sont des chambres d'hôtel sûres, propres, qui évitent les transports inutiles. »

Nous nous douchâmes chastement, nous rhabillâmes avec les vêtements que nous venions d'acheter. J'étais étonnée que dans toute l'Inde il fût possible de se rafraîchir, de se nourrir, de se reposer à proximité immédiate des trains. Je le dis à Mike.

« C'est le deuxième réseau ferroviaire du monde. Il est nationalisé depuis l'Indépendance. On peut aller partout pour des sommes infimes. Certaines lignes sont des tours de force des Anglais, des Indiens. C'est une réussite étonnante. »

Vers sept heures, nous nous dirigeâmes vers le quai pour prendre l'Express 6005. Nos noms étaient inscrits au crayon sur notre wagon, où deux couchettes de première nous étaient réservées dans un compartiment à poignée.

Mike relut avec moi l'inscription du wagon.

« Acceptes-tu de me tutoyer à présent ? J'en ai envie depuis si longtemps. »

Je regardai les lettres de nos noms, écrites au crayon, sous un transparent de cellophane.

« Tu avais tout prévu, énonçai-je difficilement.

— Oui.

— Tu pensais que je t'aimais ? » Les mots vinrent plus facilement.

« Je n'osais pas le croire mais je me suis juré en Angleterre d'agir comme si c'était sûr. »

Nous montâmes.

C'est dans le train que nous nous sommes approchés l'un de l'autre dans une intention franchement sexuelle. Épaule contre épaule, hanche contre hanche, à une distance infime, silencieux, figés par l'émotion, la crainte, l'envie.

« Si je suis bouleversée, je ne pourrai plus lui répondre, je vais le décevoir », pensai-je. Il lut dans mon esprit.

« Pas maintenant, dit-il. Même si nous le désirons follement. »

Il déroula mon *bed roll*, vérifia qu'il était propre et le déploya sur la couchette.

« Laisse-moi faire. N'aie pas peur. » Le train partait.

« Il est à l'heure. Nous avons de la chance. Nous

prendrons notre correspondance à Mettupalaiyam et nous monterons dans les montagnes si la voie n'est pas coupée par une chute de pierres ou un glissement de terrain. Installe-toi bien. Tout est long en Inde. »

Il m'enleva mes sandales et commença à me masser les pieds. Il avait fermé les yeux, se concentrait. Son sérieux m'étonna.

« Où as-tu appris ça ? »

Bien qu'il fût agenouillé, il me parut immense. J'eus une bouffée de méfiance. Je ne le connaissais guère ou, plutôt, je le connaissais autrement. Où allais-je avec cet homme qui avait éveillé en moi tant de ferveur ?

S'en aperçut-il ? Il me répondit.

« Pendant la guerre, je me suis trouvé devant des camarades blessés, traumatisés, malades. Il n'y avait souvent pas de médecin. J'avais des notions. J'ai fait ce que j'ai pu. Je me suis aperçu que je soulageais avec mes mains. J'ai acquis de l'expérience, de la confiance. En rentrant, j'ai oublié tout cela pour mener une vie “normale”, pour gagner de l'argent. Grâce à toi, j'en retrouve l'envie. »

Il avait rouvert les yeux.

« Nous sommes bien sérieux. Tu ne m'as même pas demandé où nous allions. »

Ma peur se dissipait devant sa sincérité. Il ne me ferait pas de mal, jamais.

« Nous arriverons demain matin à Mettupalaiyam pour prendre le train à crémaillère qui monte jusqu'à Ooty. Nous aurons une locomotive à vapeur, des ponts vertigineux, des tunnels, des wagons bleu et jaune, peu de touristes je pense. Tu mettras ton chandail et ton bonnet de laine. Notre voyage se terminera au *Fernhill Palace Hotel* où nous serons enfin tout à fait seuls et tranquilles. Maintenant, il faut dormir.

— Je n'y parviendrai pas !

— Mais si, tu vas voir. Change-toi. » Il se détourna. Je laissai tomber mon pantalon, enlevai ma tunique, mis ma ridicule chemise de nuit, me glissai dans mon *bed roll*.

« Ne t'enfonce pas trop pour le moment. »

Il s'assit sur la couchette derrière moi, passa les jambes de chaque côté de mon corps. « Pose tes bras sur mes cuisses, laisse-toi aller. Si tu veux encore me confier quelque chose, c'est le moment. »

J'hésitai puis dis : « Monica t'aime.

— Je sais.

— Elle est la mère d'Alexandra et de Pénélope. Cela me gêne atrocement.

— Elles me sont chères toutes les trois. Mais ce qui nous arrive n'a rien à voir.

— C'est ce que tous les hommes racontent, m'a-t-on dit.

— Je ne sais pas ce que les autres disent. Suis ton sentiment. Rien ne se ressemble. Nous sommes à la recherche du même trésor.

— Comment le sais-tu ?

— Je le sens depuis le commencement. Mais j'ai mis longtemps à le comprendre et à le croire.

— Tu t'étais préparé à me revoir ?

— Oui.

— Comment ?

— J'ai beaucoup réfléchi à nous, Clarisse, avant de surmonter mes propres scrupules. Tu n'étais évidemment pas la femme d'une aventure. Mais il y a en toi quelque chose que tu ignores, une dévotion, que je crois posséder aussi, qui nous lie au-delà des sentiments ordinaires. Quand j'ai compris l'erreur que j'avais commise en me dérobant pendant un an, j'ai essayé de m'unir à toi par la pensée. Cela m'était relativement facile puisque tu étais chez mes parents dont je connaissais les habitudes. J'étais près de toi par l'esprit un peu comme on médite, comme on prie. J'ai aussi relu ce que les maîtres disaient de l'union de l'homme et de la femme dans certains yogas. Je suis loin d'être au niveau du yoga tantrique. Ce n'est sans doute pas désirable. Mais ce yoga nous ouvre des perspectives qui vont dans le sens d'une intuition qui nous concerne. » Il hésita à son tour.

« Et toi, tu as pensé à moi ?

— J'ai fait tout ce que j'ai pu pour t'oublier. Je me suis acharnée au travail. Mais je demeurais avec tes parents. Ils parlaient beaucoup de toi. Habiter chez eux, étudier l'Inde du Sud était une manière de ne pas te quitter. Je me jouais la comédie de l'indifférence.

— Et maintenant ?

— Maintenant, je dis la vérité et je tremble devant elle. »

Il se cala derrière moi, prit ma tête, fit monter ses paumes jusqu'à la racine de mes cheveux et me massa la nuque. Puis il me délia les épaules, pressa mes tempes, mon front, mes joues. Enfin, effleurant à peine mes seins, il me fit respirer au même rythme que lui et me ramena vers les inhalations qui préparent au sommeil. Puis il tira le bord du *bed roll* jusqu'à mon menton et alla, sans bruit, se déshabiller sur l'autre couchette.

La terreur de ne pas être à la hauteur, de me lancer dans une aventure dévastatrice s'était allégée. Ce que j'appelais mon désir se calmait, se transformait en un assouvissement que je ne connaissais pas encore. Tout était nouveau. Tout était possible. Même le bonheur.

Le Nilagiri Express traversait la campagne indienne comme un berceau poussé par une main indolente. Je me confiai à sa sagesse, à la terre qui portait la file interminable de ses wagons, aux peuples désormais séparés qui avaient lancé ensemble cette espérance dans la nuit.

Je me suis très peu réveillée. Il est vrai que nous étions levés depuis l'aube. Une prescience me vint, dans mes rêves, que Mike avait saisi en Orient quelque chose que je ne savais pas. Où, quand, comment, qu'était-ce ? Toutes ces questions, je me les posai plus tard sans les résoudre complètement. Ce qui flottait dans le sommeil profond, délectable que je connus sur ma couchette, c'était l'impression qu'il m'emmenait dans une aventure spirituelle qu'il n'avait jamais tentée.

« Nous allons prendre un train célèbre », me dit-il le lendemain matin, portant nos sacs. Il me montra, dans la gare de Mettupalaiyam, de l'autre côté du quai où s'étirait notre express, une voie à faible écartement et des wagons de bois qui nous attendaient, comme un jouet oublié là par un enfant.

« C'est le train bleu des Nilagiri. La locomotive à vapeur va se mettre derrière les wagons, pour les pousser, tandis que leurs pignons s'accrocheront à des barres transversales qui les retiendront. Dans quatre heures, nous serons à deux mille mètres. Il y a cinquante ans que ce système fonctionne. J'avais très envie de te le montrer. »

Nous prîmes des sandwichs, du café, servi avec zèle par de petits vendeurs.

« Montons en tête et asseyons-nous à gauche en face de la fenêtre. C'est là que nous verrons le mieux la jungle, la montagne, la vallée.

— Tu es souvent venu ?

— Parfois. Jamais dans ces conditions. Ooty est une station climatique où les Anglais partaient fuir la chaleur en été et restaient entre eux. Les Pondichériens allaient plutôt à Kodaikanal. J'espérais qu'il y aurait peu de monde. C'est le cas. »

Je n'éprouvais plus d'angoisse. J'observais tout, ravie par l'audace du trajet. Mike s'amusait de mes exclamations. Soudain, j'aperçus au loin, sur le bord vertigineux de la voie, des hommes descendre vers nous vêtus de couvertures. Ils avaient l'air de sortir d'un autre monde. Nous changions d'altitude. Mon compagnon me passa nos vêtements de laine. Ceci influa le cours de notre conversation qui revint à la guerre malgré nous. Il me raconta ses premiers rapports avec l'Intelligence Service à Calcutta, je lui décrivis l'épisode «petite nazie» et mon entrée à Sainte-Marguerite.

«Nous avons sans cesse ces événements à l'esprit, même ici.

— Tu as raison, il ne faut pas. Parfois j'ai des paniques. Je suis obligé d'emporter des calmants. J'ai toujours réussi à le cacher à Monica. Seul mon père est au courant, toi maintenant.»

Il me prit la main.

«Tu vois, ce n'est pas si simple. Comme tu as l'air russe, avec ce bonnet. Cherchons maintenant à profiter des deux cent cinquante ponts et des seize tunnels de cet ouvrage d'art.

— Tu les as comptés?

— Je l'ai lu dans un guide anglais pour pouvoir te le raconter quand j'ai réfléchi à notre itinéraire.

— Que se serait-il passé si j'avais dit non?»

Il pinça les lèvres.

«Le train bleu des Nilagiri aurait eu deux voyageurs de moins.

— Ce n'est pas arrivé.

— Heureusement.

— Qu'aurais-tu fait?

— J'aurais médité et j'aurais attendu. Mais ce n'est pas le cas, n'est-ce pas? Je suis tellement content de t'emmener à Ooty. La station a retrouvé sa fraîcheur sans perdre sa beauté. Pour une femme comme toi, il faut un lieu digne d'elle.»

Un frisson me parcourut.

«Tu as froid?

— Non.»

Nous atteignîmes Hillgrove où la locomotive se ravitailla en eau. Ensuite nous fîmes halte à Coonoor, nous vîmes sa gare de 1897, des singes qui dansaient sur le toit pour avoir des bananes. Puis nous traversâmes des forêts dont les troncs s'élevaient au-dessus des abîmes.

« Voyagez par le train et séjournez plus longtemps dans les collines », déclarait une pancarte sur un mur isolé.

« Les éléphants attaquent les gares. Certaines ont dû être abandonnées. C'est sans doute le cas ici. »

Enfin ce fut Lovedale.

« La vallée de l'amour. Nous ne pouvons malheureusement pas y résider. Il n'y a pas d'hôtel. »

Quelques instants après, nous arrivâmes à Ooty. J'avais le cœur battant. L'heure était arrivée.

« Tu vois, dans le restaurant végétarien de la gare, il y a trois entrées. Le jour où j'y ai déjeuné avec mes parents, un cheval l'a traversé au pas. Cela m'a ravi. Il y a partout des animaux en Inde, mêlés à la vie des gens, rarement domestiqués sauf pour l'agriculture. Ce ne sont pas des inférieurs. Ils peuvent être des âmes réincarnées. Il ne s'agit pas simplement des vaches sacrées. Les bêtes changent tout dans l'hindouisme comme dans le bouddhisme. »

Il essayait de me calmer, de me faire rire. Je n'en menais pas large. Pire, je lui en voulais de prolonger ces moments dont la pensée me fut si chère par la suite.

Un taxi nous conduisit au *Fernhill Hotel* situé hors de la ville.

L'établissement avait été secoué par le départ des Anglais et l'on nous y accueillit comme si nous étions les messagers de jours meilleurs.

Nous entrâmes dans une chambre qui tenait du pavillon de chasse et du chalet. Immense, fraîche, ouverte par deux baies sur un champ, un petit lac.

« Toutes les chambres des bons hôtels d'Ooty ont une cheminée. On nous allumera un feu ce soir, quand il fera plus froid. C'est un grand luxe. Je te raconte des bêtises pour masquer ma propre hâte, Clarisse, ne m'en veux pas.

— Au contraire, ça m'encourage. »

Nous touchâmes à peine à la collation qui nous avait été apportée.

« Tu n'es pas fatiguée ?

— Non. »

Il tira les rideaux et me porta d'un coup de reins sur le lit, ôta mes sandales, mes chaussettes. Puis il remonta le long du pantalon dont il dénoua les liens et posa la tête sur mon ventre en faisant glisser le tissu à terre. Il resta ainsi longtemps dans une sorte d'adoration. S'étirant ensuite le long de mon corps, il libéra mon torse et s'arrêta sur un coude. De l'autre main, il prit doucement conscience de moi. J'étais gênée. Je fermai les yeux. Il se leva, se déshabilla.

« Ose me regarder, Clarisse, mon amour. Ne te donne pas à un fantôme. »

Je soulevai les paupières pour exaucer son souhait.

« Écarte un peu les jambes, je veux te contempler ainsi reposant sur les draps. »

Cette phrase m'embrasa et fracassa ma timidité. Je l'appelai de tout mon être et lui tendis les bras.

« Ne bouge pas, aie la volonté de ne pas bouger. Laisse-moi venir. »

Concentré, sûr de lui, précis, il me pénétra. De l'avoir attendu si longtemps, je craignais de ne rien sentir. Une pluie d'étincelles accompagna au contraire son mouvement et ne s'éteignit plus, combien de temps, je ne sais.

C'était un mouvement lent, parfait, qui m'emplissait jusqu'aux lèvres et me faisait exhaler l'amour. Un don de la nature mais aussi de l'expérience, du sentiment, de la réflexion. Si par malheur je devenais aveugle et qu'on me présentât nombre d'hommes, je reconnaîtrais ce mouvement entre mille.

« Réponds-moi maintenant. N'aie pas peur. Respire. Tu ne te fatigueras pas. Tu ne me décevras pas, Clarisse. Tu es faite pour ça, je t'aime. »

Il avait pris mes hanches dans ses mains et les mouvait à son rythme.

« Nous n'avons pas besoin de caresses, seulement de nous échanger ainsi. »

Nous allâmes ainsi, sans perdre haleine, trouvant de nouvelles ressources pour différer la jouissance jusqu'à l'extrême. Quinze ans après, j'ai souvenance de ce balancement magique et je l'attends. Je n'ai jamais, plus tard, connu rien de tel. C'est qu'il fallait la mystique que nous partagions et qui se révéla à travers notre étreinte.

Plusieurs fois Mike s'arrêta pour s'assurer de notre communion, l'éprouver plus profonde par l'immobilité.

« Je n'en peux plus, dis-je à l'une de ces occasions.

— Tu peux encore, toujours, c'est la force de la divinité, qui ne s'abolit jamais. C'est quand nous nous préparons mal qu'elle s'interrompt. »

Nous passâmes l'après-midi à nous enlacer, nous reposer, nous reprendre. Et puis, soudain, la paix tomba sur nous comme un voile. On nous apporta des brocs d'eau chaude. On alluma le feu. Je mis mon châle. Nous allâmes dîner à la salle à manger déserte du *Fernhill Hotel*.

« Je ne peux même pas t'offrir un cocktail. Depuis Nehru, il n'y a plus d'alcool en Inde. »

À l'aube, je m'éveillai et le regardai dormir. Dire qu'il m'avait paru si lointain à Pondichéry !

« La première fois. La vraie première fois », me dis-je. Grandiose, enivrante, impersonnelle comme la mer pour celui qui n'aurait jamais embarqué.

Je me rendormis.

Quand je m'éveillai la deuxième fois, il était en moi et me dévisageait.

« C'est ce que j'ai toujours attendu. Laisse-moi faire encore une fois, je t'en prie. »

Nous recommençâmes. Et tant que nous fûmes en Inde ensemble, nous ne cessâmes de recommencer.

Dieu a voulu, dans sa bonté, que nous ayons goûté l'amour en faisant les gestes les plus simples. Rapidement, nous écartâmes les caresses, les positions compliquées qui nous eussent empêchés de nous unir en retenant notre attention sur des détails inutiles. Ce n'était pas la peine. Cela me parut naturel. C'est seulement après avoir connu d'autres hommes, plus tard, que j'ai compris combien c'était exceptionnel.

Nous nous résignâmes à nous séparer. Nous rangeâmes rapidement nos affaires et de notre fenêtre nous contemplâmes les arbres, le petit lac et les collines. Partir. Il fallait déjà partir ! Nous nous tenions par la main. Deux fois dix doigts. Notre seule défense contre l'adversité du monde.

« Maintenant nous allons descendre entre les poivriers, la cardamine, les caféiers, les théiers, vers Coimbatore. J'ai commandé un taxi pour que nous puissions nous arrêter à notre gré. Tu te sens bien ?

— Merveilleusement bien. »

Nous entrâmes dans notre véhicule noir. Shiva, en dansant, faisait tourner la roue cosmique. Il avait pris son dû de joie avec nous. Plus tard ce serait Kali, les yeux exorbités, avide de sang, la langue rouge, un collier de têtes de mort autour du cou, qui réclamerait le sien. Création, conservation, destruction. Chaque phase avait ses droits. Mais je n'y pensai pas. J'étais enveloppée dans mon châle et Mike, à mes côtés, scrutait notre nouvel horizon.

CHAPITRE 17

PARIS

Avril-mai 1967

Victor Choukri avait raison. Les affaires de l'immobilier étaient florissantes en ce début de l'année 1967. Le lendemain du fameux dîner, il envoya chez les Jardillier les deux représentants de l'agence qui devait vendre la rue Balzac. Ceux-ci demandèrent à Clarisse un relevé de l'appartement qui devait se trouver dans un dossier lointain. Puis ils parcoururent d'un œil professionnel les cinq pièces qui avaient abrité dix ans les actuels propriétaires. Elle éprouvait un malaise à voir se transformer les lieux qu'ils avaient habités, les fenêtres qui ouvraient sur la place Paul-Guillaumin et l'avenue de Friedland, en marchandise qu'on proposerait, qui serait refusée, ou acceptée par des mains étrangères. « En dehors d'un cambriolage, c'est ce qui peut arriver de pire », pensa-t-elle.

Elle les accompagna pour visiter la cave, vierge de toute bouteille, ce qui les satisfit, et prit sa revanche lorsqu'il fallut monter au septième étage. Clarisse louait une chambre à un militant tamoul des « Tigres du Sri Lanka ». Les représentants de l'agence gravirent avec peine les étages de l'escalier de service et marchèrent à pas précautionneux sur les lattes disjointes du couloir. Quand ils furent arrivés chez le locataire de Clarisse, ils sursautèrent devant les affiches des divinités hindoues écrasant les bouddhistes de Ceylan dans des torrents de lumière et de sang. « N'est-ce pas un homme dangereux ? demanda le monsieur.

— Peut-être. Mais mon mari est d'accord. »

Elle s'était bien gardée de le consulter. Le jeune militant était pour elle une occasion de parler le tamoul, bien qu'elle eût préféré garder la chambre comme bureau. Stéphane s'y était toujours opposé car il craignait les rendez-vous.

« Il partira ?

— Bien sûr. »

Ils avaient repris le dessus.

Quand ils descendirent au salon, ils entamèrent une discussion pour fixer le prix de l'appartement par rapport à une dizaine d'autres dans le quartier. Clarisse fut chargée de transmettre à Stéphane une première estimation. Un lien de plus se rompait. C'était épouvantable. Avant de partir, l'agence déplora que l'appartement ne soit libre qu'en décembre, étant donné ses qualités mais surtout ses défauts. Il y avait des travaux de rénovation à faire dans la cuisine et dans les deux salles de bains. Elle annonça qu'elle rendrait compte à Victor Choukri et rappellerait pour fixer les heures de visite. On était dans une période faste et il fallait en profiter. Ses représentants prirent congé sans aménité.

Le lendemain soir, Stéphane annonça aux enfants, à dîner, que l'appartement allait être vendu et qu'ils vivraient ailleurs à partir de l'année suivante. Ils baissèrent le nez dans leurs assiettes.

« Où ? dit Marie.

— Ce n'est pas encore décidé, répondit son père.

— Et mes copines ?

— Et mes leçons de piano ? »

Stéphane les considéra sans commisération.

« Il y aura bien d'autres changements. »

Ils jetèrent à leur mère un regard inquiet.

« Nous ne sommes pas encore partis. L'essentiel est que vous rangiez à fond vos chambres avant d'aller en classe.

— Même mes partitions ?

— Si un amateur t'en prend une, tu seras bien ennuyé.

— Ils vont venir tous les jours ?

— Oui, les visites sont prévues de dix heures à midi et de deux heures à quatre heures. En temps normal, aucun de nous n'est là. »

Ce qui fut dit fut fait. L'agence accompagna des acheteurs dès la semaine suivante. Chaque jour, il y avait un malaise dans l'air. Non que les visiteurs volent quoi que ce soit. La vitrine de Stéphane au demeurant était soigneusement cadenassée. Mais les regards étrangers dépersonnalisaient les pièces, les meubles, les souvenirs qui y étaient attachés. Le sentiment que d'autres humains allaient s'installer, la tête bruissante de projets, de mots, de pensées inconnues, rendait le déménagement de plus en plus proche. Pour le lendemain, le soir même, dans l'instant, telle la foudre.

Avant de partir, Clarisse faisait sa tournée, appareillait une pantoufle, fermait un livre, passait une éponge sur l'évier de grès que Stéphane avait installé lui-même et que les clients ne trouvaient pas assez moderne. Elle maintenait un ordre rigoureux dans les placards, les tiroirs, les produits d'entretien. Les visiteurs ouvraient tout, vérifiaient tout, s'interrogeaient sur tout. La boîte à outils faisait l'objet de commentaires : « Une vraie boîte de professionnel. Restera-t-elle ? »

La dame de l'agence, accoutumée aux demandes les plus saugrenues, hochait négativement la tête. Mais elle confia en catimini à Clarisse que si Stéphane acceptait de s'en séparer, on aurait une chance de plus de vendre l'appartement.

« Souvent un détail accroche l'acheteur, quelque chose à quoi on n'aurait jamais pensé. »

Les exigences de la visite s'étaient aussi abattues sur le militant tamoul. Sa chambre, dépourvue d'affiches guerrières ou d'images pieuses bleu et jaune, avait perdu tout intérêt. Hormis la vue, que personne ne regardait.

Peu de gens d'ailleurs souhaitaient y monter. L'essentiel était qu'il y eût une « chambre de bonne » avec un lavabo, même si la personne répondant à ces fonctions passées n'existait pas. On préférait de beaucoup visiter les deux caves dont les qualités constituaient « un argument de vente ». Clarisse rapportait, désolée, ces propos à Stéphane qui haussait les épaules et trouvait indigne de ses préoccupations ce vocabulaire de marchands.

Le mois de mai s'écoula au rythme des visites. Dès qu'elles étaient officiellement terminées, à dix-sept heures, Clarisse ou Marie aérait la maison, créait des courants d'air pour chasser les odeurs, les traces des visiteurs et reprendre possession des lieux.

Sur ces entrefaites, l'agence téléphona impromptu à l'heure du dîner. Trois dames libanaises souhaitaient voir l'appartement en fin d'après-midi le lendemain. C'étaient des amies de M. Choukri qui les recommandait chaleureusement. Clarisse accepterait-elle d'ouvrir sa maison plus tard que d'habitude ? Elle fut obligée d'accepter.

La visite des dames libanaises marqua l'apogée de son tourment. Quand elle ouvrit la porte à cinq heures du soir, elle les vit toutes les trois, fort jolies, les cheveux longs et bruns, les yeux profonds, vêtues chacune d'un manteau de vison noir brillant comme de l'anthracite. Derrière elles, aux aguets, se tenait la représentante de l'agence. Elles saluèrent Clarisse et jetèrent plaisamment leurs manteaux sur la banquette de l'entrée. Puis elles commencèrent à visiter. Elles parcoururent trois fois l'appartement en faisant des commentaires tantôt en arabe, tantôt en français. Elles revinrent sur leurs pas une quatrième fois et se mirent à pousser les murs, à déplacer la cuisine, à abattre des cloisons, à modifier les fenêtres, à ouvrir une baie vitrée et une petite terrasse sur la place Paul-Guillaumin.

« C'est ravissant », dit l'une. « Ce que j'ai toujours voulu », dit l'autre. « Tout à fait Paris », dit la troisième sans se rendre compte que les changements envisagés détruiraient le style Napoléon III de l'immeuble et lui ôteraient son cachet.

Après cette explosion, elles parurent très fatiguées. Clarisse leur proposa de s'asseoir dans le salon et courut leur faire du thé. La plus âgée des trois lui dit qu'elle allait téléphoner à son mari à Londres pour lui annoncer qu'elle avait trouvé l'appartement de ses rêves et le prier de revenir le visiter avec elle. La dame de l'agence paraissait particulièrement attentive, tel un chat qui s'approche d'une soucoupe de lait. La théière vidée, les trois dames libanaises se levèrent, prirent d'un même geste leurs manteaux similaires et disparurent dans les effluves du parfum capiteux qu'elles portaient toutes les trois. Celui-ci continua de flotter dans l'entrée tandis que Clarisse, assise sur la banquette, pensa que le pire était arrivé, que l'appartement allait être vendu. Non seulement elle était séparée de l'homme qu'elle aimait, mais elle était dépossédée de la rue Balzac où elle avait trouvé refuge et secours depuis son mariage.

Tandis qu'elle ruminait, les yeux baissés, sur son chagrin, elle eut la vision d'un moine bouddhiste qui marchait sur une route pierreuse avec sa sébile. Sa robe jaune safran se détachait sur le paysage désolé. Ni maigre ni gros, il avançait d'un bon pas. Il lui sembla que le moine, bien qu'elle ne le vît que de dos, lui faisait signe de ne pas l'oublier, comme s'ils s'étaient rencontrés dans des vies antérieures et avaient discuté longuement. Il eut même à l'endroit de Clarisse un bon rire pour lui rappeler que tout ce qu'il lui avait appris autrefois était toujours actuel et qu'il fallait qu'elle reprenne comme lui une route si bonne à parcourir. Un éclat de soleil se posa un instant sur son bol de cuivre et lui donna un reflet surprenant. Puis le moine disparut à l'horizon et François rentra de l'école.

Quelques jours plus tard, l'agence téléphona tristement. Le mari de la dame libanaise la plus enthousiaste avait refusé de venir visiter l'appartement parce qu'il n'avait pas de parking. Cette déclaration fut faite à Clarisse sur un ton de reproche. Comment pouvait-on posséder une habitation dans le huitième arrondissement sans parking ? Clarisse était exaspérée. Elle se domina toutefois et accepta la reprise des visites aux heures habituelles.

Quand Stéphane rentra, elle le trouva plus pâle que d'habitude. À son étonnement, il lui demanda si elle n'avait pas un verre de vin.

« Non. Tu sais bien que la cave est vide et que nous n'achetons de vin que pour les invités.

— Demain, alors ?

— Si tu veux.

« Stéphane, les dames libanaises ont renoncé à leur idée. Veux-tu vraiment vendre cet appartement ? »

Il avait croisé les mains, geste qui lui était habituel quand il commençait un exposé, mais resta muet.

« Alors ?

— À quoi sert de garder un endroit où nous n'habiterons plus ?

— Mais enfin, il t'a été légué par ton oncle. Nous y avons vécu dix ans, cet emplacement est formidable, nous y sommes attachés.

— N'insiste pas. Je le fais pour vous, comprends-moi. Dans notre situation, il faut réfléchir aux suites. Tu n'as pas un sou. »

Dans un éclair, Clarisse songea aux pierres précieuses que Mike lui avait données. Pourquoi ne pas les utiliser pour éviter la vente de la rue Balzac? Mais c'était faire sortir la vérité du puits. Comment Clarisse, gouvernante dans une famille de Pondichéry, eût-elle pu rassembler un tel ensemble de gemmes? Pourquoi eût-elle caché à Stéphane pendant dix ans qu'elle possédait cette fortune, alors qu'il s'échinait à lui trouver des bijoux qui valaient bien moins cher?

« À ma mort, poursuivit Stéphane, il vous faut un vrai capital. Cet appartement en sera la partie la plus importante. Je souhaite que Victor le gère. Tu as toujours été enfermée dans ta folie des langues, tu ne connais rien à l'argent. »

Pas plus que pour les bijoux, il ne pouvait savoir tout ce qu'elle avait appris avec le comptable de Mike à Pondichéry. Elle se tut. Stéphane l'observait, les yeux mi-clos.

« Néanmoins si tu veux disposer d'une petite somme et la faire fructifier, je suis d'accord. Tu en es peut-être capable après tout. N'oublie tout de même pas que c'est l'argent des enfants. » Il redevenait insupportable. Ce n'était pas de sa faute.

« Je ferai ce que tu souhaiteras. Pourquoi es-tu si agressif?

— Parce que je vais mourir et que je veux vivre, cria-t-il. Va me chercher du vin, de ces vins qui ne sont pas trop loin de Moulins et qu'on buvait les jours de fête dans mon enfance.

— C'est très dangereux pour toi. Ne fais pas ça, je t'en supplie.

— Ça m'est égal. Pour une fois, ça n'a pas d'importance et ça ne changera rien. »

Quels vins exactement? Comment les trouver dans ce quartier résidentiel où il n'y avait pas de magasins sauf une fruiterie très chère?

— Papa réclame du vin », dit-elle à Marie qui rentrait à son tour et avait sans doute entendu à travers la porte les cris de son père.

La petite fille ouvrit ses yeux bombés où le blanc de la cornée mettait en valeur le marron des pupilles et abattit plusieurs fois le rideau de ses cils.

« Bien sûr, mon petit papa, nous allons essayer, fit-elle en se jetant au cou de son père. Dis-moi quelques noms pour nous aider.

— Saint-pourçain, côte-de-roanne, soupira Stéphane.

— Viens, Maman. On va aller chez un caviste. Il y en a un qui vient de s'installer derrière la salle Pleyel. Sinon, j'appellerai une copine dont les parents sont épiciers. Ils sauront nous conseiller. » Jamais Clarisse n'eût connu ces détails sans Marie qui les apprenait avec passion.

Elles se pressaient dans les rues encombrées. Des lueurs rouges couronnaient l'Arc de Triomphe. La roue de Shiva tournait même en Occident, création, conservation, destruction. Et le moine bouddhiste trottinait, invisible, dans la foule. Clarisse était trop bouleversée pour éprouver son plaisir coutumier à faire des courses avec sa fille. Les joues roses, les boucles châtains, les prunelles de Marie paraissaient dans les reflets des vitrines. « Allons-nous trouver la boisson demandée ? » dit Clarisse. Les cocktails que lui versait Mike lui revinrent en mémoire. C'était l'heure !

« Je crois que je suis enrhumée », dit-elle à Marie en sortant son mouchoir. Celle-ci n'avait rien remarqué.

« Pauvre Maman, grogna-t-elle gentiment. Tu ne prends pas assez soin de toi. Voilà le nouveau caviste, cria Marie. Je ne me suis pas trompée.

— C'est très rare qu'on demande des côtes roannaises, dit le commerçant, c'est un petit vignoble que seuls connaissent les amateurs. »

Clarisse paya les deux bouteilles. Marie s'empara du paquet.

« Rentrons vite. Papa sera content. »

Elle courait presque, maintenant, sans s'occuper de sa mère.

Clarisse monta lentement l'escalier de la rue Balzac. Chaque marche lui parut une muraille. La Voie était trop raide pour elle. Jamais elle ne parviendrait à la suivre.

CHAPITRE 18

LE CAHIER INDIEN

Madurai, septembre 1951

Repartir. Quel mot terrible pour des amants ! Pourtant cette idée ne m'effleura pas. Mike marchait à mes côtés. J'étais certaine qu'il était bien plus avancé que moi dans la recherche de la vérité. Cette idée entrait dans mon bonheur.

Ces mots paraîtront peu sensuels dans la bouche d'une maîtresse comblée. Eux seuls, pourtant, traduisent la résolution, la confiance, la volonté spirituelle que cet homme en me prenant, après m'avoir fait tant attendre – et avoir lui-même tant attendu –, m'avait transmises au *Fernhill Hotel*.

Nous avions remis nos vêtements indiens. Un instant, je me tournai vers l'objet de mon amour. Il me parut animé d'une lumière intérieure très discrète. Je n'avais pas envie de le toucher, je ne souhaitais pas le posséder, je m'en remettais à lui comme on se confie à Dieu. Certes il y avait aussi un désir égoïste : jouir, être heureuse. Et ma jeunesse risquait à tout moment d'exploser sans contrôle. Mais mon besoin d'expansion était dominé par la maîtrise que Mike avait de son corps et de son âme. Sans bien en comprendre la portée – après tout, c'étaient nos premiers pas ensemble –, je m'inclinai devant lui comme une élève devant un maître.

Nous descendîmes vers Coimbatore par des lacets dans la forêt qui s'amenuisait. Vers mille mètres nous entrâmes dans les plantations. Il y avait autour de nous de gracieuses courbes vertes.

« C'est du thé, bien sûr. Il est d'origine chinoise. Il a été introduit par ruse, ici, en 1860. Nous sommes pourtant dans l'univers du café et nous allons en acheter tout à l'heure. C'est un des meilleurs arabica du monde. Et puis, voilà une surprise ! »

Une pente apparut, couverte d'arbustes élancés, d'un vert pâle, rangés comme les danseuses d'un ballet champêtre. Je battis des mains.

« Qu'est-ce que c'est ?

— Des poivriers. Qui dirait qu'un arbre si gracieux engendrerait la guerre des épices ? »

Il demanda au chauffeur de s'arrêter.

Nous marchâmes entre les rangées de poivriers qui épousaient la forme de la colline. Nous étions encore en altitude. Il faisait frais, clair, nous étions insouciants comme rarement par la suite.

« Ce soir, nous coucherons à Madurai. Tu es restée avec mes parents tout l'été. Je veux te montrer le plus de choses possible, mais alors il faut que nous repartions, mon amour. »

Nous remontâmes en voiture.

Avant notre rencontre à Ooty, le temps était pour moi une étendue que je découpais à mon gré. Il allait devenir une forteresse à contourner sans cesse. Dans mes idées de collégienne sur l'adultère, j'imaginais que le châtiment des amours interdites était la dissimulation. C'est faux. Quand on est habile – et nous l'étions tous les deux –, on peut jouer au chat et à la souris avec les situations. Tout se cache, au moins sur le moment.

Nous ne pouvons en revanche manipuler le temps des rencontres, le temps des obligations, le temps des absences. Aimer, c'est souffrir du temps. C'est pourquoi Dieu, qui y échappe, est le seul ami des amants et la prière, qui nous met en sa présence, l'accompagnement nécessaire de leurs sentiments.

La jeunesse, l'émerveillement, la gaieté l'emportèrent, heureusement pour moi, sur ces considérations.

« Quand achetons-nous notre café ?

— Maintenant. »

Nous entrâmes dans une plantation couverte de feuillages vernissés. Nous nous assîmes sur un banc devant une de ces bicoques précédées d'un auvent qui me devenaient familières. Mike fut accueilli en ami. Où n'avait-il pas été ? L'idée qu'il ait pu emmener une autre femme dans cet endroit ne m'effleura pas. Mon instinct me disait que j'étais la première.

Pour l'heure, nous étions tout entiers l'un à l'autre devant une tasse de café semblable à du velours. On nous montra les grains séchés qu'on allait torréfier et l'opération commença. La mousson n'avait pas troublé le ciel, qui même sous les tropiques est transparent à ces hauteurs.

« Nous n'irons pas jusqu'à Madurai, ce soir.

— Pourquoi ? C'est trop loin ?

— C'est trop loin pour l'étendue de mon amour. »

Une vague de timidité m'envahit. Je m'emparai de ma tasse pour la dissimuler.

« Pourquoi es-tu si pudique, Clarisse, ne vois-tu pas que je lis en toi et que tu me fais tressaillir de joie ?

— Je suis habituée à taire mes sentiments. Il me semble que, pour l'essentiel, le silence est préférable à la parole.

— Pourtant tu parles plusieurs langues ?

— Les langues étrangères me protègent. Elles créent un écart entre moi et les autres. Si je fais une confidence en anglais ou en russe, je peux soutenir que je me suis mal exprimée, que je n'ai pas dit ce que mon interlocuteur m'attribue.

— Nous pourrions peut-être discuter en tamoul.

— Je ne suis pas assez bonne pour ça.

— Ce n'est pas ce qu'affirme mon père. Cessons de plaisanter. Nous allons nous arrêter à Dindigul. Ce sera sommaire, mais...

— Mais ?

— Je pourrai m'unir à toi, encore et toujours. »

Les ouvriers de la plantation firent le geste traditionnel de la bénédiction pour nous dire adieu. Nous étions leur première visite et nous leur avions acheté plusieurs paquets de café. Leur journée serait bonne. C'était de la superstition sans doute, mais leur plaisir ajoutait à notre fête.

Le parfum du café nous accompagna tout le long du voyage. La route traversait des paysages que je connaissais mieux, des cocoteraies, des bananeraies éclatantes.

À Namakkal, nous fîmes halte pour déjeuner et pour visiter la grotte de Narasimha.

Jusqu'à ce voyage, j'avais surtout rencontré l'hindouisme sur des textes. Je n'ignorais pas que Vishnu, dans un de ses avatars, s'était transformé en lion. Et ce n'était pas une des moindres difficultés de la pensée indienne que le passage constant des divinités aux formes humaines et animales, bienfaisantes ou furieuses, pour des raisons claires et obscures. Mais quand je vis l'Homme-Lion, debout, les yeux globuleux, la bouche pleine de crocs, vêtu d'un attirail guerrier, brandissant des armes au fond de la grotte ombreuse, je fus saisie d'une répulsion, j'eus le sentiment que je n'avais jamais encore pénétré l'esprit de l'Inde. Je m'accrochai à mon compagnon.

« Dans quoi m'as-tu entraînée ? Aide-moi ! »

Il faisait moins chaud dans la grotte qu'à l'extérieur mais on y respirait mal. La violence qui se dégageait de la sculpture était d'autant plus oppressante.

« Comment Vishnu, le Conservateur, qui dort en paix allongé sur le serpent de l'éternité, peut-il devenir cet horrible animal rempli de fureur et de mort ?

J'ai bien appris dans la bibliothèque de ton père que Vishnu pouvait prendre différentes formes, les fameux avatars, un poisson, une tortue, un sanglier, pour préserver l'équilibre du monde. Mais de là à cette apparition !

— Vishnu revêt une apparence redoutable quand il faut détruire le mal. Qu'avons-nous fait d'autre, après tout, en Occident en lançant des bombes atomiques sur le Japon ? L'Inde a su bien avant nous que c'était nécessaire et inéluctable.

— Je déteste la violence.

— Moi aussi. Mais elle fait partie du cycle de la vie ; c'est la seule conception acceptable. L'Inde a le grand mérite de nous le rappeler. Nos parades militaires, nos armées sont des aspects de Narasimha. Nous les habillons d'arguments raisonnables, de beaux sentiments comme la défense de la patrie. L'Inde est plus sincère que nous. C'est la seule culture qui intègre la destruction.

— Je ne veux qu'aimer. »

Il soupira, se reprit.

« Repartons. Nous trouverons à Dindigul l'hospitalité d'un ashram au bord de la rivière. Ils ont pour les passants un ermitage qui donne au bord de l'eau. J'ai tant de choses à te dire. Tu es cela aussi, Clarisse, quelqu'un à qui je peux communiquer mes pensées les plus secrètes. J'y avais renoncé depuis longtemps. »

Le maître de l'ashram se divertit de notre demande. Un disciple nous conduisit hors du couvent où nous n'avions pas le droit de rester, dans une maison, proche de la rivière où se trouvaient un lit de cordes, une couverture de cheval, un seau, un broc.

Mike éclata de rire.

« C'est encore pire que ce que j'attendais. »

Le disciple s'amusait de bon cœur. Moi aussi. Il nous guetta un instant et tourna les talons.

« Je n'ai plus la force d'attendre. »

Mike était derrière moi. Il posa les mains sur mes hanches, se rapprocha.

Mon dos était contre sa poitrine. Son contact me fit trembler.

« Appuie-toi contre le mur par-dessus le charpoy. »

Il délaça mon pyjama qui tomba à mes pieds, puis me prit en me tenant les poignets. Je lui répondis sans comprendre, envahie d'un plaisir que je n'avais jamais imaginé.

« Agenouille-toi sur le lit. »

Ses mains parcoururent mon dos, ma taille, mes reins pour prendre bien conscience de ce qui désormais lui appartenait. Puis il s'agenouilla contre moi, la tête posée sur mon épaule et me remplit à nouveau.

Nous demeurâmes longtemps unis. Je me disais : « Il m'enseignera tout », en suivant le rythme auquel il obéissait lui aussi. Tout. Nous terminâmes allongés sur le treillage, le visage tourné vers la rivière gonflée par la mousson, abandonnés à l'univers.

Son corps, dont toutes les articulations avaient été travaillées – où ? comment ? par l'entraînement militaire ? par le yoga ? par l'apprentissage de la sagesse ? –, se défit du mien. Il prit le seau, le rapporta rempli.

« L'eau n'est pas sale. Seulement troublée par les pluies. »

Je me rinçai, mais de dos. Il me tendit une serviette. Quand je fus sèche, il me passa une tunique propre.

« Tu en avais acheté d'autres ?

— Oui. Elles t'allaient si bien. Allons jusqu'au village. Nous trouverons bien quelque chose à manger. »

Quand nous rentrâmes dans notre ermitage, l'arôme du café s'exhalait dès l'entrée. Nous étions fatigués.

Mike plia la couverture en quatre pour en faire un matelas et mit un drap par-dessus.

« Elle est propre à sa façon. On lave tout en Inde sous peine d'impureté. Nous n'avons pas de moustiquaire. J'ai apporté un produit. Nous repartirons très tôt, les clochettes du temple se chargeront bien de nous réveiller. Allonge-toi. Laisse-moi t'aider à t'endormir. »

Il s'assit derrière moi et prit ma tête entre ses mains, assouplit ma nuque, pressa mes tempes. Puis il s'agenouilla contre notre lit de fortune et me massa les pieds.

« Auprès de toi je me retrouve, tel que j'étais avant que Pondichéry ne m'ait corrompu. J'ai envie de soigner, j'ai envie d'apprendre. Je suis calme et heureux. Et je n'ai plus soif de m'enrichir. L'argent compte si peu pour toi, Clarisse. J'imagine que ma mère était comme toi quand elle était jeune. Sans ton ardeur. »

Je m'engourdis, je laissai s'abîmer dans le rêve le sens de ces paroles. Je dormis d'une traite jusqu'aux tintements destinés à réveiller les dieux d'à côté.

Le soleil se levait sur la rivière. Les champs étaient encore gris. Il y avait dans l'air une immense aspiration. L'Inde était grande et voulait vivre.

Mike était joyeux.

« Le chauffeur nous attend au village. Il dort dans sa machine. Nous sommes une formidable aubaine pour lui. »

En avançant vers Madurai nous retrouvâmes notre fleuve. Divisé en plusieurs bras, il s'était assagi. Ses rives formaient à présent de vastes plages, des flaques géantes, où se baignaient des Indiens presque à l'infini. D'autres descendaient en file vers l'eau purificatrice. Des saris, mis à sécher, coloraient le sable. Une végétation abondante, quelques palmiers bordaient cette scène d'ablutions qui suscitait en moi un sentiment de nostalgie comme si j'y avais participé dans une vie antérieure. J'étais loin de mon malaise dans la grotte de Narasimha.

*

À Madurai, la rue était déjà pleine d'une foule de cyclistes et de piétons quand nous approchâmes du temple de Minakshi-Sundareshvara. Je ne m'attendais pas à la taille de ces tours, de ces pyramides à étages qui délimitaient une véritable cité religieuse, dans la ville banale où nous venions de déposer nos affaires.

Nous ôtâmes nos chaussures.

« Mets tes chaussettes, le sol risque d'être brûlant tout à l'heure », dit Mike en me tendant ma paire.

Nous entrâmes dans un hall qui était réservé au négoce. On y vendait des guirlandes de fleurs, des biscuits, des fruits, de la noix de coco, du camphre, destinés aux sacrifices. À quoi s'ajoutaient des bijoux d'une variété incroyable, des foulards, des plumes de paon en bouquets.

« Nous sommes dans l'ancienne salle d'audience des souverains Nayak. On trouve presque tout ici, pour aller à la rencontre des dieux et passer un moment en leur compagnie. On les adore, on les prie, on profite de leur "darshan", de la bénédiction que donne la vue même de leurs statues. »

Nous traversâmes une cour où se trouvaient des paysans, des mendiants, des vaches.

« Nous allons monter dans le gopuram le plus haut. Tu verras l'ensemble de la cité sainte et même la rivière Vaiga et la campagne alentour. »

J'entendis alors le grondement d'un galop. C'était un éléphant qui portait sur le front les trois raies blanches de Shiva et tournait dans le sens des aiguilles d'une montre autour de la deuxième enceinte, dans un bruit de grelots. J'en avais entendu parler, mais je ne l'avais jamais vu.

« L'éléphant fait une prière, ou, plutôt, il est une prière, dit Mike, qui s'amusait de bon cœur de mon exaltation. Il se déplace de gauche à droite comme n'importe quel pèlerin en Asie, qu'il soit hindouiste ou bouddhiste. Je sais où il se repose et où il prend son fourrage. Nous le retrouverons plus tard. Tu pourras même lui demander sa bénédiction pour quelques paisas. Montons maintenant. »

Les escaliers du gopuram étaient vraiment très raides. Quand nous parvînmes en haut, j'eus un mouvement de recul. Il fit semblant de ne pas s'en apercevoir et me colla contre le mur d'une étroite galerie qui s'ouvrait sur le vide.

« Voilà en face de toi le bassin du Grand Lotus d'or, avec ses gradins. Les dévots se purifient mais aussi, selon la légende...

— On y jetait les manuscrits des poètes pour juger de leur valeur, repris-je. Seuls ceux qui flottaient à la surface étaient retenus. Il y avait trop de poètes à Madurai. J'ai lu ça chez ton père.

— Plus loin, tu as le sanctuaire de Sundareshvara, et celui de Minakshi, "la belle qui a les yeux en forme de poisson". Grâce à la forme de ses yeux elle voit tout, elle sait tout, menaçait ma nourrice quand je n'étais pas sage.

« Ces lieux sont sacrés depuis un temps infini. Un linguam miraculeux est apparu autrefois au milieu d'une forêt devant un sage en méditation. Il conseilla au souverain de la contrée de construire immédiatement un temple à Shiva sur cet emplacement. Le zèle du prince plut tant au dieu que, lors de son achèvement, en bénissant la foule, il fit tomber quelques gouttes du nectar de sa chevelure sur le linguam. On décida aussitôt de nommer la cité "Madurapuri", "la ville de la douceur du nectar". »

Je connaissais ces histoires mais cela me faisait plaisir qu'il me les conte, lui que j'avais connu si taciturne, si renfermé. Je m'accrochai à lui au-dessus des enceintes.

« C'est toi qui es mon nectar », avouai-je. Puis, apercevant une tache brune qui se mouvait à toute vitesse sur le sable, je criai : « L'éléphant, regarde, l'éléphant, comme il galope pour honorer les dieux ! »

Il m'étreignit.

« J'oublie toujours que tu es encore une enfant malgré toutes tes connaissances. »

Puis il passa devant moi et me porta quasiment jusqu'en bas.

« Tu vas voir encore plus grand et plus étrange. »

Nous nous glissâmes le long du bassin du Lotus d'or par une galerie ouverte dont le plafond était peint de cercles roses et bleus.

« Nous ne pouvons pas entrer chez Minakshi, dit Mike. Nous ne pouvons pas non plus accéder au mandapa d'Oonjal qui abrite la balançoire où chaque vendredi on fait osciller les deux époux pour assurer le cours régulier du soleil.

— Ton père m'a parlé de cette croyance. Je n'arrive pas encore à déchiffrer les hymnes védiques qui accompagnent cette cérémonie. Il paraît qu'on ignore son origine. »

Il s'arrêta, posa les mains sur mes épaules. « Comme tu as avancé dans la connaissance du pays tamoul, Clarisse. Comment as-tu fait ? Pourquoi, surtout, pourquoi ?

— Je l'ignore. L'Inde m'a enveloppée peu à peu. Tes parents n'ont cessé de me soutenir. C'était pour te fuir dans l'étude. C'était aussi pour te plaire. J'espérais sans espoir.

— Et moi qui pensais que j'étais trop vieux pour toi. Un baroudeur doublé d'un trafiquant. Pour une jeune fille qui ne croyait qu'au savoir et qui était si réservée. »

Il continua : « Ce temple m'a prodigieusement attiré quand j'étais jeune. C'est pourquoi je voulais que nous y allions ensemble. À seize ans, j'ose à peine te l'avouer, je voulais devenir un saint. Pas un saint catholique, un saint en général. J'étais fou de Dieu ou du Brahman, peu importe. Je cherchais ici les racines de l'humanité. Comme si elles étaient les miennes. Comme si j'allais comprendre un mystère suprême, enfoui sous ce sol, ces constructions gigantesques. Je me suis dévoyé plus tard. J'ai été saisi par l'appât du gain, les voyages et une famille où je ne suis jamais.

— Tu te peins plus noir que tu n'es. Tes filles t'adorent et Monica m'a raconté votre rencontre, vos retrouvailles, votre vie ensemble.

— J'ai trahi ma vocation première, j'ai infléchi l'ordre du Dharma pendant ces années frénétiques à Pondichéry. Maintenant tu cs là, présente, attentive, magnifique, ouverte de toutes les manières. Tu me ramènes à l'essentiel et tu m'enchantes. Je t'aime. »

Il me dévisagea : « Toi aussi, tu cherches l'Absolu. Mais tu es comme du cristal. Je risque de te troubler.

— Tu parles de nos caresses ?

— J'essaie de les rendre aussi pures que possible. Il y a toujours un danger dans le sexe. C'est qu'il brouille l'image de la communion suprême au lieu d'y conduire. »

Nous étions presque seuls.

C'était l'heure où le temple commençait à se vider. Je le suivais à quelques pas, comme le veut la tradition. Même ainsi, nous tranchions, car nous étions sans enfants, sans famille, un couple occidental. Qui plus est, adultère.

Dans un recoin, se trouvait une statue de Shiva, toute noire, luisante, maculée de taches jaunes, vêtue d'une jupe rouge, tenant son trident dans l'une de ses mains gauches et faisant le geste de la protection, de l'abhayamudra, d'une de ses mains droites. Ses autres bras se perdaient dans la crasse et les ténèbres.

« Pourquoi le pauvre Shiva est-il déguisé comme ça ? Comment peux-tu chercher un appui en Inde ? Cette statue me dégoûte et me décourage.

— On le crible de boulettes de beurre pour obtenir ses faveurs.

— C'est répugnant.

— Il existe dans ce temple des pratiques magiques très anciennes, étrangères aux règles rituelles rassemblées dans les agamas. Le plus troublant c'est que les deux coexistent.

— N'empêche. Moi je suis une fille de la Bible et je déteste les idoles. »

Il me considéra avec un peu d'ironie.

« Et les statues des églises, les vierges noires, les ostensoirs ? On ne les crible pas de beurre mais on leur offre des cierges, on les promène, eux aussi ? Et ton icône que tu révères ? Moi je ne pense pas comme toi, Clarisse. Ces idoles sont déconcertantes mais elles sont utiles, même si elles sont laides et parfois pitoyables. Le monothéisme, la croyance en un seul Dieu, a appauvri les capacités de la piété, de l'enthousiasme spirituel, de la ferveur. En Occident, tout est devenu sec, conceptuel, codifié. Les croyants doivent pouvoir implorer des images, déposer des offrandes, s'élever vers des êtres bienfaisants. On ne prie quasiment plus dans les églises occidentales, sauf dans les monastères. »

Nous marchions, de gauche à droite, comme l'éléphant tout à l'heure, autour du sanctuaire de Sundeshvara dans le hall hypostyle qui servait aux processions.

Mike s'arrêta dans la salle suivante près du taureau Nandi :

« C'était mon animal préféré quand j'étais enfant, ce taureau, monture fidèle de Shiva et de Parvati. Je trouvais qu'il manquait dans l'Église catholique malgré le bœuf de la crèche. Il est toujours présent, attentif, docile, joliment sculpté, l'œil en amande, les naseaux dilatés, des colliers autour du cou. Je déposais une fleur à ses pieds dans chacun des temples où m'emmenaient mes parents. »

Je l'écoutais, heureuse de sa confiance, de son enthousiasme, de sa foi.

Nous contournâmes la statue. Cette fois l'énorme édifice était à nous.

« C'est bien la tolérance indienne. Nous avons le droit de rester. Pas eux. Mais c'est aussi parce que, spirituellement, nous ne comptons pas. »

À gauche nous débouchâmes sur le mandapa d'Ayirakkal. Je m'exclamai. Devant nous s'étendaient en perspective des rangées de colonnes qui se perdaient au loin.

« Cette salle aux mille piliers a été érigée par les Nayaks en 1560 pour manifester leur puissance en face de l'Islam menaçant. » Il s'arrêta.

« Je n'ai pas le temps de t'emmener cette fois à Vijayanagar, mon amour, la ville de l'hindouisme ravagée par les musulmans à la bataille de Talicota en 1565. Les colonnes qui nous entourent sont l'orgueilleuse réponse des Nayaks à cette défaite. Ils gagnèrent. L'Islam ne s'est jamais vraiment emparé du Sud. Les Nayaks n'ont cédé qu'aux Anglais. »

Mike se tourna vers moi, radieux.

« Je voudrais tout te montrer. Je voudrais te posséder de toutes les manières possibles. Je deviens fou. Allons nous calmer près de l'éléphant. »

L'animal broyait son fourrage dans une petite cour, entre deux piliers en balançant les oreilles. Nous nous assîmes par terre, à l'ombre, près de lui, après avoir distribué quelques paisas à son cornac. Telle était la meilleure façon de recevoir sa bénédiction. Le soleil découpait un carré éclatant sur le sable. La roue d'un char sacré traînait par terre. Mike sortit les sucreries qu'il avait achetées à l'entrée. Nous les grignotâmes, dans la joie de l'heure et des liens qui s'étaient tissés entre nous.

« Plus tard, nous retournerons à l'hôtel Pandyan. Nous pourrons dîner, nous reposer. Demain, nous remettrons nos vêtements occidentaux et nous prendrons le bus pour Pondichéry. »

Une tristesse assombrit ses yeux clairs.

« Nous commençons une nouvelle vie, Clarisse, pleine de dangers et d'obstacles. Tu es bien sûre que tu veux continuer ?

— Et toi, le souhaites-tu ?

— Je le veux.

— Moi aussi.

— Regarde l'éléphant, dit Mike, aussi soucieux que moi. Il nous donne l'exemple, il mâche en paix. On dirait qu'il est habité par sa fonction sacrée. Nous en avons une, nous aussi. Tout ce que nous faisons se répercute jusqu'aux confins de l'univers. C'est vrai de l'amour quand il est sanctifié. Le nôtre l'est-il, malgré nos cachotteries, notre dissimulation ? J'ai beaucoup hésité à t'entraîner avec moi. Je crois que notre passion est si profonde, si désintéressée, que nous sommes englobés dans le Tout, nous aussi. »

À quatre heures, les portes du temple se rouvrirent. Nous nous étions rapprochés de l'entrée et nous attendions, seuls, dans l'ombre. Le flot des Indiens arriva, pieds nus, pleins de ferveur.

Nous ne retournâmes pas ce soir-là dans la cité sacrée pour assister au coucher rituel des dieux. Nous quittâmes à peine l'hôtel Pandyan tant la proximité de notre retour à Pondichéry s'imposait à nous malgré nos efforts pour ne pas y penser. Heureusement les capacités de méditation de Mike, son habileté, sa force intérieure, me remirent dans la voie mystique et érotique qu'il m'avait ouverte. Quand nous eûmes fini, il laissa longtemps son front sur ma poitrine en un geste de dévotion qui m'émut jusqu'au fond des os. J'étais loin de tout avec lui et avec les forces surhumaines qui nous avaient jetés l'un vers l'autre.

L'accident de notre bus se produisit le lendemain matin, quelques kilomètres après Madurai. Comme d'habitude en Inde, nous étions partis très tôt. Malgré nos vêtements occidentaux, ou à cause d'eux, je ne sais, Mike s'était arrangé pour nous placer ensemble, le moins mal possible, à l'avant du véhicule. Celui-ci, lourdement chargé, roulait sur une de ces routes caractéristiques du Sud où un ruban de goudron est encadré par de vastes bandes de sable sur lesquelles circulent les tongas, les piétons, les charges de toutes sortes. Il y avait, devant nous, sur le bord de la route, un troupeau d'oies qui se dandinaient sous la surveillance d'une petite fille. Un camion surgit en face. Il en doublait un autre à une allure folle. Pour l'éviter, pour ne pas blesser l'enfant et les oies, notre chauffeur lança le bus entre deux arbres. La terre nous arrêta après des soubresauts. Une foule sortit en un instant de ces champs qui paraissaient déserts. Elle remit le véhicule dans la bonne direction. Mike s'était assuré que la petite fille n'avait rien. On le laissa faire. C'était une intouchable qu'aucun hindou n'aurait soigné sous peine d'impureté. Un peu plus loin il y avait un carrefour et une statuette de Ganesh abritée par un auvent. Le chauffeur et son assistant vinrent s'incliner devant la divinité pour la remercier de les avoir protégés. Les autres voyageurs allèrent à leur tour saluer l'éléphant sous sa toiture. Nous prîmes la file.

« Te voilà devant une idole, me chuchota Mike malicieusement.

— Aimer Dieu en esprit et en vérité ou rendre grâce à Ganesh, où est la différence ? C'est la Bhakti », rétorquai-je sur le même ton.

Nous remontâmes dans l'autobus. C'était un long trajet. J'étais heureuse de le faire avec des Indiens. Notre amour était lié au peuple du Sud attaché de façon immémoriale aux dieux de son passé.

« Nous rentrerons à la maison et nous irons dîner chez mes parents.

— Tu sais combien je les respecte. J'espère que nous ne les scandaliserons pas.

— Je ne crois pas. Ils vivent dans un monde où le mal n'existe pas, où chacun fait partie du tout. Ils respectent Monica. Et ils t'ont aimée dès le premier jour. »

Déjà apparaissait la route de Pondichéry. Le bus obliqua. Nous regardâmes sans parvenir à parler les tamariniers qui ombrageaient notre trajet.

« Mets ton châle, dit Mike. C'est préférable. »

Cette précaution m'attrista. Il me prit la main sous mon sac et la serra. Solidement tenue, mais quasi déguisée, je fis mon entrée dans Pondichéry. Une nouvelle vie commençait, en effet.

CHAPITRE 19

CHANDOLIN

Suisse, août 1957

Il s'en était fallu de peu que Clarisse n'épouse pas Stéphane. Les vacances qu'elle avait passées en Suisse au lendemain de leur rencontre de Moulins en 1957 auraient dû lui donner un encouragement à rester seule et à prendre du recul.

Le village de Chandolin, où elle était arrivée quelques jours après avoir vu le haut fonctionnaire pour la première fois à la Légion d'honneur de sa mère, se divisait en deux. Une partie ancienne composée de chalets d'alpages. Une partie moderne, où se situaient les hôtels, les tennis, quelques magasins. Le monsieur de l'agence indiquée par la cousine de la religieuse l'attendait à la descente du bus et l'emmena à sa maisonnette, ce qu'on appelait dans le pays un mayen. La pente était rude, l'emplacement formidable. Ils signèrent les derniers arrangements dans la pièce centrale qui ouvrait sur un paysage grandiose où le soleil faisait mal aux yeux. C'était un peu plus coûteux que prévu, mais il y avait tout. Même des bûches pour le feu du soir.

« Vous attendez des visites ? demanda le représentant de l'agence en désignant les deux chambres à coucher dont Clarisse disposait pour un mois.

— Un peu plus tard, sans doute. »

Mme Joly avait promis de venir la voir.

« Pour les courses, le supermarché livre moyennant un supplément.

— Je n'ai pas besoin de grand-chose.

— Il faut manger », dit-il plein de sous-entendus. Puis, se reprenant :

« Vous êtes parente de sœur Larissa ? Nous l'appelons sœur, c'est plus commode. Beaucoup de gens viennent prier dans sa chapelle qu'elle ouvre certains jours. Il paraît que c'était la condition de l'évêque pour qu'elle ait le bon Dieu à domicile, si vous me permettez. C'est excellent pour le village. Les visiteurs vont ensuite manger et boire sec à la pension Altmüller et faire quelques emplettes. C'est ainsi que nous sommes ici, pieux mais bons vivants. »

Clarisse esquissa un sourire. Encouragé, il poursuivit : « Vous pouvez déjeuner ou dîner à la pension. C'est l'ancienne maison des guides. Elle craque de partout. Mais c'est bon marché et excellent. Surtout leur fondue et leur fendant. Allez-y de ma part. Ils vous feront le meilleur accueil. Rappelez-vous le dicton des montagnards. Au-dessus de trois mille mètres il n'y a plus de péché. Bonnes vacances. Si vous avez besoin de moi... »

Clarisse déballa ses affaires. L'air était léger, la lumière pleine d'éclats blancs. Elle s'assit à sa table, devant la fenêtre. Elle avait rendez-vous avec « sœur » Larissa à cinq heures. La cousine de la religieuse lui avait ménagé un entretien, faveur tout à fait exceptionnelle. Mais ce n'était pas pour la voir que Clarisse était venue. C'était pour exorciser le souvenir des premières vacances qu'elle avait passées à Pondichéry. Celles où elle était restée en Inde, chez le docteur et Mme Barclay, celles où Mike était revenu la chercher, celles où ils étaient montés au *Fernhill Palace*, celles où ils s'étaient donnés l'un à l'autre.

Pendant l'année scolaire à Moulins, elle y pensait moins. Mais quand venaient juillet et août, les scènes du bonheur disparu surgissaient dans son esprit, elle s'enfermait à Sainte-Marguerite tout l'été, elle repartait nager dans la piscine de la rue de Pontoise, elle s'épuisait, elle rentrait à pied dans Paris envahi par les touristes jusqu'au jour béni de la rentrée. L'idée d'un dépaysement nécessaire à son rétablissement intérieur avait fait son chemin. Elle était donc partie.

Elle avait présumé de ses forces. Rien, dans le paysage de montagne qu'elle avait devant les yeux, n'évoquait la station indienne où elle était montée autrefois par le petit train. Ici on était au pays du granit, des cimes farouches, des climats sévères. Là-bas il y avait des sommets arrondis, des forêts, une tiédeur, malgré l'altitude. Un cheval pouvait traverser le restaurant de la gare. À Chandolin, l'impitoyable lumière alpine ne faisait grâce d'aucun détail. À Ooty, les nuances mêlées du ciel indien créaient une intimité entre toutes choses. Pourtant, au lieu de l'aider à oublier, le village suisse la renvoyait aux collines bleues des Nilagiri Hills.

Elle baissa la tête. Il fallait survivre. Comment Dieu, qui s'était offert, selon les théologiens, une créature à son image, pouvait-il ensuite la rejeter loin de son modèle et la broyer sans pitié ? Comment ?

*

Clarisse mit ses chaussures de montagne et s'éleva en peinant jusqu'à l'oratoire de « sœur » Larissa qui était situé dans une clairière entre les mélèzes.

La porte s'ouvrit, une femme d'une quarantaine d'années parut, vêtue d'une jupe et d'un chandail.

« Je vous attendais. Vous êtes la bienvenue, dit Larissa. Allons d'abord à la chapelle. »

Dans une petite pièce de bois clair, il y avait quelques bancs et, au fond, un tabernacle, un bouquet de fleurs des champs et une lampe rouge.

L'ermite s'agenouilla sans plus s'occuper de sa visiteuse et s'inclina comme si l'aile du Très Haut évoquée par les psaumes s'était posée sur son épaule. Clarisse, assise, attendait. Personne d'autre ne priait dans la chapelle et pourtant on y sentait une présence dont l'intensité se développait au fur et à mesure que le temps passait. Clarisse ferma les yeux. Elle en avait assez des bonnes sœurs mais elles disparaissaient comme le reste devant l'énergie divine qui semblait s'être ramassée autour de Larissa, humblement penchée, et qui enveloppait à son appel tous les habitants, humains ou animaux, du Val d'Annivier.

Après une longue pause, Clarisse sentit une pression sur son épaule.

« Venez dans la cuisine, je vais faire du thé. »

Sur la table il y avait des pinceaux, des godets, des couleurs et une corbeille de linge.

« Qu'est-ce que c'est ?

— Je dessine et je peins pour gagner ma vie. Des paysages imaginaires. Ou bien je brode des fleurs d'ici. Cela ne me distrait pas trop. Ma main agit et mon esprit est ailleurs. Je peux penser à Lui.

— À Dieu ?

— Oui.

— J'avais une élève qui s'était spécialisée dans l'aquarelle. Elle faisait de fort jolies choses.

— Qu'est-elle devenue ?

— Je ne le sais pas.

— Quel dommage ! Les séparations sont le fardeau le plus lourd que nous ayons à porter, n'est-ce pas ? dit-elle, comme si elle lisait dans le cœur de Clarisse. Je vois mes fils deux fois l'an. C'est dur. Mais le silence et la solitude font partie de mon appel.

— On m'a dit que vous ouvriez la chapelle trois fois par semaine ?

— J'essaie d'ajouter ma prière à celles qui se formulent ici. J'ai beaucoup de mal.

— Je vous dérange ?

— Tout me dérange en un sens. Mais ce n'est pas moi qui compte. C'est Lui, sa Splendeur, son Don infini.

— Vous l'aimez ?

— Passionnément. Je ne l'ai pas cherché. Il est venu me trouver.

— J'ai aimé un homme autrefois comme vous aimez Dieu.

— Dieu seul est digne d'être révéré ainsi et c'est Dieu que nous cherchons dans ces rencontres humaines. »

Elles se turent. L'ermite regardait sa tasse où flottaient quelques feuilles de thé passées à travers le tamis de la passoire.

« Vous voyez ces feuilles. Elles tournoient dans le liquide ou bien elles gisent au fond de la tasse. Elles sont infusées, comme mortes. Ce sont elles pourtant qui donnent leur parfum à ce breuvage. Elles sont semblables aux invitations que Dieu nous adresse dans le cours de notre existence ordinaire. Nous goûtons la tasse et nous oublions les feuilles. Elles renvoient pourtant à l'arbuste dont elles sont issues. J'ai la chance de ne plus quitter la source et l'origine. »

Elle prit la main de Clarisse qui tournait la cuillère dans le thé et suivait le mouvement des feuilles.

« C'est ainsi que je vois les choses dans ma solitude. Votre vie n'est pas située dans le couvent où vous vous êtes réfugiée, ni dans les études que vous faites. L'éloignement est une grâce du Seigneur, une marque qu'il nous offre un bien plus vaste, une pénétration plus profonde, une générosité plus ample. »

Leurs tasses étaient vides. Larissa se leva pour aller les rincer. Pendant que l'eau coulait du robinet, elle ajouta :

« Libérez-vous du passé. Marchez dans cette montagne magnifique. Rentrez dans le monde. Admirez-le.

— J'aime trop les hommes.

— Ils sont une voie comme une autre.

— Qu'en savez-vous ? »

Elle abaissa les paupières sans répondre.

« C'est ce que disait celui que j'aimais.

— Même si vous souffrez de son absence, il vous aura laissé l'idée d'aller plus loin. »

Larissa remit le plateau en ordre.

« Avec le caractère que vous avez, vous rencontrerez d'autres épreuves. Un jour elles vous mèneront quelque part où vous serez aussi bien que moi dans cet ermitage.

— Je ne vous reverrai plus ?

— Je vous mettrai dans ma prière. Et pour accorder à la faiblesse humaine sa part, j'aurai la joie de vous apercevoir dimanche à la messe de sept heures qui carillonne dans la vallée. Vous viendrez, n'est-ce pas ? La chapelle vous est ouverte à certaines heures, comme à tous. Mais pendant ces moments-là je ne vois rien, je suis tournée vers l'autel. Je ne suis qu'un instrument, vous savez. »

Clarisse quitta l'oratoire à pas lents, comme si elle transportait un bien précieux et fragile. Un chemin descendait sur sa droite, vers la forêt. Elle le prit. Elle avança en détaillant à travers les branches la chaîne de montagnes qui brillait de l'autre côté de la vallée du Rhône.

Elle rentra chez elle. Le couchant illuminait le chalet, mettait des lueurs roses sur les textes à traduire, les dictionnaires, les poèmes de Pouchkine qu'elle avait posés sur la table.

Le soir elle s'en fut dîner à la pension Altmüller. En sortant, elle essaya de localiser la chapelle de Larissa. Elle était trop inexpérimentée pour distinguer, entre les lumières qui s'élevaient dans l'obscurité, celle de la solitaire. Peut-être tout était-il déjà éteint chez elle sauf la lampe de l'autel. Peut-être priait-elle dans la nuit. Il faisait froid. Clarisse, pacifiée, rentra dormir.

*

À la suite de cet entretien, elle organisa son séjour tout autrement qu'elle ne l'avait prévu.

Elle commença par s'inscrire au club de tennis et s'offrit quelques leçons. Elle y prit plaisir malgré sa maladresse. Encouragée par son professeur, elle décida de participer à un tournoi local. Celui-ci opposait des garçons et des filles suisses, des Allemands, deux Anglais. Elle était la seule Française. Un Italien s'était ajouté au lot des joueurs. Il avait des yeux gris, des cheveux blonds et plaisait à tout le monde. Il rit beaucoup des efforts de Clarisse pour affronter des géantes qui la battaient à plate couture. Mais peu à peu les vestiges de l'enseignement de Monica réapparurent. Elle se rappela les exercices de gymnastique auxquels la championne s'astreignait et les exécuta sur sa terrasse. Elle répertoria aussi les coups tordus que Pénélope avait été obligée d'accomplir pendant des séances d'entraînement qui n'en finissaient pas. Peu à peu elle progressa. Le tournoi suivant, elle se battit comme un diable, arriva en quart de finale et échoua, épuisée. L'Italien lui apporta une serviette et l'invita à dîner.

« Pas ce soir, Fabricio, je n'en peux plus.

— Mais si, mais si. Ce qu'il y a de meilleur au monde c'est une belle femme fatiguée qui a un peu bu. » Il ressemblait à un des chevaliers qui suivent les Médicis sur la fresque de Gozzoli.

« Si tu veux. »

Ils s'en furent dîner dans un village voisin. Puis ils rentrèrent un peu ivres. Fabricio quitta le chalet de Clarisse au milieu de la nuit. Elle ne l'entendit pas partir. Quand elle se réveilla, devant la vallée où les brumes se dissipaient, elle se dit : « C'est si simple que ça ? » et ne sut pas quoi se répondre.

Le groupe des participants au tournoi avait un

jour de repos avant la finale. Bien qu'elle ne fût plus en course, Clarisse décida de ne pas s'arrêter. Elle mit ses chaussures de randonnée, prit des provisions et entreprit de faire une des promenades qu'elle avait cochées sur la carte des itinéraires établie par l'Office du tourisme.

Elle eut plaisir à monter, maintenant qu'elle avait retrouvé de bonnes jambes. La végétation était d'autant plus drue qu'elle avait attendu tout l'hiver sous la neige. Elle se sentit de connivence avec elle. Dans un vallon suspendu dans la pente, il y avait un sentier qui n'était pas indiqué sur la carte. Elle le suivit et parvint à un petit bassin qui reposait à l'ombre d'un hêtre. Un filet d'eau tombait d'un rebord rocheux et était retenu au pied de l'arbre par des galets. Puis l'eau franchissait l'obstacle et s'enfuyait entre les herbes. Un instant Clarisse se rappela le seau boueux que Mike avait tiré de la rivière devant leur porte à Dindikul. Mais cette eau-là n'avait rien à voir. Elle était si transparente qu'hormis son mouvement, on eût pu croire qu'elle n'existait pas.

Il était midi. Le soleil éclairait une partie du cercle caché dans ce chemin sans issue. Il n'y avait personne. Clarisse posa son sac et s'assit sur une pierre. Puis elle se débarrassa de ses vêtements, et se plongea dans le bassin glacé. Elle se sécha tant bien que mal et s'allongea sur son chandail à même la roche.

« Je suis moi, se dit-elle, j'existe, sans cet homme. » L'eau du bassin était un don du ciel, il y avait des dons du ciel partout, elle ne les avait pas aperçus, sauf Mike qui avait été le don des dons. Comme l'avait dit Larissa, il lui avait donné l'idée d'aller plus loin. Cette impulsion dépassait leur personne, leur attachement charnel et spirituel, leurs fautes d'individus. Certes, Clarisse ne pouvait suivre l'ermite sur les cimes de la mystique. Elle pouvait progresser à sa façon en oubliant Pondichéry.

Songeuse, elle savoura son pain, son jambon, son

fromage et but le thé de sa gourde dans lequel ne flottaient pas de feuilles, mais qu'elle avait parfumé au citron.

Elle se rinça les mains dans le bassin, maintenant complètement éclairé, et reprit son sac pour monter jusqu'au sommet. C'était un amoncellement de cailloux sans intérêt, d'où descendaient des pentes vertigineuses jusqu'au lit du Rhône qu'on devinait à peine. Elle était presque heureuse.

Quand elle rentra chez elle, elle trouva sous sa porte un mot de Fabricio, s'étonnant de sa disparition et annonçant sa venue à la fin de l'après-midi. Elle lui offrit à dîner. Il resta après le dessert. Il ressemblait à une grappe de raisins. Elle goûta sa sensualité, son savoir-faire, sa nonchalance. Pour une fois, il n'y avait rien de dramatique dans sa vie.

Ils vécurent ainsi plusieurs jours.

Au moment où Clarisse se demandait comment elle recevrait Mme Joly en même temps que le bel Italien, une lettre parvint de Moulins lui annonçant que son amie était trop souffrante pour venir. Clarisse se précipita à la poste. La voix de l'ancien professeur de chant l'inquiéta. Bien que l'autre la priât de n'en rien faire, elle décida de plier bagage et de rentrer en France. On approchait du 15 août. Des nuages gris passaient dans le ciel.

Dans le car qui descendait la vallée, Clarisse fit un dernier signe d'amitié à Fabricio qui avait porté ses bagages, remplis des livres qu'elle n'avait pas lus, jusqu'en bas du village. Il avait plu. Les tennis, derrière lui, étaient détrempés. Ses cheveux bouclés, ses yeux rieurs, son ciré jaune étaient l'image même du charme et de l'insouciance. Il souriait à leur aventure, à celle qui l'avait partagée, aux vacances dans les Alpes suisses. Comme c'était simple de se quitter quand on ne s'aimait pas.

*

Clarisse fut épouvantée de trouver Mme Joly hagarde sur ses oreillers. Son état s'était aggravé depuis son coup de téléphone. Tous les gens qu'elle connaissait à Moulins étaient en vacances et le médecin de garde battait la campagne pour faire face aux appels qui venaient de partout. Enfin il arriva, prit le pouls de la malade, l'examina à la hâte, hocha la tête, griffonna une ordonnance et emmena Clarisse.

« Vous êtes parentes ?

— Non, elle n'a plus personne. Je suis sa locataire. J'ai beaucoup d'affection pour elle.

— Il ne faut pas que son cœur lâche. Je vous ai mis ce qu'il fallait sur l'ordonnance. Allez vite à la pharmacie.

— Qu'est-ce qu'elle a ?

— On appelait ça autrefois les fièvres de l'Assomption. Des fièvres d'été. Les pires. Les plus dangereuses. Elles tombent tout d'un coup en laissant le patient épuisé. Vous savez faire des piqûres ?

— Oui.

— Où avez-vous appris ?

— À Pondichéry. Nous avions beaucoup de cas comme celui-là, j'ai moi-même été malade, j'ai l'habitude mais je n'ai plus, malheureusement, de remèdes indiens. »

Il sembla soulagé et rajouta quelques produits sur la feuille.

« Vous pouvez toujours essayer ceux-ci. Si elle va plus mal, vous l'emmenez droit en cardiologie, à l'hôpital. J'ai un ami qui est là en ce moment, je le préviendrai. »

Quand il fut parti, Clarisse fit boire Mme Joly à petites gorgées, rafraîchit son lit et se dépêcha d'acheter les médicaments. Elle passa toute la nuit auprès de la vieille dame, guettant son souffle, son agitation, ses brefs moments de sommeil. Plusieurs fois, elle l'enveloppa dans un peignoir de bain humide et frais comme elle l'avait appris du docteur Barclay. Elle lui donna, outre les drogues prescrites, des tisanes variées et à l'aube constata qu'elle avait moins chaud. Le pire semblait écarté.

La journée se passa de façon moyenne. Clarisse s'endormit dans un fauteuil, au pied du lit de sa malade qui regardait alentour sans comprendre ce qui lui arrivait. Le soir la fièvre reprit. Pendant trois jours elle fut sur le point d'appeler une ambulance. Puis d'un coup, tout s'arrangea.

La convalescence de Mme Joly fut plus longue que prévue. De fait, elle maquillait son âge avec ses fards, ses teintures, ses écharpes, ses capelines et la silhouette qu'elle avait su conserver. Cette fois elle accusait ses soixante-quinze ans. Sentant que cela l'humiliait, Clarisse lui apporta, dès qu'elle fut en état de s'asseoir dans son lit, sa poudre, son rouge, et ses épingles à cheveux pour qu'elle puisse se refaire une beauté.

« J'ai une tête épouvantable », dit l'ex-cantatrice en se regardant dans la glace. La coquetterie l'emportait sur la conscience du danger qu'elle avait couru. « Et j'ai mal partout.

— Vous allez vous remettre très vite. Nous allons choisir une alimentation spéciale. Et je vous ferai, dès qu'il m'y autorisera, les piqûres que le docteur a prescrites. »

Quand elle fut mieux, Clarisse l'installa sous la treille devant le jardin. Elles prirent l'habitude d'y déjeuner.

C'est là qu'apparurent à la fin du mois Stéphane et sa mère qui venait de rejoindre Moulins pour préparer la rentrée des classes.

« Clarisse m'a sauvé la vie, dit Mme Joly, non sans emphase.

— Je crois surtout que ce sont les antibiotiques et votre bonne nature », rétorqua Clarisse. D'instinct, elle ne tenait pas à ce que l'on évoquât l'Inde devant

Stéphane. « Installez-vous, Madame la Directrice. Je vais chercher les fruits et préparer du café. »

Pendant que les deux femmes conversaient, Stéphane guettait les allées et venues de Clarisse et souriait aux anges.

Quand elle s'assit à son tour, il dit :

« Quel plaisir de vous revoir, Mademoiselle. Je ne m'attendais pas du tout à vous retrouver ici. »

Il portait une chemisette ouverte sur un cou hâlé et sa tête hautaine, intelligente, aiguë semblait dominer son corps, comme si elle en était distincte et apercevait des réalités auxquelles personne ne pouvait atteindre.

« Avez-vous travaillé comme vous l'aviez prévu ?

— J'ai surtout joué au tennis et marché en montagne. J'ai même participé à un tournoi. » Elle le fit rire en racontant ses déboires devant les Suissesses et les Allemandes.

« Évidemment, dit-il en la jaugeant. Ce n'est pas tout à fait le même format. Et vos traductions ?

— Comment êtes-vous au courant ?

— Ma mère m'a raconté des tas de choses.

— Je me suis mise en retard. Maintenant que Mme Joly est mieux, il va falloir que je rattrape.

— Vous êtes terrible.

— On dit que vous l'êtes aussi, Monsieur le Directeur. » Un semblant d'intimité se créait entre eux sans qu'elle le veuille.

Les soirées étaient délicieuses à Moulins, à cette époque de l'année. On pouvait laisser les fenêtres ouvertes, guetter la tombée du jour, admirer les toitures d'autrefois. Les derniers trains de voyageurs étaient passés. La campagne bourbonnaise et la cité qui avaient naguère défié François Ier reposaient en paix sous le firmament. Le haut fonctionnaire venait en voisin partager la fraîcheur.

Quand Mme Joly, en vacillant un peu, s'assit au piano, une de ces soirées-là, Clarisse sut qu'elle était guérie. Ils l'écoutèrent, émus, fredonner une mélodie. La page se tournait. Clarisse pouvait rentrer à Paris.

Elle y revit Stéphane et ils prirent l'habitude de dîner ensemble les samedis où elle ne restait pas à Moulins. Il l'invita une après-midi rue Balzac, lui montra sa vitrine, lui offrit du porto et eut l'intelligence de ne pas l'approcher. Voyant que Clarisse s'intéressait à la peinture, il lui proposa d'assister à une vente à l'Hôtel Drouot. C'est ainsi qu'elle se trouva nez à nez, dans la salle VI, avec un des experts à qui elle avait montré son saphir. Heureusement il ne l'identifia pas sur-le-champ et elle put s'éclipser.

Peu à peu Stéphane rongeait son intimité.

Elle ne se défendait guère. Non qu'elle ait oublié Mike – c'était impossible. Seulement, le temps avait commencé de faire son œuvre. À Moulins, elle était parvenue à se passer de lui par l'étude, la musique, l'amitié de Mme Joly, le soutien de Sainte-Marguerite. En Suisse, un pas de plus avait été franchi. Son bain dans la source glacée lui avait paru un nouveau baptême. Son aventure italienne lui avait montré que les gestes de l'amour n'étaient pas toujours inspirés de la mystique et Larissa, paradoxalement, sans bien s'en rendre compte sans doute – ou était-ce exprès ? –, lui avait fait reprendre pied dans le monde.

Le laïc convaincu qu'était Stéphane vint au couvent et sut plaire. La communauté de vieilles filles qui entouraient Clarisse s'inquiétait pour elle. Elle cédait peu à peu à leur peur, au conformisme de l'époque, aux circonstances. Peut-être voulait-elle des enfants, un mari, une vie normale ? Pourquoi pas ? Après ce qu'elle avait vécu, une situation aussi banale ne pouvait guère la troubler. C'était une grave erreur de jugement.

Avant la Toussaint, Mme Joly dit à Clarisse :

« La mère de M. Jardillier m'a parlé. Elle s'inquiète. Il est amoureux de vous et veut vous épouser.

Il n'ose pas vous le dire parce qu'il croit que vous souhaitez entrer à Sainte-Marguerite et vous consacrer à Dieu. Pouvez-vous m'expliquer vos intentions ? Naturellement, je ne rapporterai que ce que vous m'autoriserez à dire.

— Je ne suis pas mûre pour le mariage.

— Et pour la vie religieuse ?

— Pas davantage. »

Son amie lui prit les deux mains. Elles étaient dans le salon de la cantatrice, où un mobilier au petit point alternait avec des plantes vertes qui essayaient de survivre contre l'acajou du piano.

« Croyez-en mon expérience, Clarisse. Vous ne pouvez pas continuer de rester seule au monde. Je n'avais pour mon mari qu'une estime amicale. Je suis veuve depuis dix ans et tous les jours je déplore son absence, j'en souffre. Quand je suis tombée malade, que serais-je devenue sans vous ? De plus, vous avez rencontré un homme exceptionnel, bien de sa personne, qui ne demande qu'à vous adorer.

— J'ai besoin de réfléchir. Je ne peux m'engager ainsi.

— Mais enfin, qu'est-ce qui vous retient si fort ?

— Moi-même.

— Que dois-je transmettre à votre directrice ?

— Que je donnerai une réponse à Noël. »

À Paris, Clarisse continua de voir Stéphane comme auparavant, sans qu'il soit fait référence à cette conversation. Ils conjuraient leur gêne en parlant d'histoire, de politique et d'art. Stéphane était étincelant. Sa compagnie la stimulait chaque jour davantage, lui donnait une euphorie dont elle ne cherchait pas l'origine.

Un soir, avant dîner, la sentant séduite par la conversation qu'ils avaient entamée quand il était venu la chercher au pied de Sainte-Marguerite, il lui proposa de retourner rue Balzac où il voulait lui montrer ses récents achats à l'Hôtel Drouot. Il était plein de sève et de force dans son lourd imperméable.

« Pourquoi pas ? » dit Clarisse.

Il lui fit admirer deux flacons de sels et un fume-cigarette entouré d'ambre et accompagné d'un étui de peau grise fermé par un bouton de turquoise.

« Personne n'en voulait. Cet objet est pourtant tout à fait poétique.

— C'est vrai. »

Pendant que Clarisse examinait l'embout du fume-cigarette qui portait la marque sensuelle des dents de la fumeuse, Stéphane glissa sa main sous sa veste et lui enleva des doigts le verre de porto qu'il lui avait offert.

« Laissez-moi vous débarrasser, vous voulez bien ?

— Oui. »

Il l'embrassa dans le cou et la conduisit dans sa chambre.

Elle fut étonnée de son habileté, de son expérience, un peu effrayée par sa robustesse. Elle se laissa aller toutefois. Il y avait si longtemps... L'étreinte de Stéphane dans l'amour était celle d'un homme fait, décidée plus que voluptueuse, bien loin des divagations étudiantes. Loin aussi de l'extrême lenteur et de l'intensité infinie du Pondichéry d'autrefois. Mais elle lui fut reconnaissante de faire durer leurs deux plaisirs avec une énergie qui lui plut. Ils recommencèrent à chaque rencontre. Là aussi, ils semblaient s'entendre. Pourtant, même dans l'amour, ils ne se tutoyaient pas.

À Sainte-Marguerite, un membre de la communauté osa lui demander :

« Clarisse, y a-t-il anguille sous roche ?

— Je ne sais pas, je m'interroge.

— Avec M. Jardillier ?

— Peut-être. »

La veille du jour de l'An elle fut invitée par la mère de Stéphane à réveillonner chez elle avec Mme Joly.

Après dîner Stéphane lui offrit du cognac, sans en prendre lui-même. Elle ne put s'empêcher de penser au cocktail que Mike partageait autrefois avec elle. Elle pouvait encore reculer. Il ne le fallait pas.

En buvant la liqueur à petites gorgées et en se laissant engourdir par les flammes du feu, elle repoussa l'idée qu'elle ne connaissait guère cet homme dont tous faisaient l'éloge autour d'elle. Après tout, on pouvait se marier par estime, par admiration, par attrait pour une personnalité forte, intelligente, impétueuse, solitaire comme la sienne. Clarisse avait vingt-six ans. Elle avait survécu à une expérience foudroyante, elle saurait s'y prendre, dans les eaux plus calmes de l'union conjugale. C'était vieux jeu peut-être, de raisonner ainsi. Qu'importait ! Au moins serait-elle à l'abri, cette fois, de ses excès indiens.

« Vous avez une réponse à me faire, Clarisse, dit Stéphane, près de la cheminée. Je n'en peux plus d'attendre. »

Elle prit une gorgée d'alcool.

« Nous nous marierons quand vous voudrez », dit-elle, se levant pour l'embrasser.

Les deux femmes cessèrent leur conversation et vinrent immédiatement les féliciter. L'année 1958 commençait bien.

CHAPITRE 20

LE CAHIER INDIEN

Pondichéry, octobre 1951

Après notre retour discret de Madurai, la vie reprit son cours normal à Pondichéry. Monica était rentrée de Londres avec les enfants et s'entraînait comme d'habitude. Je partais le matin chez les parents de Mike pour travailler aux Mémoires du docteur. La bibliothèque était composée de deux longues salles garnies d'armoires vitrées. Tout au fond se trouvait une petite pièce qui servait de débarras.

Lorsque nous étions arrivés de Madurai pour dîner avec ses parents, Mike avait déclaré :

« Je voudrais que Clarisse, quand elle vient travailler à la bibliothèque, puisse disposer d'un lieu où se reposer et se rafraîchir. Vous pourriez arranger pour elle le cagibi du fond, le cagibi aux palmes. En remplaçant les dossiers par un divan, en faisant mettre de l'eau fraîche, quelques fleurs, elle se sentira tout à fait chez elle. Personne ne vient jamais de ce côté. » Ils acquiescèrent comme si c'était tout naturel.

Ce qu'ils saisissaient exactement de cette demande, je ne le sus jamais. Ils adoraient leur fils, ils m'aimaient beaucoup, mais tout ce que nous faisions ou pouvions faire était du domaine de l'illusion, appartenait au chatoiement du voile de Maïa et n'avait pas grande importance. La réalité était ailleurs. Nous étions en marche vers elle par la réflexion et par l'étude. La pleine clarté où se consument les embrasements individuels viendrait plus tard.

« C'est entendu », dit le docteur Barclay.

Le matin, depuis cette décision, je me faisais belle dès le réveil.

« Tu as changé de parfum et tu en mets tout le temps. Cela me plaît beaucoup. Et ta peau est douce, me dit Alexandra au petit déjeuner.

— J'essaie d'imiter les Indiennes.

— C'est pourquoi tu as acheté toutes ces crèmes et ces huiles qui sont dans la salle de bains ? Et ce miroir grossissant ? »

Pénélope se tortilla devant ses tartines.

« J'ai fait dedans mes plus belles grimaces. J'espère qu'elles ne sont pas restées au fond, pour te taquiner. Tu ne m'en veux pas ? avoua-t-elle. Ah, que j'aimerais n'aller en classe que pour la géographie.

— Ce soir, nous dessinerons une carte magnifique avec des encres de Chine de différentes couleurs, dis-je pour l'encourager.

— Les cartes, je veux bien. Mais après, on filera au club pour la gym. N'oublie pas ! D'ailleurs tu as ta leçon de tennis. » J'étouffai un soupir. Je n'avais qu'une idée, c'est qu'elles partent le plus vite possible toutes les deux pour me permettre de rejoindre la maison du docteur Barclay. Je ne voulais à aucun prix que les visites de Mike empiètent sur la préparation des Mémoires de son père.

J'avançais d'un pas alerte vers les pandits qui ne me regardaient pas, et je me coulais vers la table qui occupait la première salle de la bibliothèque. Nous étions dans une phase difficile de notre travail : celle où le docteur Barclay avait quitté le domaine de la médecine indienne sur laquelle il avait beaucoup publié et s'était attaqué à des sujets plus généraux ; celui de la pûja, du sacrifice par exemple. Il avait alors écrit des articles importants, remplis d'hypothèses originales qui avaient fait mouche dans le petit monde des orientalistes. Parus dans des revues anglaises, allemandes, hongroises, ces articles étaient devenus introuvables.

Mme Barclay avait depuis longtemps renoncé à remédier au désordre de son mari et travaillait dans son coin. Je souhaitais présenter au docteur Barclay une bibliographie de ses travaux et je n'y arrivais pas. Je cherchais donc méthodiquement entre les volumes de la bibliothèque s'il ne s'était pas glissé certains textes disparus.

*

La première fois que Mike vint me rendre visite chez ses parents, j'étais juchée sur une échelle et, absorbée dans cette tâche, je ne l'avais pas entendu arriver. Il m'attrapa par la cheville.

« C'est ainsi que tu m'attends ? » Il rayonnait.

Quand je fus descendue, un peu confuse, il me prit par la main pour me conduire au cagibi aux palmes. Nous traversâmes la deuxième bibliothèque, aussi impressionnante que la première. Il ouvrit la porte du débarras où nous pouvions enfin être seuls.

« Voilà notre royaume, mon amour. Jamais je n'aurais pensé que ce placard deviendrait un havre.

— Nous ne risquons pas d'être surpris ?

— Personne ne s'aviserait de nous déranger. Les Indiens savent tout et ne diront rien. Ils tiennent à leur travail. Notre conduite n'a d'ailleurs aucune signification religieuse pour eux.

— Et par la fenêtre ?

— Nous sommes abrités par le feuillage. »

Déjà, il était contre moi et le monde basculait.

Il possédait une maîtrise exceptionnelle. Je l'ai déjà dit, je le répète, pour m'assurer que ce n'est pas un rêve rétrospectif, un enjolivement du passé. Je ne doute pas que ce fût lié à l'Inde, au travail qu'il avait effectué sur lui-même en combinant l'amour charnel, l'ascèse et la mystique. Il me bouleversait dès qu'il me prenait. J'allais jusqu'aux limites de la conscience. Ses mouvements me maintenaient dans cet état, et quand je ne pouvais plus continuer, alors il s'absorbait dans sa propre jouissance comme un oiseau s'abat sur un étang et se cache la tête sous l'aile pour se reposer.

Nous avions à peine la place de nous tenir debout dans le cagibi aux palmes, ou de dormir ensemble. Pourtant, en ces fins de matinées inoubliables, contre cette bibliothèque de milliers de volumes, nous nous assoupissions puis nous redescendions sur terre.

Comme j'ai aimé le pot à eau décoré de rinceaux, la cuvette de porcelaine, les serviettes bordées de croquet, le vase de fleurs qui garnissaient notre unique table ! J'étais restée pudique et je me retournais pour me laver vers la fenêtre, protégée par la pellicule verte des feuilles. Je ne demandais rien de plus à la vie, c'est-à-dire que je lui demandais tout.

Mike se plaçait contre mon dos.

« Nous allons recommencer, disais-je, nous n'avons pas le temps.

— Je te fais encore impression, demandait-il, faussement naïf, réjoui.

— Je le crains. »

Nous nous séparions avec peine. Je courais rejoindre mes élèves pour surveiller leur déjeuner et prendre le mien. Monica, heureusement, ne rentrait jamais à ces heures-là et méprisait cet usage français.

Je profitais de la sieste qui suivait pour avancer le travail que je devais au docteur Barclay et que son fils avait interrompu. L'amour stimulait mes capacités intellectuelles. J'abattais en une heure ce que j'aurais fait en trois auparavant. La fin de l'après-midi était consacrée à la lecture de livres français avec les petites, à la musique, au dessin, jusqu'à l'heure rituelle de l'Union sportive.

Mike arrivait impromptu, partagé entre la réserve et le plaisir.

« Papa vient plus souvent, remarqua Alexandra, et il reste longtemps. »

Un jour, pendant que nous faisions des études de vocabulaire, il s'exclama :

« Vous êtes trop sérieuses, toutes les trois ! »

Puis il souleva le couvercle du piano et tapota quelques rengaines de la guerre en chantonnant les paroles.

« Nous ne savions pas que tu jouais, tu ne l'as jamais dit », crièrent ses filles en l'embrassant. Monica entra dans le salon sur ces entrefaites.

Avec habileté, Mike se leva, la saisit et lui dit :

« Dansons sur nos airs d'autrefois, veux-tu ? » En fredonnant il la fit tournoyer entre les meubles, autour de la table de la salle à manger aux applaudissements de Pénélope. Alexandra était plus réservée dès qu'il s'agissait de sa mère. Toujours prompte à répondre à son mari, Monica, la musique aux lèvres, se pressa contre son danseur.

« Tu te souviens ? » dit-elle, les yeux brillants pendant que les miens se chargeaient de honte.

« Cette situation est intolérable », pensai-je dans un éclair de bon sens.

Le lendemain, dans le cagibi aux palmes, au lieu de dormir, nous parlâmes.

Cette conversation ne conduisit à rien. La seule décision sage eût été de nous séparer, nous en étions incapables. Et puis, pourquoi ? Nous nous aimions. Où était le mal tant que l'autre n'en souffrait pas ? Nous prétendions avoir raison alors que nous déraisonnions complètement.

Mike décida néanmoins, à ma demande, d'espacer ses visites de l'après-midi qui nous plaisaient tant. Elles n'en furent que plus appréciées quand elles se produisirent. Je craignais qu'Alexandra ne fasse une remarque inopportune en public sur les apparitions de son père mais elle ne se produisit jamais.

Je terminai plus vite que prévu la bibliographie des articles scientifiques du docteur Barclay. J'avais tenté d'identifier par une série de recoupements ceux qui manquaient. Je frappai à la porte de son bureau et je lui présentai ma liste.

« Vous avez écrit sur tant de sujets que je ne suis pas sûre que tout y est.

— C'est pourquoi je ne suis pas un savant traditionnel, Clarisse. Ceux-là ont un curriculum vitae et une bibliographie tenus minutieusement à jour. Je crois trop à l'Absolu pour me remémorer tous les mots qu'il m'inspire. Et puis, je continue d'être médecin. Cela compte autant pour moi. » Il était appelé en consultation dans les cas compliqués, tant par les Indiens que par les Européens, et universellement estimé.

Mes matinées, donc, étaient bien remplies. C'est un euphémisme pour désigner le glissement que j'opérais sans cesse de la bibliothèque au cagibi aux palmes et au bureau du docteur Barclay. Je m'y étais habituée jusqu'à le trouver « naturel » dans l'aveuglement de la passion, un peu comme les organistes changent les sons de leur instrument au gré de leur inspiration sans jamais perdre le thème de départ.

Après la sieste, les leçons, le tennis au club, se posait un nouveau problème : la soirée. La passerais-je avec Monica et Mike, car j'étais souvent invitée avec eux ? Resterais-je à la maison près des enfants endormies pour perfectionner mon tamoul, mon sanscrit qui en avaient bien besoin ? Une fois sur cinq j'en avais le courage.

Les autres, je me préparais à sortir et j'y consacrais du temps. L'industrie des couturières pondichériennes m'avait conquise et, désormais, je voulais plaire. Où était l'orpheline, la traductrice trop maigre de la BBC avec ses vilaines chaussures et ses deux robes ? Quand je me regardais dans la glace, je me rendais compte que j'avais pris des seins, des hanches sans perdre la minceur de ma taille. L'indécision de mes traits s'était évanouie. Elle avait été remplacée par un ovale bien net, mes joues avaient dégonflé, mes lèvres s'étaient dessinées. Je n'avais gardé du passé que ma natte que j'arrangeais de diverses façons.

Le moment venu, je passais une de mes toilettes neuves, de mousseline, de soie, ou de coton brodé, je me maquillais à l'occidentale, je mettais les bracelets de ma mère. Les enfants m'avaient offert pour mon premier Noël, il y avait près d'un an, des boucles d'oreilles très ornementées qui avaient été choisies de longue date par leur père sans que je le sache. Monica avait fait une moue jusqu'à ce qu'elle ouvre son cadeau, un rubis magnifique de quatre carats qui venait de Birmanie. Je participais donc aux fêtes dûment parée, portant les bijoux de ceux que j'aimais.

Le soir, Mike nous emmenait toutes les deux. Monica était très élégante. Elle était plus grande, elle avait surtout plus d'éclat que moi sous le torrent de sa chevelure auburn. Elle se décolletait sans vergogne et croisait haut ses jambes de championne.

« Que suis-je, me disais-je, en face d'une femme comme elle ? » Mais les soins dont j'avais été l'objet le matin dans le cagibi aux palmes me rassuraient un peu et j'imaginais que ma petite taille, ma peau mate, mes gestes encore marqués par la danse, pouvaient défendre ma cause.

Nous étions, je crois, flatteuses l'une et l'autre. Mike était certainement fier de nous avoir à son bras. Eût-il souhaité nous partager tout à fait ? Je pense que ce n'était pas le cas. Il était, vis-à-vis de moi, d'une droiture et d'une sincérité qui ne m'ont pas abusée, j'en suis sûre, parce qu'il cherchait dans mes bras une communion mystique qu'il n'avait pas trouvée ailleurs. Il avait sans doute expérimenté d'autres combinaisons dans cette Asie où tout est possible sans péché. Mais en ce qui me concerne, nous étions seuls au monde, lui et moi, face à face.

À ces dîners, souvent suivis de musique, je laissais errer mes pensées, les lèvres ornées d'un sourire éternel, devant les plats d'argent surchargés de crustacés qui formaient l'apogée des repas. Des hommes me faisaient la cour. Une femme comblée appelle l'amour sans le chercher. Je riais, je me dégageais quand l'insistance était trop appuyée. Monica me surveillait. Nous étions souvent assises côte à côte.

« Pourquoi ne dis-tu jamais oui ? bougonnait-elle. Tu n'en as pas envie ? » Parfois, en voyant sa magnifique poitrine tendue sous le tissu, je me remémorais la scène de la douche. C'était un jeu plus qu'une conviction. Elle me fixait de même.

Il me semblait d'ailleurs que j'étais ouverte à tous. Je comprenais les danseuses sacrées des temples qui, dans certains cultes, s'offrent à chacun. En même temps, je n'appartenais qu'à Mike et sa silhouette, saisie de-ci de-là, au milieu des invités, rendait cette évidence bouleversante.

Je souffrais beaucoup quand nous rentrions à la maison. Nous montions tous les trois au premier étage. J'évitais de croiser le regard de mon amant quand il se dirigeait vers la chambre conjugale avec sa femme, appuyée sur lui, lascive, prête à se faire honorer. Un mur de cristal tombait entre nous, invisible, infranchissable.

Je rentrais dans ma chambre, je m'agenouillais, je me répétais : « C'est ma faute, c'est ma très grande faute. » Mais les paroles antiques de l'acte de confession n'y faisaient pas grand-chose. Il n'y avait ni pardon ni cesse. Car dès que Mike paraissait dans la bibliothèque le lendemain matin, je retournais avec lui dans le cagibi aux palmes. Telle était la nouvelle vie que nous avions inventée à Pondichéry.

CHAPITRE 21

PARIS

Mai 1967

L'agence, stimulée par Victor Choukri, ne fut pas découragée par le refus des trois Libanaises, bien au contraire. Cette année, dit son représentant, le marché offre vraiment de belles occasions. Il devait gagner beaucoup d'argent.

Il y avait des visiteurs toutes les après-midi à partir de deux heures. Tantôt le jeune homme, le plus souvent la dame, pénétrait dans l'appartement avec la clef que Clarisse leur avait laissée. Dès le petit matin, celle-ci passait à nouveau dans toutes les pièces pour remettre de l'ordre et supprimer les marques de leur existence. Puis elle s'asseyait à son bureau et travaillait. Elle pouvait encore apercevoir un certain temps le doux dos-d'âne que dominait la poste, la statue de Balzac sur la place Guillaumin, le square, les pigeons.

Depuis que l'appartement avait failli être vendu, il y avait dans l'air quelque chose de rude et de mélancolique. Des acheteurs possibles allaient arriver. Ou bien ils n'aimeraient pas l'appartement et celui-ci aurait été souillé pour rien par leur présence, ou bien ils se décideraient à le revoir et le processus fatal risquait de s'enclencher. Un exil de plus. Pourquoi ?

Clarisse faisait une deuxième tournée d'inspection

à midi. Elle n'osait pas déjeuner de peur de salir la cuisine. Elle n'avait d'ailleurs pas envie de manger. Bien avant l'heure du rendez-vous elle allait acheter un friand et le grignotait dans le square de la Fondation. Le plus souvent elle se réfugiait à « Racine » pour rédiger le Cahier indien.

Le mois de mai était au lycée un mois d'inquiétude pour les classes de terminales. Celui des révisions du bachot dont les épreuves se dérouleraient à partir de juin.

Les élèves qui travaillaient avec Clarisse ne souffraient pas les mêmes affres que leurs camarades. Ils étaient d'excellent niveau. Soit qu'ils eussent choisi le russe parce qu'ils le parlaient déjà bien, soit qu'ils fussent fortifiés par le latin, le grec, d'autres langues étrangères, soit qu'ils fussent aussi curieux en lettres qu'en sciences, ce qui arrivait parfois. Ils faisaient des sacrifices considérables pour assister régulièrement à ses cours, aux heures tardives où ils avaient lieu, et pour exécuter les travaux qu'elle leur imposait. Mais en dépit de sa bonne volonté à l'endroit de la femme du secrétaire général de l'Éducation nationale, la directrice avait des disciplines plus importantes à placer avant celle de Clarisse pour le succès de l'examen et le prestige de l'établissement.

Quoi qu'il en soit, ils saisissaient bien, ces élèves, dans les recoins où on casait le cours de russe, qu'une langue n'est pas une spécialité mais une forme du génie humain à laquelle il faut accéder dans la patience et l'humilité. Certains avaient de la patience et de l'humilité parce qu'ils étaient des fils d'« étrangers », parce que leurs parents, comme la mère de Clarisse, avaient dû quitter la terre natale, avaient tremblé pour un passeport, un visa, un lieu nouveau où se reposer enfin. D'autres avaient de la patience et de l'humilité parce qu'ils étaient d'excellents littéraires, sensibles et talentueux, qui ne savaient pas encore vers quoi porter leurs aspirations et leurs capacités. Ils chérissaient le langage en lui-même, ce couronnement des cultures, cette respiration de l'âme qui la rend si légère que la mort n'a pas de prise sur elle, ni la vie, d'ailleurs, puisque cette âme devient par l'acquisition d'un nouveau parler une autre âme, tout entière virginité, bonté et innocence. Clarisse était chaque année heureuse de retrouver leur ferveur, bien qu'elle sût qu'elle allait les perdre dans quelques mois et ne les reverrait sans doute jamais plus.

Un soir de juin, Stéphane revint exsangue du bureau et se coucha de lui-même dans le salon. On fit de nouveaux examens. Ils étaient mauvais. Il fallait à tout prix qu'il se fatigue moins. Il continua donc de partir tôt le matin mais rentra désormais à six heures : raccompagné par un chauffeur qui lui portait ses dossiers.

Clarisse ajouta une table basse près du divan où les déposer. Ainsi pouvait-il les lire en se reposant, dans la position allongée qu'il détestait. Les visites de l'appartement se raréfièrent et furent toujours précédées d'un coup de téléphone.

Il allait plus souvent à l'hôpital voir le professeur Germain, auquel il semblait s'attacher. Il prévenait Clarisse à la dernière minute, soucieux d'éviter toute compassion, et ne voulait pas être accompagné. Il partait par le métro et revenait en taxi. Elle le retrouvait à la maison comme si de rien n'était. Si elle approchait, il murmurait : « Laisse-moi travailler. »

Ces jours-là lui semblaient particulièrement longs. Elle avait appris auprès du docteur Barclay et de son fils divers moyens de soulager la douleur et Stéphane souffrait. Peut-être n'eût-elle pas réussi mais elle n'avait pas le courage d'essayer et il ne l'aurait sûrement pas laissée faire. Tout ce qu'elle pouvait se permettre, c'est de laisser ouverte la porte de communication entre le salon et son bureau. Elle apercevait une partie de son cou, de ses cheveux dans l'embrasure de la porte. Il travaillait, sec, droit, attentif, comme s'il avait l'avenir devant lui. Jamais ils n'avaient vécu dans une telle proximité.

Elle continuait donc, à sa table, de traduire les commentaires des États membres de l'Unesco sur le Plan expérimental d'alphabétisation mondiale. C'était pressé. Les documents devaient être fournis dans les quatre langues de travail, le français, l'anglais, l'espagnol et le russe au Conseil exécutif de l'Organisation en septembre, puis à la Conférence générale d'octobre. Le temps, pour les plus dépourvus, d'affûter leurs armes afin d'obtenir la part maximum du maigre gâteau que les riches donnaient aux pauvres par l'intermédiaire de la lourde machine internationale.

Quand elle avait terminé un nombre suffisant de pages, elle allait les porter place de Fontenoy, au Service des traductions et de l'interprétation. Ce jour-là, les fenêtres étaient ouvertes sur le jardin du bâtiment principal, où une statue d'Henry Moore veillait sur des patios remplis de fonctionnaires.

« Marc veut vous voir », dit la secrétaire.

Une rumeur mêlée de rires annonçait l'été. On conservait pourtant l'impression d'être sur une autre planète. L'Unesco jouissait du privilège de l'exterritorialité. Il y régnait une ambiance feutrée, prospère, même chez les représentants des pays les plus démunis. Très critiqué à l'extérieur, ce lieu de rencontre était pourtant irremplaçable pour les Américains, les Russes, et le Tiers-Monde.

« Que se passe-t-il ? » demanda-t-elle à son amant, en bras de chemise, plus ébouriffé que jamais.

Il leva vers elle des yeux verts qui viraient à la tempête.

« Deux de mes interprètes viennent de me lâcher. Je n'arrive pas à en trouver d'autres. C'est pourtant bien payé, Dieu sait. On croirait qu'il y a des réunions sur toute la planète en même temps. C'est insupportable ! » Puis, la dévisageant :

« Tu veux essayer ?

— Moi ! Je n'ai jamais fait de simultanée. Il faut parler en même temps que les orateurs, dans une autre langue. Gommer leurs hésitations, leurs redites, leurs bêtises, c'est hors de ma portée. »

Marc écoutait les arroseuses qui tournaient dans le jardin. Le gazon disposait de trente centimètres de terre pour se développer au-dessus des patios. C'est pourquoi on n'y plantait jamais de fleurs.

Sa colère semblait tombée. Il avait l'air triste.

« Tu as commencé à t'entraîner avec moi, observa-t-il enfin.

— C'était pour ça que tu me soumettais à tous ces exercices ?

— Je voulais voir si tu en étais capable, pensant que cela pourrait nous servir un jour. Je crois que oui. C'est un métier où il y a beaucoup d'appelés, peu, très peu d'élus. Nous avions ici une fille extraordinaire. Ce qu'elle interprétait paraissait toujours intelligent, quels que soient les propos qu'elle traduisait. J'entends encore son timbre, l'arrêt qu'elle marquait au début des phrases, son habileté à clore un débat. » Il ouvrit son portefeuille.

« Tiens, voilà sa photo. »

Clarisse vit une jeune femme au visage triangulaire, à la bouche gourmande.

« Elle était mariée avec un type médiocre qui lui avait fait quatre enfants. Elle est morte d'un cancer à quarante ans. Sa voix me hante. Je l'ai écoutée des heures sur le récepteur auquel j'ai droit pour suivre les débats quand je ne suis pas dans la salle. » Il désigna une boîte marron placée entre deux piles de dossiers à laquelle Clarisse n'avait jamais pris garde.

« Tu l'aimais ?

— Oui et c'était réciproque. Nous étions trop heureux pour qu'elle reste en vie. »

Il remit la photo à sa place.

« Oublions tout ça et allons faire un essai, veux-tu ?

— Il faut que je prévienne mon mari. »

Marc lui tendit le récepteur

« Je vais te faire le numéro. Où dois-je appeler ?

— À la maison. Il est malade.

— Encore ! Malade et jaloux. Tu n'es pas très heureuse n'est-ce pas.

— Pas très. »

Ils couchaient ensemble depuis longtemps et n'avaient jamais abordé une question personnelle.

Clarisse dit à Stéphane qu'elle était retardée par un document urgent et qu'elle rentrerait le plus vite possible.

Marc lui fit traverser au pas de charge toute l'aile C du bâtiment qu'elle n'avait jamais longée. Puis il se précipita dans une série d'escaliers pour aboutir au plan incliné, destiné aux fauteuils des handicapés, qui conduisait à la salle du Conseil exécutif.

En un tounemain, le chef du Service des traductions l'installa dans une des cabines aux vitres fumées qui surplombait la salle, l'assit devant un micro, qui n'était pas branché vers la salle, et s'installa près d'elle.

« Comme tu es bilingue, mais que tu traduis surtout du russe en français, tu vas faire la même chose ici. Je vais te faire entendre l'enregistrement des dernières discussions du Conseil sur l'alphabétisation, fit Marc. Laisse-toi porter par le discours russe, mais ne prends surtout pas de retard. Tu peux sauter un mot ou deux. Je verrai comment tu le transposes en français. »

Clarisse n'eut pas trop de mal à interpréter la tirade du délégué soviétique qui ne contenait rien d'inattendu. Elle éprouva au contraire un certain plaisir à imaginer ses phrases coulant plus tard dans les oreilles des représentants des pays qui ne comprenaient pas les langues slaves, bien installés devant leurs pupitres circulaires, sous la charpente de la salle, truffée de spots lumineux qu'on allumait dès qu'un nuage passait.

« Ça va, dit Marc. Tu vas interpréter maintenant l'intervention du délégué français en russe. Juste un test. C'est ce que nous appelons un retour.

— Monsieur le Président », commença une voix masculine d'une grande préciosité. C'était l'adjoint de l'ambassadeur de France auprès de l'Unesco. Il se prenait très au sérieux. Clarisse débuta d'un bon pas, hésita, perdit le fil, rattrapa au vol une citation de Montaigne qu'on trouvait dans tous les manuels, enchaîna, s'arrêta.

« Ça va trop vite.

— C'est normal. Recommence.

— Tu es un tyran.

— C'est pourquoi nous avons le meilleur service du monde. Vas-y. »

Clarisse reprit, tint trois minutes de plus et s'effondra. Elle commençait à haïr la voix du délégué français.

« Il faut t'entraîner, dit Marc en entrant dans la cabine. De toute façon, vous êtes deux. L'autre interprète peut reprendre si tu te trompes ou si tu es fatiguée. Mais elles n'aiment pas beaucoup ça, les professionnelles.

— C'est plus difficile pour moi de passer du français au russe.

— Pourquoi ?

— Tu sais que Stéphane ne veut pas que je parle le russe à la maison.

— Ça continue ! Même avec les enfants !

— Oui. Il répète qu'il faut d'abord qu'ils sachent parfaitement le français.

— On ne sait jamais parfaitement une langue. C'est absurde. Et chacune fortifie l'autre. C'est mon point de vue en tout cas. Pour aller plus vite, je vais te raccompagner par les sous-sols. »

Ils descendirent et s'enfoncèrent par une porte habilement dissimulée vers les couloirs souterrains. Des flèches indiquaient les diverses ailes du bâtiment.

« C'est si compliqué qu'il a fallu peindre de couleurs différentes les segments des itinéraires pour que le personnel ne se perde pas en passant d'un lieu à l'autre. Fameux pour une organisation qui se doit d'encourager la compréhension internationale. Tu ne trouves pas ? »

Ils longèrent des tuyaux, des câbles, des bureaux, des sièges en morceaux.

« Un peu plus loin, ça devient moins moche. Il y a notre cinéma. Dommage qu'il n'y ait pas une chambre à côté. Je t'aurais bien dit deux mots. Trêve de plaisanteries. Tu seras prise en septembre et en octobre et on s'organisera pour te donner des horaires qui ne perturbent pas tes cours. Mais il faut que tu viennes pratiquer cet été puisque tu m'as dit que tu ne partais pas. En particulier t'habituer aux voix et aux accents. La plupart des délégués ne s'expriment pas dans leur langue maternelle. Un Indien du Sud est parfois incompréhensible, par exemple.

— Je sais.

— Comment le sais-tu ? Tu as été en Inde ?

— Je te le dirai plus tard. » Elle avait manqué se trahir. « Pour l'instant je voudrais savoir pourquoi tu me proposes ce job ? Beaucoup d'autres sont plus qualifiés que moi. »

Il lui indiqua la poche de sa veste où étaient enfermés le portefeuille et la photo.

« Ce n'est pas parce que tu lui ressembles, ma colombe, rassure-toi. Mais tu as la même voix qu'elle quand tu parles en simultanée. C'est ce que j'espérais depuis le début. J'ai besoin de ta réponse dans quarante-huit heures. À bientôt. » Il la laissa, avec un léger baiser dans le cou, au pied de l'escalier qui remontait vers l'entrée principale. Clarisse accepta le lendemain matin sans oser consulter Stéphane.

CHAPITRE 22

LE CAHIER INDIEN

Pondichéry, décembre 1951

J'avais fait des progrès en tamoul littéraire et religieux, je m'étais mise au sanscrit, je parlais aussi le dialecte avec nos servantes. Dans les débuts, quand j'avais essayé, elles craignaient que je ne les espionne au profit de Monica. Je m'en étais ouverte à Mike Barclay. Mon initiative lui avait plu. Il leur avait expliqué, sans m'en rien dire, que je lui servirais d'assistante quand les enfants seraient plus grandes et qu'il désirait que je comprenne le langage courant. Leurs bouches se délièrent d'autant plus vite qu'elles devinèrent rapidement qu'il y avait une rivalité entre leur patronne et moi et qu'elles ne couraient aucun risque de ma part.

Ma compréhension du dialecte me permit d'entendre les superbes contes qu'elles racontaient à Mike dans son enfance et de mieux me figurer son éducation. Qui m'eût parlé de lui si ce n'est elles? D'ailleurs elles protégeaient le secret de nos rencontres et la bonté de leur cœur, la dévotion de leur âme m'étaient un réconfort à Pondichéry. Un des seuls. Mon bonheur avait souvent le goût âcre des contraintes.

Depuis la mort de ma mère, j'étais habitée par un silence intérieur que n'avait pas vraiment dissipé mon séjour à Londres. À Pondichéry, les circonstances me forcèrent à être plus taciturne et plus prudente que jamais. J'avais maintenant quelque chose d'explosif à cacher. Je ne laissais jamais rien traîner derrière moi, ni notes, ni lettres, ni traces quelles qu'elles fussent. Quant aux vêtements indiens de notre première nuit, ils étaient rangés dans le cagibi aux palmes fermé à double tour. Il y avait toujours un collier de fleurs fraîches autour de mon icône, mais ce n'était pas nouveau. Sur ma table de nuit était placée depuis mon arrivée la photo de mes parents marchant dans une rue de Paris. J'avais posé à côté d'elle la statuette de Ganesh que Mike Barclay m'avait donnée après l'accident du bus et que j'aurais pu acheter dans n'importe quel bazar. Personne ne pouvait en deviner la provenance.

Avant Noël, un jour que je buvais le thé du matin avec Mme Barclay et le docteur, celui-ci déclara :

« J'ai scrupule, mon enfant, à vous utiliser avec autant d'égoïsme. Vous avez droit à des congés que vous ne prenez pas. Aimeriez-vous suivre des cours d'histoire des religions à l'Université de Madras ? Mon vieil ami Mahadevan qui dirige cet enseignement vous accueillerait volontiers. Je lui en ai déjà parlé. Évidemment il y a le trajet. Mais vous ne craignez pas de vous lever tôt et vous apprendrez beaucoup de choses. »

Je n'eus pas un instant d'hésitation.

« Ça me plairait énormément ! »

Ils m'observaient tous deux, timides et audacieux, portés par leur goût du savoir et leur bienveillance. Pensaient-ils, dans leur délicatesse ou leur inconscience, que je consacrerais toute la liberté qu'ils m'offraient à l'étude de la métaphysique indienne ? Peut-être. Ils voyaient les progrès qu'un tel enseignement me permettrait d'effectuer et laissaient le reste dans le flou et le respect d'autrui.

C'est ainsi que je pus, dès janvier 1952, rencontrer

Mike quelques heures par semaine dans la magie d'un véritable isolement. Il loua pour nous une chambre au sud de la ville, dans le quartier de l'Ayadar où se trouvaient les demeures des marchands de l'ancienne Compagnie des Indes britannique. Certaines étaient inoccupées depuis longtemps parce que les acheteurs voulaient des maisons plus « modernes ». Le lieu était approprié par sa discrétion et sa poésie. La maison dont nous n'occupions que deux pièces ne paraissait pas habitée et les environs étaient quasi vides. Aux bords d'une rivière mordorée se pressait une végétation touffue, faite pour la rêverie amoureuse.

Nous nous y retrouvions après mes cours du matin. Mike arrivait toujours le premier avec des provisions.

« Je suis fier de toi », disait-il en m'attirant vers lui dès que j'avais posé mes livres. Et il me prenait avec la même gravité, la même passion réfléchie que la première fois. Nous faisions la sieste après avoir déjeuné.

Le seul inconvénient de ces dispositions était la longueur des trajets. Pour me rendre à notre rendez-vous la distance était grande. Je me faufilais dans un bus, dans un taxi où je pouvais rêver à lui avant de le rejoindre. Jamais nous ne repartions ensemble. Le chauffeur de Mike venait m'attendre à l'angle de la rue pour me ramener à l'Université et m'y rechercher l'après-midi si besoin était. Il avait appartenu, lui aussi, aux services spéciaux. Il guettait tout, veillait à tout. Je croisais parfois son regard astucieux dans le rétroviseur et j'apprenais peu à peu les précautions à prendre pour ne pas tomber dans un piège ou faire face à l'inattendu.

Ces propos paraîtront un peu grandiloquents pour une histoire d'adultère. Outre le fait que les gens qui ont fait du renseignement en gardent à jamais des habitudes – et j'étais encadrée par deux professionnels –, je crois qu'ils n'avaient pas tort. La situation était particulièrement brûlante puisque Mike, Monica et moi-même habitions sous le même toit et que Mike ne voulait ni troubler les petites ni blesser Monica. À cela s'ajoutait la tension croissante des relations du Comptoir avec les autorités de Madras. Madras, la quatrième ville de l'Inde, était un des fleurons de l'Union indienne de Nehru. Elle ne portait pas dans son cœur les trafics, les fêtes et les alcools de Pondichéry. Un incident pouvait toujours se produire.

Tandis que je repartais vers l'Université, Mike se volatilisait en ville. Il réapparaissait pour le dîner, indifférent, à des années-lumière, et me servait à boire comme d'habitude. En dépit de toutes les toilettes et des parfums, je sentais encore sa présence en moi. Même si elle me heurtait parfois, cette comédie était indispensable.

Une matinée où j'avais rendez-vous avec lui et quittais l'Université à la hâte, j'aperçus Monica qui m'attendait en voiture sur Marina Drive. Je sursautai. Elle se méprit sur mon attitude :

« Rassure-toi, il n'est rien arrivé aux enfants. J'ai fini ma compétition plus tôt que prévu. Je t'invite à déjeuner dans le quartier Saint-Georges que tu ne connais sûrement pas, autour du fort anglais d'autrefois. Ça te changera les idées. Je ferai mes courses et je viendrai te reprendre. Nous retournerons ensemble à Pondichéry. »

Je ne pouvais prévenir Mike.

« Tu sais bien que Madras est la ville de mon enfance. » Dans sa voix n'apparaissaient ni soupçon ni menaces, plutôt une amitié revêche et autoritaire. « Tu portes des vêtements indiens maintenant ? »

Je tripotai ma tunique, mon écharpe.

« C'est pour mieux me fondre parmi les étudiants. Et puis je trouve ça assez joli, de temps en temps.

— Tu t'intéresses vraiment à ce fatras ? Je n'ai jamais pu me mettre à la pensée indienne. Elle est tellement confuse ! Comme le reste. » Elle ouvrit la portière de la voiture.

« Monte vite ! »

Elle conduisait à toute allure malgré les obstacles qui s'accumulaient vers le centre.

« J'essaie de la comprendre », dis-je fermement. Je me représentai, tout en répliquant, le trajet que j'aurais dû être en train de faire jusqu'à la maison de l'Ayadar où Mike m'attendait pendant que Monica me racontait son enfance. Elle conclut :

« Tu ne comprendras jamais. L'Inde n'est pas pour nous. J'ai hâte de quitter ce fichu pays malgré tous les souvenirs qui m'y attachent et que je voudrais oublier, eux aussi. »

Pour rentrer, elle prit la route qui longeait la côte.

« Tu n'as jamais été, finalement, à Mahabalipuram, par ma faute. Tu te souviens, le jour de notre arrivée à Madras, le soir, où j'ai dit qu'il était trop tard pour passer par là ?

— Je me souviens. » C'était si loin déjà.

« Je vais te le montrer, je te dois bien ça avec tout ce que tu fais pour les enfants. »

J'avais déjà visité le site avec le docteur Barclay et sa femme, une aube, pendant que Monica était à Londres. Je me gardai bien de le lui avouer.

Nous nous engageâmes dans un chemin de traverse.

« Allons jeter un coup d'œil à la sculpture géante que Mike aime tant. »

Nous nous appuyâmes à la barrière de fer qui protégeait le rocher.

« Regarde comme ce relief célèbre est hideux. Vingt-sept mètres d'horreur ! À gauche les ermites dans la forêt. Au milieu de la fissure, des monstres marins et le dieu qui fait pénitence. À droite, les grimaces des singes et la procession des éléphants. Même les experts n'arrivent pas à expliquer cette composition. Le plus réussi, à mon avis, ce sont les animaux.

— Le souverain Pallava qui a fait exécuter ce tableau de pierre au septième siècle était un grand navigateur et aussi, dit-on, un homme très pieux. Ses successeurs ont construit le temple à côté pour protéger le port où nous sommes et qui s'est ensablé.

— Comment le sais-tu ?

— Je l'ai lu. Ces gens-là étaient très puissants, ils commerçaient avec l'Indonésie et la Chine. La fréquence des cyclones a modifié le contour de la côte. Les Pallava ont décliné pour cette raison, ou pour une autre, inconnue.

— Tu es très savante. » Elle était pleine d'ironie. « Ça ne te mènera pas très loin. »

Nous cherchâmes de l'ombre chichement ménagée par les quelques arbres environnants.

« Naturellement les Indiens ont détruit toutes leurs forêts. Une bêtise de plus. Même si je ne comprends pas grand-chose à Kipling, il a vu ce pays, comme il est, biscornu et bourré de complications inutiles. Nous lui avions donné une unité. Ils nous ont renvoyés pour s'égorger librement. Les Français s'imaginent qu'ils ont réussi mieux que nous parce que Pondichéry élit deux députés et un sénateur à la Chambre à Paris depuis 1875. Ils seront chassés, eux aussi. Bientôt. » Son visage s'empourprait.

« Ça te rend triste, n'est-ce pas ? »

À mon étonnement, elle se tut et me prit la main, sans équivoque cette fois.

« Très. Nous aimons l'Inde, Mike et moi, autant l'un que l'autre. Malheureusement pas la même », fit-elle en se dirigeant avec moi vers la voiture où nous échangeâmes des propos sans importance jusqu'à Pondichéry.

*

La confiance de Monica ajoutait à mon désarroi.

Mike vint me retrouver le lendemain matin dans le cagibi aux palmes. Il s'était beaucoup inquiété et avait envoyé le chauffeur jusqu'à l'Université pour essayer de me retrouver. Je lui fis le récit de ce qui était arrivé et je lui exprimai mes remords.

« Je comprends ce que tu ressens. Mais tu n'as jamais été mariée et tu ignores que l'évolution d'un couple est imprévisible. Et puis, tu es mon complément, la femme que j'ai toujours attendue.

— Pourquoi m'as-tu fait venir ici ? Les petites savaient très bien le français.

— Leur mère n'était jamais là. Et je voulais qu'elles se perfectionnent au cas où... »

Il s'arrêta. Je repris :

« Au cas où ?... »

Il me fixait fatigué, triste, debout contre la fenêtre.

« Au cas où nous serions obligés de rentrer en Angleterre. Je ne veux pas te mentir, Clarisse, je mens bien assez comme ça.

— Mon Dieu, m'écriai-je, rentrer !

— C'est pourquoi je n'ai plus de scrupules à profiter du moindre moment où nous pouvons être ensemble. Nous vivons une forme de guerre. Dieu sait comment elle tournera. »

Nous décidâmes de continuer. Tous les arguments sont bons quand on aime. Nous nous plûmes à penser que c'était un simple hasard qui avait amené Monica à l'Université et qu'elle ne se doutait de rien. Je pris soin de déclarer à table que je prolongeais parfois mes cours en allant à la bibliothèque chercher les articles disparus du docteur Barclay. Nous déménageâmes. Mike loua pour nous une petite chambre derrière la statue de la reine Victoria, juste à côté du bâtiment où j'étudiais les sciences religieuses. Tout reprit comme avant. Nous nous enfonçâmes dans notre rêve avec d'autant plus d'entêtement qu'il avait été menacé.

Comment avons-nous pu échanger tant de force et d'ivresse au milieu de ces difficultés ? Nous dédoubler au point que nous n'avions pas le sentiment de mal faire ni même d'être gênés dans le développement de notre passion ? Nous étions tellement l'un à l'autre pendant cette heureuse période que nous attendions les moments où nous serions à nouveau ensemble sans avoir conscience de nous être réellement quittés. Nos occupations extérieures étaient comme portées sur cette mer intérieure dont ils étaient des fragments superficiels, les études sanscrites et tamoules, les soins aux enfants, même les soirées de Pondichéry où il fallait sortir tous les trois. Quant aux péripéties politiques, j'y prenais le moins garde possible et Mike évitait de m'en parler. Jamais, pourtant, le gouffre où allait disparaître le Comptoir français de Pondichéry n'avait été plus proche.

CHAPITRE 23

PARIS

Juillet 1967

Au début de l'été 1967, ses médecins interdirent à Stéphane de s'éloigner de Paris. En cachette, Victor Choukri emmena Clarisse consulter le professeur Germain et ses assistants. Elle les trouva intelligents, attentifs, rapides. Ces cirrhoses restaient inexpliquées. On n'avait pas plus d'armes contre elles que pour les autres. Il souffrirait ? Oui, il souffrirait. On lui donnerait autant de calmants que possible. Il en prenait déjà, comme elle le savait. Y avait-il des choses à éviter particulièrement ? Rien. Ne pas l'irriter. Si, autre chose. Pas d'alcool évidemment, pas de sel, de nourritures grasses, de charcuterie. Clarisse y avait certainement déjà pensé. Ils comprenaient très bien que le malade ne veuille pas mêler sa femme à ses difficultés médicales. C'était un homme de caractère. Un grand serviteur de l'État. Il manifestait un courage exemplaire. Clarisse eut l'impression d'entendre le début d'une notice nécrologique. Ils la tiendraient informée sur l'évolution de la maladie. Elle se leva, les dévisagea. Des pros, assurément. Ils la saluèrent en pensant déjà au cas suivant.

Une fois rentrée à la maison, Clarisse s'acharna à traduire les derniers textes présentés par les délégations pour la Conférence générale. La maison était vide. Plus personne ne venait visiter l'appartement. Elle le regrettait presque. La femme de ménage était en vacances. Stéphane était reparti au ministère malgré toutes les recommandations. Elle avait envoyé les enfants chez leur grand-mère, à Moulins. Celle-ci, à la retraite depuis longtemps, s'occuperait de préparer Marie à la classe suivante. Quant à François, il travaillerait son piano avec une élève de Mme Joly, trop âgée pour assurer la tâche mais qui veillerait à tout. Elle pouvait être tranquille.

Elle ne l'était pas. Plus que l'atroce disparition de Stéphane qui paraissait si simple, si logique, aux médecins qu'elle venait de consulter, c'était leur vie commune qui l'épouvantait. Ils n'avaient pas su s'aimer, au cours de dix longues années, même d'un amour d'estime et de compassion, et leur impuissance l'un vis-à-vis de l'autre se précisait chaque jour davantage.

Elle entendit la porte d'entrée s'ouvrir, un bruit nouveau frapper le parquet. Déjà Stéphane appelait :

« Clarisse, viens m'accueillir, pourquoi vis-tu enfermée dans ce bureau ? »

Elle s'avança. Il s'appuyait sur une canne et transpirait.

« J'ai mal aux jambes, lui avoua-t-il, en s'appuyant pour une fois sur son épaule.

— Veux-tu de l'eau fraîche, du thé ?

— Comme les vieilles dames à présent.

— Nous en prenons toujours avec François avant qu'il ne se mette au piano.

— Pourquoi pas ? »

Elle apporta le plateau, les biscuits. Ils burent sans mot dire.

« Cette maison se russifie de plus en plus. Il y a partout des textes en cyrillique et de nouveaux vocabulaires. Tu n'as plus de cours et tu ne sors que pour aller à l'Unesco. Ce n'était pas comme ça les années précédentes.

— Tu n'étais pas malade.

— Oui, mais il y a autre chose. »

Autant lui dire la vérité.

« On m'a proposé de faire de l'interprétation simultanée.

— Qui ?

— Le chef du Service des traductions.

— Tu as accepté ?

— J'ai dit que je t'en parlerais.

— Comment cela peut-il s'accorder avec ton enseignement ?

— Le Conseil exécutif commence dès la mi-août. Je suis libre jusqu'à la rentrée des classes. Après, j'irai à l'Unesco quand mon emploi du temps le permettra. Je ferai des séances de nuit s'il y en a.

— Ils tiennent tant à toi ?

— Il y a eu des défections à la dernière minute. »

Au lieu de se mettre en colère, Stéphane reprit :

« Je vois que tout est bouclé. Pourquoi fais-tu ça, Clarisse ? Pour me fuir ?

— C'est de l'argent, Stéphane, beaucoup d'argent, pour François, pour Marie, payé en dollars. Et puis c'est stimulant. Je suis fière d'être capable de le faire.

— J'ignorais que tu étais ambitieuse.

— Je ne suis pas ambitieuse. Même si cela te déplaît, j'éprouve un immense plaisir à parler des langues. Maman était déjà comme ça. Cela me rapproche d'elle, de la Russie, bien qu'elle soit soviétique.

— Mais cela t'éloigne de moi, m'inquiète, me torture. Qui vas-tu rencontrer dans ces assemblées ? Qui te plaira, te fera la cour ? Sous quelle forme ta nature enjôleuse engluera-t-elle les hommes dans ses filets ?

— À la cabine des interprètes je ne risque pas grand-chose. Les vitres sont fumées. On ne remarque que nos voix. Pendant les pauses du thé et du café, il paraît que nous faisons toujours bande à part.

— Il n'en reste pas moins que tu disparais au moment où j'ai le plus besoin de ta présence.

— Les enfants seront bientôt rentrés.

— Tu sais très bien que ça n'a rien à voir. Laisse-moi, maintenant. Je suis fatigué et j'ai un rapport à lire. Et ferme cette porte. Elle n'a aucun sens. » En désignant le bureau de Clarisse, il renversa du coude la tasse et la soucoupe qui allèrent rouler sous le piano.

Clarisse se mit à quatre pattes, les ramassa et remporta le plateau à la cuisine.

Où allaient-ils ? Pour combien de temps ? De la cour montait une chaleur pénétrante. Dès le premier incident elle perdait pied.

Elle n'avait pas les forces nécessaires pour se maintenir au niveau de la mystique. La Voie n'était pas pour elle, bien qu'elle sût que la Voie existât. Sa vie s'était composée de bouts et de morceaux qui s'étaient succédé sans lien véritable malgré leur apparente régularité. Elle recherchait la fixité des horaires et la discipline qui lui fabriquaient une identité qu'elle ne se connaissait qu'à travers eux. Seul son amour pour Mike avait unifié et rempli son être. Elle prit ses clefs et descendit dans la rue.

La jalousie de Stéphane s'étalait désormais au grand jour. Il ne lui posait plus de questions insidieuses sur l'organisation de ses journées, ses heures de retour, ses projets, en cherchant à la mettre en contradiction avec elle-même. Il ne lui faisait plus téléphoner par ses secrétaires pour vérifier si elle était bien là à l'heure annoncée. « Quel bon mari. Comme il se soucie d'elle ! » s'exclamaient autrefois ces jeunes femmes, jalouses à leur tour. Maintenant il eût voulu qu'elle restât complètement à la maison, occupée à des tâches qu'il connaissait et approuvait, de sorte qu'elle fût tout entière offerte à son contrôle, sans sentiments, sans humeurs, sans secrets. Sur place, dans la vacuité d'une âme cristalline. De sorte qu'à la limite, cette mince pellicule d'existence à laquelle il eût voulu la réduire, il puisse s'en emparer et la coller comme une deuxième peau sur la sienne à jamais, pour ne plus souffrir.

Elle monta le long de l'avenue de Friedland. Il y avait des bancs partout mais personne ne s'asseyait, à l'image de cette vie pleine de fractures et de contradictions. L'Arc de Triomphe dominait la place de l'Étoile sans faillir sous l'ardeur de l'été.

Comment aurait-elle pu imaginer, rue Berwick, à Moulins le 31 décembre 1957, quand elle avait accepté de l'épouser, que la passion qu'il lui portait irait à de telles extrémités ? Dès le début de leur vie conjugale, il s'était montré inquiet de tout, de son passé, de son présent, de la langue russe, de ses gestes, de ses songes. Elle le sentait, étonnée que le moindre incident dans la mécanique de leur existence prenne une telle importance, car il était bien trop intelligent, bien trop orgueilleux, pour lui faire part directement de ses tourments.

Au début elle acceptait ses remarques en riant de bon cœur. Elle voulait à tout prix qu'ils soient heureux ensemble. « Tu exagères, tu sais. » Elle lui passait les doigts dans les cheveux, il se rassérénait. « Tu crois ? — Bien sûr ! » Il n'y avait pas de quoi fouetter un chat, un livreur qui la regardait, le mari d'une collègue qui rapportait un livre qu'elle lui avait prêté, l'accoucheur, resté trop longtemps à son chevet. Stéphane redevenait le mari empressé, attentif qu'elle avait espéré. Ils faisaient des voyages qu'il préparait fort bien. Ils sortaient. Ils étaient gais, fêtés.

À nouveau son humeur chancelait pour un rien, devenait de plus en plus fluctuante avec une constante : où es-tu ? que fais-tu ? que penses-tu, Clarisse, dans ton for intérieur ? Elle était épuisée par ses redites, par son attachement qui devenait un carcan.

Le temps passant, elle s'enferma dans son bureau, accompagna autant qu'elle le put les enfants à l'extérieur, décida de s'inscrire à l'Institut Goethe. Il y eut Marc que Stéphane ne décela pas en dépit de sa méfiance. Le souvenir de Mike flamba de plus belle. Et le Cahier indien, entrepris depuis six mois, qui devait délivrer Clarisse de son aventure pondichérienne, accrut sa nostalgie au lieu de la mettre sur la Voie entrevue au musée Guimet.

Elle ne s'imaginait aucun avenir. Mike était inaccessible, Marc obsédé par l'amante perdue, Stéphane allait disparaître. Et elle, Clarisse, pleine d'espoir à vingt ans, ne pouvait que dresser le constat de son échec, assise sur un banc beige des Champs-Élysées.

Elle se leva mécaniquement. C'était l'heure des courses et du retour à la maison.

Quand elle ouvrit la porte, elle trouva Stéphane assis sur le fauteuil de l'entrée, près de la table où on mettait le courrier. Il sauta sur ses pieds malgré sa faiblesse. Ses bras s'abattirent sur les épaules de Clarisse.

« Je croyais que tu étais partie pour toujours. Je n'ai jamais cessé de craindre que tu nous laisses, moi et les enfants. Tu les aimes, pourtant, mais pas assez. Quant à moi... » Il l'enveloppait de toute part comme autrefois quand ils faisaient l'amour sous les porches, en sortant du ministère.

« J'ai simplement été chercher des provisions. La plupart des magasins sont fermés, dit-elle en essayant de se dégager.

— Jamais tu ne partiras. C'est moi qui m'en irai. »

Il jeta ses paquets sur le fauteuil, l'entraîna vers leur chambre, la poussa sur le lit et la retourna sur le ventre.

Il ne l'avait pas touchée depuis longtemps.

En cette fin d'après-midi les feuillages des platanes étaient gris de poussière et tout à fait immobiles place Guillaumin.

« Fermons la fenêtre, je t'en prie », bafouilla-t-elle. Pour toute réponse, il lui mit la main sur la bouche et continua, heureux qu'ils puissent être entendus. Depuis le début de leur mariage il était trop fort pour elle, il lui faisait mal, il lui arrachait des cris sans qu'elle puisse s'en empêcher. Elle avait peur de sa masse, de son emportement, de son exhibitionnisme. Mais elle était trop sensuelle pour n'y prendre aucun plaisir. Tout recommençait comme avant.

Pourtant, cette fois elle ne voulait pas. Comme un esclave, soudain, se révolte contre son maître, elle tenta de l'écarter. L'imminence de la mort n'était pas une excuse. Il ne la posséderait plus.

Mais il la retint et se mit à respirer plus vite. Bientôt ce serait la fin. Comme elle se dressait à nouveau sur son coude pour lui échapper, il eut un sursaut, suivi d'un long soupir. Son grand corps s'apaisa, sa tête s'enfonça dans l'oreiller comme celle d'un enfant. Il tomba endormi, les paupières lourdes, les lèvres entrouvertes. Les médecins avaient dit que son mal était sans espoir. Était-ce la dernière fois ?

Comme tout ce qui était vivant paraissait précieux, soudain ! Ces dix années conjugales avaient existé. Et malgré la stérilité affective qu'elles avaient provoquée chez Clarisse, elles gisaient là, sous ses yeux, autour de Stéphane endormi, tels un berceau et une tombe.

Un jour, il ne serait plus là. Pour lui faire l'amour, pour l'épier sans arrêt, pour vendre l'appartement malgré elle, pour lui glisser des regards sournois et des phrases assassines. Il ne serait pas là non plus pour la prendre dans ses bras, pour lui décrire le labyrinthe de l'Éducation nationale, pour s'inquiéter de sa santé, pour partager avec elle les progrès des enfants, pour aller rire chez Victor Choukri, pour dormir à ses côtés. Après leurs conflits ou leurs retrouvailles, se creusait le cheminement d'une séparation absolue. Elle avait plusieurs fois, pendant ces dix années, envisagé de le quitter, de partir en Inde, ou simplement de vivre avec les enfants sans lui.

Maintenant c'était lui qui partait pour un voyage sans retour. Elle eut une nausée. Un être humain plein de rêves, d'amour, d'ambition, gisait à côté d'elle dans l'abandon et la confiance du sommeil sur la couche conjugale qu'il avait achetée pour eux dix ans auparavant. Il allait disparaître à jamais. C'était inconcevable.

La carte de vœux de Mike lui revint à l'esprit. En Inde, on mourait en se fondant dans le Tout, en espérant se réincarner dans une existence meilleure. En Occident, cette conception était incompréhensible et ne servait à rien. Elle se leva et posa une couverture légère sur Stéphane endormi. Puis elle alla mettre la fenêtre à l'espagnolette. Il faisait un peu plus frais.

Elle regarda longtemps la place Paul-Guillaumin, la statue de Balzac, le jardin de la Fondation. Cela lui fit du bien. Leurs souffrances à tous, leurs luttes infernales, n'avaient pas de sens et pourtant, oui, elles étaient recueillies quelque part et transformées en bonté. Le Monde était présent autour d'eux comme un animal fidèle. Un jour, elle s'abîmerait en lui, elle serait à jamais enveloppée dans sa sainteté. On ne pouvait l'expliquer. On pouvait parfois le sentir. La mort ? La Voie passait par elle et poursuivait son chemin. Clarisse se recoucha contre Stéphane.

CHAPITRE 24

LE CAHIER INDIEN

Pondichéry, mars 1952

Monica ne revint pas me chercher à l'Université de Madras. J'en éprouvai du soulagement. Il valait mieux que nous allions notre chemin aussi loin que possible l'une de l'autre bien qu'habitant la même maison et partageant le même homme.

Malgré cette résolution d'apparence rationnelle, j'avais des moments de panique. Profitant d'un de mes cours à Madras, j'étais allée dans une agence de voyages et j'avais acheté un billet d'avion pour Ceylan. Un billet ouvert. Si l'on fouillait mes affaires – Mike m'avait enseigné que c'était un risque que je devais toujours avoir à l'esprit –, personne ne s'étonnerait que j'aie le projet d'une telle excursion. Très facile, au demeurant. Toute proche. De l'île, nouvellement indépendante, je pourrais aller au bout du monde. Cela me rassura un temps.

Le soir, un remue-ménage se faisait entendre dans le salon. On poussait des sièges, on apportait les boissons sur la table roulante. Il y avait des tintements de verres, des bruits de glaçons, des chuchotements. Vite, il fallait se préparer, être le plus attrayante possible pour retrouver Mike dans le rôle de gouvernante des enfants que j'assumais d'autant plus soigneusement qu'il s'agissait des siens.

« Voilà pour vous, me disait-il quand je descendais, émue, silencieuse.

— Vous avez fait un mélange sans alcool, comme d'habitude ? »

Monica, de bonne humeur, se moquait de nous, bien calée dans un fauteuil d'où ses épaules débordaient, heureuse de boire sa citronnade, le dos au piano dont elle avait oublié l'histoire.

« Les drogués ! » disait-elle. Hélas !

Je sentis la fièvre me prendre dans la bibliothèque du docteur Barclay un matin d'avril. J'avais des frissons, je tremblais devant les livres déployés sur la table, le front entre les mains. Les rayons remplis de volumes qui montaient la garde autour de moi et m'avaient toujours apporté du réconfort quand je m'angoissais devant l'avenir, vacillaient à l'envi. La porte du cagibi aux palmes s'enfonçait dans le mur.

« Qu'est-ce que j'ai ? qu'est-ce que j'ai ? » me dis-je sans comprendre.

Je vis à peine Mike arriver mais je sentis ses mains sur ma nuque, sur mes épaules.

« Tu as beaucoup trop chaud. Tu es malade. »

Il me lâcha, courut parler à son père, revint.

« Mes parents proposent de t'héberger.

— Je veux rentrer à la maison, près de mon icône. Près de toi aussi, si tu veux bien. Je ne me suis jamais sentie comme ça.

— Bien sûr, mon amour. » Il était effrayé et cela me fit plaisir.

« Il y a des crises ici, courtes et violentes. Je vais t'emmener. Peux-tu marcher jusqu'à l'entrée ?

— Il le faut. »

Mais quand je me levai, je perdis pied. Mike me porta jusqu'au seuil de la bibliothèque où nous attendaient Mme Barclay et le docteur qui l'avait rejointe.

La surprise les figeait. C'était la première fois qu'ils voyaient leur fils, dont ils étaient si fiers, transformé en amant inquiet, enlaçant le corps de sa maîtresse et le présentant à leurs yeux dans un appel au secours. Allaient-ils nous juger, nous, qui avions trahi leur confiance ? Un couple, enfoui dans le cagibi aux palmes, dans les chambres louées de Madras, un adultère qui s'était fortifié grâce à eux, qu'ils l'admettent ou pas, dont ils avaient toujours feint d'ignorer l'existence ? Mais aussi un homme et une femme qui se chérissaient, la fragilité du sexe, quand il est soudain exposé en plein jour, sans défense en face des autres, dans toute l'étendue de la passion. Oui, que pouvaient-ils penser ?

Mme Barclay sortit la première de sa stupeur.

« Je vais raccompagner Clarisse moi-même chez toi. Reste avec ton père. Vous nous rejoindrez plus tard. Et envoyez-nous tout de suite un médecin indien, le docteur Rao, par exemple. »

Dans le pousse, elle me dit :

« Ne vous inquiétez pas. Cela arrive ici, mon enfant, plutôt deux fois qu'une. »

Les cahots du chemin étaient une souffrance supplémentaire. Je me cramponnai à son bras.

« Surtout, Madame, je ne veux pas délirer. On raconte n'importe quoi quand on a la fièvre. Jurez-moi que vous l'empêcherez, jurez-le-moi, c'est dangereux pour Mike, pour vous, pour moi.

— Nous ferons ce qu'il faut. » Je me rappelle ces mots, les derniers que j'entendis, avant de sombrer dans l'inconscience.

Quand je fus à nouveau lucide, Mike me dit que son père et le docteur Rao m'avaient donné, dès le début, d'énergiques calmants. Ils les avaient associés avec des antibiotiques, encore rares à l'époque, qu'ils s'étaient procurés auprès des troupes françaises qui allaient en Indochine et faisaient escale à Pondichéry. Je n'avais jamais parlé. Plusieurs fois le docteur et Mme Barclay avaient voulu me reprendre chez eux. Monica s'y était opposée et, à la stupeur générale, avait veillé avec les autres sur mon rétablissement.

Je me remis à grand-peine en dépit des attentions des maîtres de maison, des cadeaux des petites, des soins des servantes. Quand je fus en état de me lever, je restai allongée près du piano ou dans la véranda, si la chaleur était supportable, mes livres à portée de main sans étudier. Le docteur Rao hochait la tête. Quelle était l'autre maladie qui minait ma santé ?

Un glas sonnait dans mes tempes, même si je n'avais plus d'effroyables migraines. « Nous avons été chassés du paradis, pensai-je, et nous méritions ce châtiment. » Je regrettais l'Europe. Je me sentais seule, sans courage et sans appétit. L'amour que me témoignait mon amant, au mépris de toute prudence, ne me consolait pas. On me donna de nouvelles poudres tirées de la médecine védique qui ne me firent rien.

Puis un matin tout bascula. Je me réveillai contente et retrouvai à ma fenêtre les couleurs de l'aube indienne que je ne remarquais plus. Je descendis jusqu'à la véranda et m'amusai des premiers oiseaux qui prenaient possession du jardin. Je ne m'opposai plus à ce qui nous arriverait. Dieu était en toutes choses. Ou le Brahman était un. Le dire d'une manière ou de l'autre n'avait pas d'importance. Je remontai sans faire de bruit dans ma chambre et me préparai avec soin avant de réveiller les enfants. J'étais guérie.

Monica revint déjeuner, ce qui n'arrivait jamais, les joues rouges et les cheveux encore mouillés par la douche du club.

« Je voulais voir comment tu allais. Je t'ai apporté un cadeau, dit-elle réjouie par sa propre idée. Regarde ! » Elle sortit une raquette neuve de son sac de sport. « Je l'ai fait préparer spécialement pour toi.

— C'est épatant. Je me remettrai au tennis dans quelques jours.

— De toute façon, ce n'est pas notre genre d'être malades, même dans ce fichu climat », déclara-t-elle en posant le sac par terre et en buvant à grandes rasades un citron pressé.

« Bois aussi. » Elle me tendit le liquide frais.

Pourquoi refuser les marques de sa sympathie ? Chercher un drame où elle n'en voyait aucun ? Je la remerciai chaleureusement de la raquette et de ses soins. Elle déjeuna avec nous satisfaite. C'était assurément ce qu'il fallait faire.

*

Les choses reprirent donc leur cours. Notre vie obéissait à un code public et caché, dans Pondichéry agitée par d'autres combats. Rarement vit-on existence aussi bien organisée dans l'irrégularité.

Les difficultés commencèrent avec la préparation des vacances.

Monica voulait passer plusieurs mois en Europe, comme chaque année. Mais elle souhaitait emmener ses filles sur les lieux européens de ses tournois et requérait ma présence. Le docteur Barclay, quant à lui, projetait d'aller à Londres revoir ses parents, dont la santé l'inquiétait, et mettre la dernière main à ses Mémoires avec mon aide. Mme Barclay et son fils se taisaient. J'étais prise entre deux feux. Je préférais de loin poursuivre mon travail avec le docteur Barclay.

Monica finit par céder. On trouva une jeune fille anglaise douée pour une multitude de sports, et on décida de lui confier Pénélope et Alexandra qui comptaient bien s'amuser et berner la nouvelle venue autant que faire se pourrait. Il fut convenu que j'accompagnerais le docteur et Mme Barclay dans leur voyage vers l'Angleterre où ils ne s'étaient pas rendus depuis trois ans.

Mike s'assit le matin suivant près de moi dans la première bibliothèque.

« Je te rejoindrai à Londres dès que possible. La situation ne cesse de se dégrader. La France ferme les yeux sur la contrebande dominée par Goubert, notre nouveau député, qui retournera sa veste au profit de l'Union indienne si elle lui permet de continuer les mêmes trafics. Je ne suis pas un notable tamoul. Je ne pèse plus grand-chose ici. Je veux aller voir ailleurs si j'ai des possibilités d'import-export. À Calcutta où j'ai beaucoup d'amis. Et aussi à Bangalore. » Il ne m'avait encore jamais parlé de la situation politique du Comptoir.

« Nous quitterions Pondichéry ! »

Pourquoi ai-je crié « nous » ce jour-là, sans penser un instant qu'un tel départ puisse nous séparer ? La chaleur était encore supportable, mes forces étaient revenues. Je m'imaginais liée à Mike et à sa famille pour toujours, Depuis ma maladie j'avais finalement accepté mon destin. Vivre à part, progresser, aimer. Mon amant me donnait à tout moment des preuves de son attachement dans le cagibi aux palmes. Rien ne semblait pouvoir interrompre cet élan.

Je ne me suis jamais moquée, par la suite, de mes illusions. Je les ai chéries, au contraire. Ces pensées que la réalité vient à contredire sont des bienfaits qu'enfantent les cœurs purs. J'entrais alors dans cette catégorie, malgré les apparences. Elles me permirent de suivre en paix le chemin que j'avais pris et d'être heureuse presque jusqu'au bout.

La saison s'avançait, bientôt il ne me fut plus possible d'aller à l'Université. Mais je voyais Mike tous les jours et malgré la lourdeur du climat qui m'affectait plus que l'été précédent je m'efforçai de compléter l'éducation de ses filles. Comme nous ne pouvions guère bouger, nous nous étions mises à la couture tout en parlant français comme d'habitude. C'est ainsi que les mots ourlet, surjet, feston, point de croix, point de tige, point de gerbe, et l'ineffable trou-trou entrèrent dans le vocabulaire de mes élèves à qui je faisais broder du joli linge pour notre voyage en Europe.

« Je n'aurai jamais fini, regarde, c'est affreux ! disait

Pénélope en me tendant un corsage où une frise au point de croix tanguait dangereusement.

— Attends. En défaisant quelques fils nous allons l'arranger. »

Elle supportait moins bien la chaleur que sa sœur. Je remarquai, à cette occasion, combien la résistance physique est liée à un idéal. Alexandra, plus vulnérable pourtant, terminait sans peine une ribambelle de roses qui montait jusqu'aux bretelles de la chemise de nuit qu'elle s'était confectionnée. Elle avait souffert de son anorexie, de sa maigreur, de son refus du système indien. Grâce à la Mère de l'ashram elle avait appris à infléchir ses craintes, son inappétence. Elle s'était fortifiée et je l'admirais tandis qu'elle brodait ses fleurs, penchée, le visage et les doigts d'une beauté diaphane et sans âge.

Il y avait encore quelques soirées malgré les départs pour la montagne ou pour la France. Mike arrivait de plus en plus tard, l'air fatigué. Il montait à la hâte se changer et redescendait nous verser, à Monica et à moi, nos boissons favorites. Nous repartions tous les trois. Apparemment tout se passait comme d'habitude. Plus que jamais, pourtant, il épiait, interrogeait, enregistrait. Je pensais par-devers moi qu'il cherchait partout des manières de nous sortir de la crise sans rien laisser filtrer dans son regard bleu, que je connaissais en d'autres lieux plein de bonheur et de rêves. On enviait Monica d'avoir un mari aussi séduisant et on trouvait que Pondichéry me réussissait sans savoir à quoi l'attribuer. Mes fonctions auprès du docteur Barclay m'avaient donné un petit prestige mais le savoir n'était rien aux yeux de la plupart de nos hôtes, surtout enivrés par l'appât du gain et la peur de tout perdre un jour prochain.

CHAPITRE 25

PARIS

Juillet-août 1967

Clarisse ne céda pas à Stéphane et continua tout l'été de s'entraîner à l'interprétation simultanée. Chaque fois qu'elle partait pour l'Unesco, il lui demandait :

« À quelle heure rentreras-tu ? »

Chaque fois elle répondait d'une voix neutre :

« Pour le dîner.

— C'est bien long », soupirait-il.

Elle se taisait. Cette phrase était un piège. Si elle lui avait donné des indications sur son emploi du temps, il en aurait tiré des questions à l'infini pour la tourmenter. Elle regrettait le temps où le ministère l'absorbait tout entier. Maintenant, la plus grande partie de son être se concentrait sur elle.

Dès l'escalier, en dépit de ses remords, elle éprouvait un soulagement. Elle sentait à nouveau son sang circuler dans ses veines, son esprit brasser des projets. Elle marchait à toutes jambes, au bord de la fuite.

Elle entra à l'Unesco, salua le gardien qu'elle connaissait, s'engouffra dans l'escalier qui menait au sous-sol. Elle circulait désormais à son aise sous les trois branches de la citadelle culturelle, entre les murs badigeonnés de différentes couleurs. Elle sortit des souterrains près de la salle du Conseil exécutif et retrouva Marc dans une pièce contiguë, très confortable où l'on servait aux délégués du thé, du café, des croissants trop gras à la pause. En dehors de ces recréations diplomatiques bisannuelles, il n'y avait personne, hormis un représentant africain qui venait parfois s'y assoupir.

Marc était de bonne humeur.

« Tout s'arrange. Une de mes interprètes disparues est revenue. Avec toi le nombre y est. Vous ferez équipe. Elle est très expérimentée, bienveillante et a une forte personnalité. Je vais descendre et t'emmener dans une cabine muette écouter diverses interventions de langue française sur la politique culturelle de l'Organisation. Tu les traduiras en russe. Et, ensuite – c'est la nouveauté –, nous intervertirons nos rôles et je les interpréterai à mon tour. Tu verras ce qu'il faut faire, même si je ne suis pas le meilleur des interprètes de la maison. »

Clarisse s'assit dans la cabine consacrée au russe et mit ses écouteurs. À peine était-elle installée qu'une violente diatribe du délégué du Togo se déversa dans ses oreilles. L'Africain réclamait la restitution à son pays des objets d'art qui lui avaient été arrachés par le colonialisme français. Elle eut à peine le temps de comprendre de quoi il s'agissait. Il parlait vite et Clarisse bafouilla à sa suite une mise en demeure courroucée. Elle continua sur le même ton. D'autres États membres s'étaient mis de la partie et exigèrent le retour immédiat de leur patrimoine. Le représentant de la Grèce réclama la frise du Parthénon que les Anglais avaient emportée au British Museum. Le débat devint de plus en plus âpre. Les poings serrés, Clarisse prononça des bribes de phrases en russe, aussi frénétiques que celles qu'elle entendait sortir de la bouche des orateurs. Jusqu'où fallait-il aller dans l'expression de leur colère, de leur frustration ? Soudain il se fit un grand calme. Elle comprit que le

Directeur Général avait demandé la parole. Marc arrêta l'enregistrement.

« J'ai été catastrophique. Je n'en peux plus.

— Non, ce n'est pas trop mal. J'avais pris exprès une séance houleuse pour voir comment tu t'en tirerais. Et de plus, je te fais aller du français au russe, ce qui est un peu plus difficile pour toi. Tu n'as pas perdu le fil. N'hésite pas à sauter ce qui n'est pas important. La plupart du temps personne ne s'en aperçoit. Sauf s'il s'agit d'un débat entre Israël et les pays arabes où chaque mot est un poignard. À mon tour. »

La voix du délégué togolais jaillit à nouveau en français dans les écouteurs de Marc. Quelques secondes plus tard elle entendait ce dernier dans ses propres écouteurs en train d'interpréter son discours en russe. Sa voix s'élevait, bien timbrée, ferme, rythmée. Jamais l'on n'eût cru qu'il parlait en même temps que l'autre. Grâce à lui, le délégué du Togo s'exprima dans un russe parfait animé par la sainte colère de l'injustice. Et les discours des autres pays spoliés, qui avaient paru chaotiques et maladroits, prirent un tour habile en dépit de leur emportement. Quant à l'intervention du Directeur Général, précédée d'un silence que Marc prolongea, elle fut formulée par le chef du Service de l'interprétation comme l'arrivée d'un bateau suisse sur un lac calme. Du grand art.

« Voilà, ma colombe », fit Marc, se retournant à demi sur son siège dans la cabine. Clarisse le félicita. Il haussa les épaules.

« C'est un jeu comme les autres. Il faut connaître les règles et puis s'en amuser.

— Tu crois à ce que tu dis ?

— J'essaie d'être tous les pays à la fois. C'est l'intérêt de ce travail d'écouter même les plus petits et de les faire parler aussi bien que les grands. » Puis, changeant de ton :

« As-tu encore un peu de temps ? Je te veux, toi et ta voix.

— Ce n'est pas raisonnable.

— Tu as toujours ces mots à la bouche. Avec ta chute de reins et tes lèvres sensuelles on ne peut pas te croire, Clarisse, moi pas, en tout cas. » Il lui tendit les clefs. « File rue de Heredia. Par la sortie de derrière. Je fais un saut à mon bureau et je te rejoins. D'ailleurs tu en as aussi envie que moi. »

En entrant dans l'appartement de Marc, elle se dit qu'il avait raison. Dès leur première rencontre il lui avait plu. Et de l'entendre interpréter la pensée des autres avec tant de talent lui donnait envie de le connaître davantage. Quand il arriva, ils se montrèrent moins professionnels dans leur étreinte, ils restèrent allongés longtemps, ce qui ne leur était jamais arrivé.

« Il faut que je m'en aille, dit Clarisse en repoussant les draps. Ce sera bientôt l'heure du dîner. Heureusement qu'il y a un épicier qui ferme tard au coin de la rue. » Elle se leva pour s'habiller.

« Ton mari est toujours malade ?

— Oui.

— C'est grave ?

— Je le crains.

— Tu n'as pas de remords vis-à-vis de lui ? »

Elle hocha la tête. « Si. Je ne mérite pas l'amour qu'il me porte parce que je ne peux pas le lui rendre. En fait, c'était un mariage de raison, dû à la solitude et à l'admiration. Je me reproche surtout de n'avoir pas eu le courage de rester seule, de n'avoir pas attendu autre chose...

— Que tu avais connu autrefois, Clarisse, et que tu n'as jamais remplacé, avoue-le. » La perspicacité de Marc n'était jamais en défaut. Elle détourna sa réponse.

« Je voulais des enfants. J'ai eu l'immense chance d'en avoir. Mais le rapport fondamental, celui qui nourrit notre vie, c'est entre un homme et une femme qui s'aiment, et nous n'y sommes pas parvenus.

— Je suis content que tu veuilles bien te confier un peu à moi. Tu ne l'as pas fait jusqu'ici. »

Il se leva, enfila un peignoir sans ceinture. Il avait le corps mince des hommes qui n'ont pas la quarantaine et que le mariage n'a pas épaissi. C'était un vrai plaisir de le regarder tout entier, des cheveux drus à la plante des pieds bien enfoncés dans le sol, en passant par le ventre plat et le sexe, sagement retombé, à présent, entre les poils du pubis. Il arborait de nouveau ce sourire irrésistible qui masquait ses angoisses, son passé juif, et qui avait favorisé sa promotion dans un des postes les plus délicats de l'Organisation.

« Ma colombe, j'ai un secret à te confier. » Il l'attira contre sa peau chaude, plus mate que son visage.

« Plus tard, beaucoup plus tard, quand tu seras libre, je t'emmènerai à New York. Nous y serons interprètes tous les deux, tu rencontreras ma famille et je ferai de toi une épouse juive, ma petite goy. »

Clarisse considéra, éberluée, celui qui s'offrait à elle dans l'éclat de sa jeunesse et de son enthousiasme. Son âge lui pesa ou plutôt tout ce que le mot d'âge recouvre, ces expériences tristes, ces ajustements de fourmi que les circonstances exigeaient des humains lorsque la grâce de Dieu les avait, pour une raison ou pour une autre, abandonnés.

« Tu ne sais pas de quoi tu parles, Marc. Le mariage est redoutable. Et les enfants nés du mariage souffrent souvent autant que ceux qui sont nés hors du mariage. Je ne recommencerai jamais.

— J'aime que tu montes sur tes ergots, ma colombe. Que caches-tu donc sans cesse, avec tant d'obstination ? Tu ne te connais pas toi-même. Nous verrons bien. Pas maintenant. » Il ouvrit la porte et l'embrassa une dernière fois sur le palier. Elle l'entendit la refermer quand elle fut au bas de l'escalier.

Dans la rue flottait une atmosphère de ville allégée par les départs en vacances, un phénomène qui rendait joyeux les rares passants.

Quand Stéphane serait mort ?

Marc y avait fait allusion, comme s'il s'agissait d'un événement anodin. Alors que c'était une épreuve atroce, le passage sur des braises incandescentes, vers l'autre rive.

*

Elle rafla chez l'épicier des produits exotiques pour compléter le repas de régime qu'elle avait fait préparer et prit un taxi pour se rendre plus vite auprès du malade qui devait spéculer sur son retard.

Il était allongé sur le canapé et lisait un rapport du Centre national de documentation pédagogique dont elle reconnut sans peine la couverture. Il ne semblait pas fâché mais abattu.

« Tu arrives bien tard.

— C'est vrai. Pour que je puisse m'entraîner il faut que des cabines d'interprétation se libèrent, ce n'est pas toujours le cas. »

C'était faux. Il y avait suffisamment de salles équipées dans le bâtiment et elles n'étaient jamais toutes occupées, sauf pour la Conférence générale, une fois tous les deux ans.

« Je suis épuisé, Clarisse. Le repos me fait plus de mal que le travail. »

Elle posa ses emplettes à la cuisine et vint s'agenouiller près de lui. Dès qu'il ne se mettait pas en colère, il l'émouvait au plus profond.

« Veux-tu que nous essayions de partir quelques jours à la campagne, en demandant l'autorisation au médecin ? Nous sommes restés ici tout l'été.

— Ça te ferait plaisir ? Tu pourrais te libérer ? » Il revivait.

« Certainement. J'aimerais faire un voyage comme

ceux d'autrefois, quand nous nous consacrions à un thème. Je conduirai. Tu me feras de savants commentaires. Nous irons tout doucement et nous nous coucherons un peu plus tôt que par le passé.

— Tu en as bon souvenir ?

— Excellent. Et je reprendrai des photos. Je n'en ai pas fait depuis si longtemps.

— Je vais réfléchir à une région que nous pourrions visiter sans nous fatiguer.

— Que lisais-tu ? demanda-t-elle en mettant la table.

— Un rapport du CNDP sur les difficultés des élèves de sixième. C'est là, en réalité, que la sélection sociale se fait. Certains spécialistes vont jusqu'à soutenir que le succès ou l'échec futurs commencent au cours préparatoire. Je déteste cette idée. Elle est excessive. Je ne crois pas à la prédestination. Quiconque a eu des élèves sait bien qu'ils progressent par paliers et que certaines améliorations sont imprévisibles.

« La vérité, c'est que dans les milieux modestes, surtout, on ne parle pas, on parle peu, on parle mal. Or tout repose sur le langage, comme l'expérience de Fouache que je t'ai racontée au bois de Boulogne le montre clairement. En cela, Clarisse, tu as raison. Mais je ne me place pas au niveau élevé où tu opères. J'essaie d'imaginer les conditions idéales d'accès de chaque enfant à la possession de la langue de son pays, parce que l'accès au langage c'est l'accès à l'égalité. Je n'ai pas perdu l'espoir de faire passer ma réforme, comme tu le vois ! je prendrai mon nouveau poste plus tard.

— Ce serait formidable !

— Encore faut-il qu'on ne me mette pas à la porte. L'administration est une jungle comme une autre. Les plus forts dévorent les plus faibles. J'arriverai bien à négocier six mois de plus si ma santé me le permet. »

En se levant pour aller dîner il grimaça, et retomba lourdement sur le divan.

« Je ne peux pas marcher, j'ai trop mal aux jambes.

— Allonge-toi à nouveau ; je vais essayer de te masser. »

Il fronça les sourcils.

« Où as-tu appris ?

— Je n'ai pas appris. C'est d'instinct. Je le pratique sur moi, sur les enfants quand ils sont fatigués. Laisse-moi essayer de te soulager.

— Si tu veux. »

Il se déshabilla et se laissa aller.

Elle posa les mains sur les membres meurtris, ferma les yeux. Elle sentait au bout de ses doigts les muscles raidis, les faisceaux nerveux, les points douloureux. Tout répondait mal.

« Je ne suis pas sûre que je t'aide beaucoup.

— Si, si, continue, je t'en prie.

— Il faut te retourner, maintenant. »

Quand il fut sur le ventre, elle reprit un massage très léger, qui ne servait à rien. Au moment où elle allait s'arrêter, elle aperçut, le cœur battant, deux grosses taches de sang coagulé sur le dos de Stéphane. Deux yeux immondes qui la narguaient, et tournaient en dérision ses efforts.

Elle laissa retomber ses mains. « J'ai fini. C'est sûrement la chaleur. Ne bouge pas. Je vais t'apporter un plateau et dîner près de toi. »

La maladie gagnait du terrain chaque jour et Clarisse ne pouvait rien faire. Ils ne partiraient pas en voyage.

Stéphane, heureusement, n'avait pas vu les taches.

CHAPITRE 26

LE CAHIER INDIEN

Londres, août 1952

Monica s'en fut seule avec les enfants. Sa nouvelle gouvernante l'attendait à Londres. Mike s'enfonça dans le Bengale à la recherche de marchés. Je m'occupai d'aider le docteur Barclay et sa femme à préparer leurs bagages. Mme Barclay, de son plein gré, n'eût emporté qu'un sari et une paire de sandales. Le docteur Barclay voulait transporter une partie de la bibliothèque dans des malles. Ces minuscules désaccords se réglèrent dans des rires.

Le voyage de Madras à Bombay et de Bombay à Londres fut long et fatigant. Nous passâmes une nuit à Bombay dans un ashram plutôt sale, dirigé par un sage que le docteur Barclay considéra comme un charlatan. Je fus soulagée d'arriver enfin, avec ces gens qui ne se plaignaient jamais, dans le quartier de Cadogan Place où les parents du docteur Barclay possédaient leur maison.

Le docteur Luc Barclay n'avait pas toujours habité dans des lieux aussi chic. Introducteur de la psychanalyse en Angleterre avec l'aide des disciples du grand Ferenczi dont il avait épousé la nièce, il avait gravement manqué de patients jusqu'à la Première Guerre mondiale. Puis le mouvement s'était imposé. La famille Barclay avait déménagé quatre fois, pour épouser la courbe ascendante de la carrière du docteur. Avec le grand âge et le malheur des temps qui avaient suivi la Deuxième Guerre mondiale, le grand-père de Mike était devenu célèbre.

« Je suis bien moins ingénieux qu'autrefois en matière d'inconscient mais je rassure plus, avait-il confié à Clarisse dès leur premier dîner. Dans le fond, les gens ne cherchent pas à comprendre l'origine de leurs troubles. Ils détestent ça, mais ils n'aiment pas être gênés aux entournures par les contraintes qu'ils s'imposent. J'élargis un peu les entournures mais je ne leur avoue pas comment nous avons procédé. On me remercie de n'être pas encombrant. » Elle avait été séduite par son humour et sa simplicité.

La maison avait trois étages. Au premier se trouvaient le salon, la salle à manger, et, de l'autre côté du palier, le cabinet médical et la pièce où le docteur avait fait installer le divan traditionnel et un bon fauteuil à oreillettes. « Je ne veux pas laisser mon esprit s'envoler par la fenêtre, surtout quand il fait beau », avouait-il. Au second étage il y avait les appartements privés. Au troisième, par un escalier encore plus raide, on arrivait aux chambres d'amis. On m'en attribua une et je compris que Mike et Monica disposeraient de l'autre.

Les confidences du docteur Barclay père venaient par bribes au cours du déjeuner. Le dessert à peine desservi, la sonnette retentissait. Le vieux monsieur considérait sa tasse de café à demi pleine.

« Le patient de deux heures qui arrive toujours à deux heures moins dix semble faire partie de notre vie comme le déroulement des saisons ou les cérémonies du dimanche. » Sa femme, la nièce de Ferenczi, l'encourageait du regard et son chien, dans l'entrée, jappait pour accueillir le nouveau venu auquel la secrétaire ouvrait la porte.

« Nous avons toujours pris des chiens très affectueux. Celui-ci, ce Jack Russell terrier blanc avec sa tache feu sur l'œil droit, est tellement affectueux avec mes clients qu'il fait la moitié de mon travail. Quand je suis trop fatigué à la fin des séances, je le mets sur le fauteuil, je m'étends sur le divan et je lui dis : "Maintenant c'est toi qui écoutes et c'est moi qui parle." Nous nous endormons ensemble un petit moment.

— Quand t'arrêteras-tu ? demanda l'autre docteur Barclay.

— Quand je serai mort ou sourd. » Il finit sa tasse, se leva et nous laissa ainsi que les deux dames.

« Travaillez bien, tous les deux. » Il regardait nos caisses à demi déballées qu'on avait placées dans la salle à manger pour que nous disposions d'une grande table.

« Dire que j'ai un fils qui écrit ses Mémoires !

— Pourquoi pas vous ? aventurai-je.

— La psychanalyse est un art du silence et de la parole à deux. Elle n'est pas racontable. C'est pourquoi le récit d'une analyse traîne toujours avec lui une écharpe d'ennui. Tandis que les aventures d'un médecin occidental en Inde sont déjà un best-seller ! » Sa bonne humeur était un agrément de plus dont il ne semblait pas s'apercevoir.

« Les dix minutes d'avance sont passées. C'est moi qui vais être en retard. » Son chien l'attendait à la porte et se mit sur le dos pour une dernière caresse. Ils disparurent tous les deux.

« Sur quel événement voulez-vous conclure vos Mémoires ? demandai-je au docteur Barclay fils.

— C'est une question que je me pose depuis longtemps. Raconter une enfance est facile. Décider du moment où la plume se lèvera de la page l'est beaucoup moins. Suivre la chronologie n'a pas de sens dans la pensée indienne ni dans ma vie. Je pourrais à l'évidence terminer sur la cession de Pondichéry à l'Union indienne qui est à la veille de se faire. »

Je tressaillis. Il mit sa main sur mon épaule.

« Je sais que cela vous fend le cœur, Clarisse. C'est ainsi pourtant. La France abandonnera le Comptoir. Quoi qu'il advienne, à moins qu'on ne nous chasse, ma femme et moi, ou qu'on supprime la bibliothèque, nous resterons là-bas. Pondichéry a subi des épreuves diverses, celle-ci ne sera pas la pire. Un épisode de plus dans une longue histoire. Ce qui demeure, en revanche, c'est l'immensité de la culture tamoule, de ses textes religieux, de ses poèmes dont nous sommes encore capables de transmettre le message. En particulier le plus profond de tous, vous le savez bien, celui de la Bhakti, de la dévotion. Je voudrais finir mon livre sur une légende. Celle du brahmine borgne qui offre à Shiva, arrivé pauvrement vêtu et aveugle dans le temple qu'il dessert, et qui se plaint de ne pouvoir admirer le linguam, son autre œil. Le Dieu s'enrobe alors de lumière et le pieux brahmane retrouve une vue parfaite. Nous ne savons pas où nos épreuves nous mènent. Seul un surcroît d'amour peut nous sauver. Je voudrais donner aux autres ce qui me reste de capacités. Avec l'aide de ma femme. De vous, peut-être. Un de nos plus chers désirs est de vous avoir là-bas, à l'Institut que je projette de fonder. Vous serez toujours chez vous à Pondichéry. Cela vous plairait-il ? » Il pensait à mes relations avec son fils et n'osait pas m'en parler. Moi non plus.

*

Mike était arrivé la veille. Monica disputait une série de tournois en Suisse et semblait s'y plaire. Nous étions donc libres, lui et moi, de cette effrayante liberté où se trouvent des amants auxquels ne s'oppose plus aucun obstacle.

Nous habitions ensemble le troisième étage mansardé, plus épris que jamais. Le matin, j'allais travailler avec le docteur Barclay dans la salle à manger. Nous discutions ferme. Mes après-midi m'appartenaient. Nous courions, Mike et moi, les parcs et les jardins de la capitale, la main dans la main. Personne ne nous connaissait. Nous étions fous de joie. Nous rentrions pour le thé. Je retournais aider le docteur Barclay jusqu'au dîner.

Nous pûmes aussi dormir plusieurs nuits ensemble, ce qui était aussi précieux que rare. L'une de ces nuits, je me réveillai. Des gouttes frappaient le toit de coups légers et distincts. Ils furent suivis des roulements de la pluie océane qui balaie souvent les îles Britanniques et leur donne leur sauvagerie et leur grandeur. Le rebondissement de ces cascades d'eau au-dessus de nos têtes renforçait l'idée que je me faisais d'un amour éternel. Je me serrai contre mon compagnon. Mike et moi, nous étions ensemble plus forts que tout. Je me rendormis sous la protection du vent et de la tempête.

Mike repartit pour Calcutta au début du mois d'août, malgré la mousson. Il voulait s'assurer de la solidité des nouvelles affaires qu'il avait négociées en juillet. Il revint la mine sombre.

« La France a ratifié la cession de Chandernagor, annonça-t-il à dîner.

— Chandernagor n'a jamais ressemblé aux autres comptoirs. C'est à quinze cents kilomètres de chez nous et le processus est en cours depuis longtemps, observa sa mère, toujours optimiste.

— Il n'empêche. C'est un pas de plus vers l'abandon du reste.

— Je continue à penser que la France ne peut pas renoncer à un territoire sans un référendum, remarqua le docteur Barclay.

— C'est exact. Mais les Indiens n'y tiennent pas dans le cas de Pondichéry parce qu'ils seraient tenus d'organiser une consultation du même genre avec la Chine sur le cas litigieux du Cachemire et qu'ils risqueraient de le perdre. Jusqu'à maintenant, nous résistons pour Mahé, Yanaon, Karikal et naturellement Pondichéry. Mais je suis persuadé que si nous continuons à nous enrichir illicitement, l'Union indienne annexera l'ensemble sans autre forme de procès. À condition que nos amis tamouls aient les mêmes privilèges que par le passé, ce qui est probable. Rappelle-toi, Maman, ce sont des "tirtou payen", des malins, des débrouillards, conclut-il tristement. La République française les a formés. J'ai fait mes études avec eux. Cela me peine d'autant plus. »

Monica téléphona à la fin du déjeuner qu'elle arriverait le surlendemain de Francfort avec les enfants. Bien avant la date prévue. Nous nous regardâmes, désolés. Il nous restait une journée et une nuit.

« Je te propose d'aller au British Museum revoir les salles indiennes, me dit-il après le café. Tu m'as raconté que tu les avais traversées autrefois sans leur trouver d'intérêt. Cela sera certainement différent maintenant. »

Nous partîmes après avoir rangé nos chambres respectives, pris soin de refermer les armoires, les tiroirs, les portes. Un ordre trop strict pour être vrai. Le danger n'était pas immédiat. Mais son idée nous affectait déjà.

« On se croirait à Pondichéry.

— Je suis désespéré de t'imposer cette vie. »

Le vieux musée était presque vide. Nous parcourûmes les salles où je reconnus au passage les statues chola que j'affectionnais.

« Dire que je n'ai jamais pu t'emmener dans le Nord, te faire visiter l'Inde mogole, le Népal, le Laddack... J'aurais aussi voulu te montrer le stupa de Sanchi qui est intact, lui, tandis que nous allons admirer les débris de celui d'Amaravati dont les archéologues anglais se sont emparés pour les exposer ici.

— Mike, n'aie pas de regrets. Je ne pouvais pas

assimiler plus de choses en si peu de temps. Rends-toi compte, la langue tamoule à Pondichéry, la religion à Madurai, la philosophie à Madras.

— C'est que je veux tout partager avec toi, Clarisse. Tu es ma deuxième âme. Je souffre comme un damné quand tu n'es pas là.

— Donne-moi d'autres nouvelles de ton voyage. J'ai deviné qu'il s'était mal passé. »

Nous nous assîmes sur les sièges destinés aux gardiens qui avaient disparu comme les visiteurs.

« Je n'ai pas tout dit devant mes parents pour ne pas les inquiéter. J'ai réussi à me procurer les chiffres fournis par l'ambassade de l'Inde à Paris pour étayer ses plaintes auprès du gouvernement français. Cette année il est rentré à Pondichéry vingt-cinq fois plus d'or que l'année dernière et quatre fois plus de diamants et de pierres. Les droits de douane sont faibles, tu le sais. Les bénéfices que procurent ces joyaux à ceux qui les vendent dans le sous-continent sont effarants. Je vais m'abstenir de ces trafics qui vont tourner mal, car le volume des transactions est devenu inacceptable pour le gouvernement indien. Des monceaux de roupies filent de Pondichéry vers tout l'est de l'Asie pour acheter ces marchandises précieuses en dépréciant la monnaie nationale. Il existe bien sur le papier une Union douanière, mais la France refuse de la remettre en vigueur. Nehru est lassé, même s'il a une réelle sympathie pour ton pays qui a combattu les Anglais et abrité des réfugiés politiques comme Sri Aurobindo. J'ai rendu visite aux Affaires étrangères françaises à Paris. Ils sont plongés dans la crise de Bizerte et la guerre d'Indochine, et croient pouvoir gagner du temps et maintenir le statu quo. Les Indiens savent très bien que le Comptoir dépend entièrement d'eux pour l'eau, pour l'électricité et que rien n'est plus facile que d'interdire les routes menant en zone française. Personne n'ignore non plus que le courrier et tous les virements bancaires transitent par Madras. Autrefois on n'en parlait pas. Maintenant les représailles possibles sont dans toutes les bouches.

« À Calcutta, mes meilleurs amis veulent manœuvrer seuls le grand port et n'ont aucun besoin d'un intermédiaire comme moi. À Bangalore, ils sont plus réalistes. Ils cherchent du matériel médical pas trop cher que j'arriverai peut-être à trouver. À Pondichéry même, depuis notre départ, de gros hommes d'affaires indiens sont venus s'installer. Muralidar, de Bombay, a créé l'Hindustan Trading Company qui importe des cartes à jouer, des liqueurs, des stylos, des machines à calculer bien moins chères qu'en Inde. Je doute que ce soit pour le seul usage local. Je ne sais plus quoi faire. »

Il se leva, me prit par la main.

« Allons voir les sculptures d'Amaravati. Nous en avons déjà contemplé certains fragments à Madras. Tu te rappelles notre première visite au pavillon des Bronzes ? Tu étais si sérieuse, si attentive, si innocente. Et je voulais tant m'unir à toi déjà, sans oser un geste.

— Pourquoi ?

— Je savais que si nous commencions, nous serions emportés dans un fleuve indomptable.

— C'est le cas.

— Oui, c'est le cas. »

Nous entrâmes dans une salle où des reliefs blancs étaient disposés sur les murs comme les fragments d'un document géant disparu dans un désastre.

« Dire que ce sont les restes du plus grand stupa indien, dépecé par les Occidentaux au nom de la science. Un dôme de trente mètres de haut, soixante-dix de périmètre. Des torana sculptés, une frise autour de laquelle marcher et apprendre les vies antérieures de Bouddha, enfin représentées.

— Puisque, au début, enchaînai-je, le bouddha n'était qu'un sage, pas un dieu. Qu'on ne le priait pas.

Qu'on ne montrait que ses traces, l'empreinte de ses pieds, par exemple, et que c'est au bout de plusieurs centaines d'années, vers le deuxième siècle après Jésus-Christ, que cette sagesse est devenue une religion.

— Comme tu parles de tout cela, à présent, mon amour. Comme je voudrais que tu puisses continuer. »

Je me mis à trembler.

« Nous sommes en train de perdre la guerre en Indochine, Clarisse. Pondichéry suivra. Je vais ramener Monica et les enfants là-bas. Je suis sûr que nous ne tiendrons pas plus d'un an. Ne te fâche pas, ne me considère pas comme un lâche ou comme un traître. Il vaudrait mieux que tu restes ici. Je n'ai pas le droit de t'enfermer dans un territoire infime de l'Asie, qui va disparaître.

— Comment peux-tu prononcer des paroles pareilles ?

— J'ai dix ans de plus que toi et de l'expérience.

— Je veux repartir avec vous, rester près de toi, aider ton père à finir ses Mémoires. Tu ne peux pas disposer de ma vie à ton gré.

— Tu veux revenir ?

— Tu en doutes ? »

Son regard bleu restait insondable.

« Tu comptais me laisser à Londres quand tu as décidé que j'accompagnerai tes parents en Angleterre ?

— Absolument pas. C'est le voyage que je viens de faire qui m'a convaincu. Pendant longtemps, bien avant que tu n'arrives, la France et l'Inde avaient intérêt à faire durer la situation. Une zone franche comme Pondichéry, c'était formidable. Même pour l'Inde. Que de roupies dans les coffres de la Banque d'Indochine ! Maintenant tout l'Empire colonial français vacille. Et personne ne s'intéresse à un lopin de terre où il y a 576 Européens et 4 600 francophones.

Dieu sait que je me suis battu pendant la guerre dans des circonstances désastreuses. Mais j'avais au fond du cœur une espérance. Je me disais qu'un jour le rapport de forces s'inverserait, que nous vaincrions les Allemands et les Japonais. »

Il me serra le poignet.

« Cette fois nous ne sommes pas les plus forts. Le monde bouge, Clarisse. L'histoire va son chemin malgré nous. Rien n'est plus facile que de te loger ici, de te chercher du travail. Tu es capable de tant de choses ! Nous nous retrouverons quand je reviendrai. Si tu en as encore envie. Peut-être qu'entre-temps tu te seras attachée à quelqu'un d'autre. Alors j'aurai vraiment tout perdu.

— Tu as peur que je t'encombre ?

— C'est moi qui crains de te nuire. Tout peut arriver, la ruine, les humiliations, la prison. Pire, que je te déçoive, ce qui serait dévastateur avec une femme de ton caractère. »

Je me levai, fis le tour des restes du stupa d'Amaravati, puis je revins vers lui.

« Notre sort est aussi incertain que celui des deux stupas. L'un est resté intact, l'autre est parti en morceaux dans des musées. Si nous nous séparons, tu t'imagines que nous pourrons aller chacun de notre côté comme si rien ne s'était passé. C'est faux. Les corps sont plus fidèles que les âmes. Ils nous rappelleront sans cesse le passé que nous essaierons d'oublier. Nous nous assécherons, nous nous durcirons, tout pâtira autour de nous. Je veux rester avec toi jusqu'à la dernière minute. »

J'examinai ces sculptures, ces bas-reliefs arrachés à l'Inde par ses envahisseurs occidentaux. Tous ces morceaux de pierre étaient bien à l'image des guerres, des chocs, des ruptures inutiles.

« Où as-tu appris ça ? demanda Mike toujours assis.

— Je ne l'ai pas appris. Je le découvre au fur et à

mesure de notre histoire. Laisse-moi revenir à Pondichéry, je t'en supplie.
— C'est une folie, mon amour.
— Tu acccptcs ?
— J'accepte d'être fou avec toi. »
Il me prit dans ses bras, entre les pierres saintes.
Nous revînmes tranquillement à Cadogan Square. Nous avions choisi. Il restait du thé et deux tasses propres dans le salon du docteur Barclay père qui nous attendait près du feu. On l'allumait même en août pour lui faire plaisir, et, aussi, parce qu'il devenait de plus en plus frileux sans vouloir le reconnaître. Il avait un livre à la main, le chien à ses pieds.
« Ma femme est partie se reposer. À la fin de la journée elle a besoin de se coucher. Elle qui était si résistante autrefois. » Il soupira, désigna le plateau.
« Le thé est un don des dieux. Quand j'ai commencé d'exercer la psychanalyse, c'était une des choses qui me manquaient le plus. Je ne pouvais pas me décider à espacer deux rendez-vous pour en prendre. Il me semblait que je trahissais mes patients, que je coupais, en me détournant d'eux une demi-heure, le fil qui nous reliait. J'ai changé. Mon travail, si cela peut s'appeler un travail, n'en a pas été altéré. Il ne faut pas être trop raisonnables, mes enfants. La vie n'est pas rationnelle. »
Il nous observait en caressant la tête du nouveau chien. Ses paroles venaient renforcer notre résolution. Peut-être le sentait-il.
Pendant que nous achevions nos tasses, il s'inclina vers les flammes de la cheminée comme s'il y découvrait des mystères.
« Je n'ai plus de patient ce soir. Je vais retrouver ta grand-mère et rester près d'elle, dit-il à Mike. L'âge, tu sais, ou plutôt tu ne sais pas. Quatre-vingt-deux ans ! »
Il s'appuya sur un meuble : « Ce sont les seules

vraies épreuves, la vieillesse et la mort. Rien de ce qui peut arriver d'autre, même dans un amour, n'est irrémédiable. Vivre un amour contrarié, c'est encore vivre. Nos chagrins font partie de nous. Nous devrions les protéger comme des trésors. Le pire serait de ne connaître ni anxiété ni douleur. Nos regrets dénotent la force, l'ambition, l'enthousiasme qui nous animaient alors. Quelle belle chose de regretter ! C'est ce que je me dis pour me consoler et aussi parce que c'est la possibilité de nouveaux élans. » Et il sortit à petits pas, le chien entre les bras.

Le soir, Mike me massa pour apaiser mes chagrins. Il mit toute sa science dans ses mains et à force de patience il finit par me calmer. Pour notre dernière nuit nous restâmes chastes. Notre tristesse était un bien supplémentaire comme l'avait indiqué le vieil analyste.

CHAPITRE 27

LE CAHIER INDIEN

Londres, septembre 1952

Mike alla chercher Monica à Heathrow le lendemain à quatre heures comme convenu. Pendant qu'il était absent, j'examinai mon sac, mon porte-monnaie, mes poches pour m'assurer qu'il n'y restait pas de signes d'intimité. Dans ma veste, je trouvai les deux tickets d'entrée du British Museum. Cela me chagrinait de m'en défaire. Ils étaient le signe de notre engagement. Je les déchirai pourtant en mille morceaux que je dissimulai dans la poubelle de la cuisine. Puis j'allai prendre le thé avec les deux docteurs Barclay et leurs épouses. Le ciel de Londres était d'un bleu pâle, presque nordique, malgré la saison. « Un moment de paix, pensai-je, notre dernier moment de paix. »

Je n'avais pas tort. Dès que Monica parut, dans un état de beauté physique renouvelé par le grand air et ses victoires au tennis, je compris qu'elle avait des arrière-pensées. Elle s'inclina devant la famille de son mari qu'elle n'appréciait guère, semble-t-il, sauf le psychanalyste, et me salua du bout des lèvres. En revanche les petites éclatèrent en rires et en récits avant même d'être passées par leur chambre et prodiguèrent force baisers au chien qui en devenait fou.

Je restai dans mon coin, sans force pour participer à ces retrouvailles.

Le dîner me parut interminable. Les yeux de Monica restaient fixes ou allaient des uns aux autres chargés de soupçon et de colère rentrée. Pénélope, heureusement, raconta à sa façon les exploits de sa mère. Ses mimiques étaient si fines, ses grimaces si expressives qu'il était impossible de ne pas s'amuser et quand elle se leva, au mépris des convenances, pour singer la championne triomphante recevant la coupe des mains du président de la fédération, nous éclatâmes tous de rire. Je montai me coucher dès que la bienséance le permit.

« Tu es déjà fatiguée ? » demanda Monica quand je lui dis bonsoir.

Au milieu de la nuit je fus réveillée par les soupirs, les gémissements, les cris liés à l'amour. Rien de tel ne s'était jamais produit. Il est vrai qu'à Pondichéry la chambre de Monica et de Mike était séparée par l'étendue d'un immense palier de la mienne et que les enfants dormaient près de moi. À Londres, Dieu merci, elles étaient installées près de leurs grands-parents au deuxième étage.

Je serrai les poings. Monica voulait-elle me faire savoir qu'elle prenait du plaisir entre les bras d'un mari empressé ? Comment Mike pouvait-il passer ainsi de l'une à l'autre ? Nous lui plaisions toutes deux. Sans parler de celles qu'il rencontrait dans ses déplacements. Était-ce un libertin, comme on disait dans mon couvent ?

« À vingt et un ans, on est naïf, murmurait à mon oreille une voix diabolique. Cet homme t'utilise pour son plaisir, un jour il te rejettera. Peut-être en a-t-il déjà assez. D'ailleurs il t'a déjà suppliée de rester en Angleterre. Tu ne cherches pas pour le moment à l'épouser. Mais, plus tard, que souhaiteras-tu ? Il est marié, père de famille. Il ne quittera jamais sa femme. Retourner en Asie, c'est t'enfermer dans une misérable histoire de séduction. Tu es prise par les sens comme n'importe quelle oiselle. C'est facile pour un homme de mentir à une femme amoureuse. Puisqu'il trompe Monica avec toi, il peut aisément te flouer avec elle. Tu as tort de te fier à la franchise de sa physionomie, à l'élégance de ses façons, aux marques de son attachement. Il est jeune, il est robuste, il peut en satisfaire plusieurs. À dix-huit ans il était dans les services secrets britanniques à Calcutta, il se cachait, dissimulait, épiait, volait, assassinait. Ce héros est un espion et un aventurier qui t'abuse. »

Ces troubles pensées se bousculaient dans mon esprit.

« Mon Dieu, ayez pitié de moi ! »

La voix continuait. « Tu ne vaux pas plus cher que lui, toi qui vis dans l'intimité de ce couple avec ton double visage. Ange appliqué en public, séductrice prête à tous les déguisements en privé. Tu sais bien que si tu étais mariée et que tu connaissais Mike, tu coucherais avec ton amant et avec ton mari sans scrupules pourvu que l'un et l'autre te fassent gémir et jouir. Tout se vaut dans le domaine du sexe. Les sentiments sont un luxe trompeur et éphémère. Seule compte l'impulsion du moment quand elle est enivrante. »

Des bruits de toilette vinrent de la chambre de Mike et Monica puis ce fut enfin le silence.

Je me mis sur le côté et essayai de reprendre mon souffle. Dans ce lit, la veille, à la même place, Mike m'avait massée, assistée, calmée. Depuis des mois, presque une année, il me prodiguait les marques constantes du désir et de la tendresse. Quand il partait en voyage, mille indices me révélaient qu'il veillait de loin sur moi. Chaque fois, il demandait à son comptable d'ajouter une nouvelle pierre précieuse à celles que ce dernier avait l'ordre de garder à mon profit. Et il s'absentait de moins en moins longtemps. Mais mon expérience physique des hommes était mince et mon état d'esprit plus indigent encore. Qu'avais-je d'exceptionnel pour retenir un homme comme lui ?

Il se mit à pleuvoir à petites gouttes, puis des rafales s'abattirent sur le toit comme la nuit précédente où j'étais restée éveillée contre Mike et où je me croyais invincible. Que ferais-je ? Où irais-je ? Que signifiait en réalité une communion qui paraissait sublime ? L'impression d'avoir été dupée mettait à mal mon orgueil. Renoncer à mon idéal amoureux me détruirait à coup sûr. Je m'endormis transie malgré la chaleur.

*

Le petit déjeuner me consola un peu. Nous le prenions tous ensemble, dûment apprêtés, selon la tradition anglaise. J'arrivai un peu en retard pour raccourcir ma confrontation avec Monica. Quand j'entrai je la vis, très rose, très animée, qui s'entretenait avec sa belle-mère, ce qui n'était pas fréquent. Puis j'aperçus les docteurs Barclay père et fils qui devisaient médecine, et enfin Mike très pâle, tout au bout de la table. Je m'assis à l'opposé, aux côtés de son grand-père. Les petites n'étaient pas là car elles avaient reçu l'autorisation de faire la grasse matinée.

Le vieux psychanalyste me versa d'autorité un thé dont l'âcreté tranchait sur les thés infusés indiens. Il me passa les céréales et, quand je me fus servie, répandit lui-même le lait et le sucre sur mon assiette pleine. Il avait probablement tout compris sans rien savoir. Ces gestes nourriciers me réconfortèrent.

Mike tournait sa cuiller dans sa tasse d'un geste mécanique, les paupières baissées. Mes pensées nocturnes se dissipaient. Je l'aimais et je ne me laisserais pas déposséder par une femme avec laquelle il ne s'entendait pas complètement. Un mariage de guerre, m'avait-on maintes fois susurré à Pondichéry. D'ailleurs il avait l'air plus malheureux que moi.

Le chien s'était couché sur mes pieds. Je compris pour la première fois combien les animaux domestiques peuvent soulager les malheurs des humains. J'écoutais les deux médecins, le père, le fils, discuter du traitement des névroses en Europe et en Inde. Différents, semblables. Faits pour soigner, l'un et l'autre. Et leur petit-fils, pour quoi était-il fait au juste ?

« Vous avez l'air très en forme, ma petite Clarisse, dit mon illustre voisin pour m'aider à faire bonne figure.

— C'est vrai, je me sens très bien. » Je m'agrippai de toutes mes forces à la perche qui m'était lancée.

Mike osa relever les yeux comme si mon pardon lui était acquis par ces mots.

« Quand vous aurez fini, Clarisse, il faudra aller réveiller les filles, les préparer. Nous verrons ensuite comment organiser la journée. »

Ce « nous » me revigora. Je me levai pour aller retrouver mes élèves, tièdes dans leurs lits jumeaux.

Pénélope, toujours plus vive que sa sœur, m'attira vers elle, m'embrassa à pleine bouche, et s'assit en chemise de nuit contre moi.

« Que je suis contente de te retrouver. J'en ai marre du tennis, je veux rentrer en Inde.

— Mais je croyais que tu étais très bonne.

— C'est ça qui est terrible, justement. Maman s'est occupée de moi sans arrêt pour me perfectionner. » Elle se mit debout, pieds nus sur le tapis, et s'exclama, brandissant une raquette imaginaire :

« Coup droit, revers, coup droit, revers, demi-volée, volée, lob. À toi de servir ! Ne te précipite pas sur la balle. Reste au fond du court. Avance à petits pas, remonte au filet, garde tes réserves. Tant pis si tu manques. Observe ton adversaire. Tu dois tenir plus longtemps que lui, tirer parti de ses défauts, démolir son moral par des vacheries, l'épuiser, le tuer, quoi ! Tu comprends ? Oh là là, Clarisse chérie, Je n'en peux plus. » Elle se laissa tomber contre moi.

Ce discours me glaça. Voilà à qui j'avais affaire, à qui Mike se mesurait. Une championne ! Comment n'avais-je pas vu l'étendue du danger, habilement dissimulé sous la bonhomie et sans doute une sympathie véritable ?

Alexandra était plus réservée, à son ordinaire. Elle jalousait sa sœur et la considérait sans indulgence, appuyée sur son oreiller.

« Tu t'es fait embrasser par tous les amis de Maman et tu as mangé trop de gâteaux. Tu as eu mal au ventre deux fois. C'était bien fait !

— Évidemment, dit Pénélope. Elle ne veut pas bouger. Moi, j'ai faim ! Elle restait à l'hôtel toute seule, sur le balcon, chaque fois qu'on en avait un, pour dessiner les montagnes, les lacs, les arbres avec la boîte de peinture que Papa lui a donnée à Noël et que tu avais mise dans sa valise. Elle est complètement folle.

— J'ai aussi peint des fleurs, mais en Suisse et en Allemagne, elles n'ont pas d'aussi belles couleurs que nos plantes indiennes ou les roses de l'ashram.

— Encore la Mère, soupira Pénélope. Chaque fois que nous faisions de la gymnastique, Alexandra marmonnait une petite prière, c'est exaspérant !

— Pas une prière. Je me concentrais, c'est tout.

— Est-ce que ça t'a servie à faire des progrès ? demandai-je.

— Elle est un peu meilleure en natation, dit sa sœur avec condescendance. Mais le reste !

— Dans notre dernier palace, j'ai fait une gouache pour toi et pour Papa. C'est une couronne de feuillage que j'ai imaginée en y mélangeant des marguerites, de la sauge et des brins de bruyère. Et au-dessous, il y a vos deux noms en anglais et en tamoul. Je l'avais rangée dans une grande enveloppe au fond de ma valise. Mais je ne la retrouve pas. »

C'était donc ça !

« Mon Dieu, Alexandra, m'écriais-je. As-tu pensé au moins à offrir un dessin à ta Maman ?

— Pour quoi faire ? Elle ne les regarde jamais. »

Le soleil pénétrait dans la chambre. Les pluies de la nuit étaient parties vers l'Europe continentale après avoir lavé le ciel des îles Britanniques.

« Tu ne nous quitteras pas ? demanda Alexandra, pressentant des difficultés.

— Pourquoi vous quitterais-je ?

— J'ai toujours peur que tu partes.

— Moi aussi, ajouta Pénélope.

— Mais non, voyons. Dépêchons-nous. Votre papa nous attend. Nous avons des tas de choses intéressantes à faire. »

Il fut convenu avec Mike que nous irions dans le quartier de Westminster et qu'il nous rejoindrait à trois heures à la Tate Gallery où je voulais emmener Alexandra voir les Turner.

« Quel programme, gémit Pénélope. Avec toi il faut toujours se cultiver ! »

Lorsque son père apparut dans le hall du musée, il était de nouveau livide. J'essayai de ne rien montrer des violentes pulsions qui m'agitaient.

« Profitez-en, les filles. Nous allons bientôt repartir. » Puis, sans me regarder :

« Je remmènerai ma femme et mes enfants en Inde lundi, Clarisse. Mon père a encore besoin de vous quelques jours à Londres. Pouvez-vous le raccompagner à Pondichéry avec ma mère comme vous l'avez fait à l'aller ? J'ai pris vos billets pour la semaine prochaine. » Il me parlait comme à une étrangère.

« C'est entendu. » Mon angoisse se calmait. J'étais sûre de revenir.

« Excusez-moi, j'ai un rendez-vous. » Son attitude révélait une colère blanche, froide qui me fit peur.

M'en voulait-il de retourner à Pondichéry? S'était-il disputé avec Monica après leur réconciliation sur l'oreiller? Je restai les bras ballants, à nouveau désespérée.

« Où vas-tu, Papa? demanda Pénélope qui n'avait pas froid aux yeux.

— Dîner chez des amis avec ta maman.

— Mais ce n'est pas encore l'heure!

— Nous allons d'abord faire des courses. Dis donc, Pénélope, une petite fille bien élevée ne pose pas de questions. » L'enfant secoua sa chevelure.

« Tu as raison. Alors laisse-moi aller acheter des toffees à la cafétéria. Clarisse a refusé pour m'empêcher de grossir. Mais j'adore ça et il n'y en a pas en Inde. »

Son père lui glissa de la monnaie et elle courut vers le sous-sol chercher ses friandises.

Des visiteurs allaient, venaient, choisissaient des cartes postales, commentaient leur visite. Nous ne bougions pas plus que les statues de sel de la Bible.

« C'est vrai, mon Papa, il ne faut jamais rien dire, reprit Alexandra. Les enfants doivent se taire même quand ils sont tristes. »

Elle se pressait contre Mike.

« Ah, toi! » Il mit son bras sur son épaule. Sa femme avait dû confisquer le tableau et le lui montrer.

Ses lèvres minces, son menton pointu, sa frange impeccable, sa petite tête sur un corps long et maigre, la grâce de son cou incliné vers son père donnaient une impression de solitude et de talent. Elle n'avait plus rien d'une enfant, soudain.

« Tu te rappelles Elephanta, Papa, quand Clarisse est arrivée? Et les après-midi, à Pondichéry, où tu venais nous voir quand je peignais des fleurs? Je pourrai de nouveau dessiner près de vous?

— Oui. »

Elle prit l'autre main de Mike, s'empara de la mienne, les rapprocha sans les unir.

Innocence ? Perversité ? Désir de se venger d'une mère qui ne l'aimait pas ? Besoin d'être incluse dans la liaison de son père avec moi, d'approcher le foyer d'un amour qu'elle connaîtrait un jour mais dont elle ignorait tout ? Un moment nous fûmes sous la grâce et l'autorité de son geste.

« Je suis contente que nous repartions ensemble », conclut-elle en laissant glisser nos deux mains d'entre les siennes.

Pénélope revenait.

« J'en ai même pris pour vous, dit-elle en brandissant un paquet transparent de bonbons.

— C'est très gentil de penser aux autres malgré ta gourmandise, dit Mike qui avait retrouvé son sang-froid. Quant à toi, Alexandra, il va falloir beaucoup travailler si tu as une vocation de peintre. Profite bien de ta visite au musée avec Clarisse. Tu ne saurais avoir meilleur guide. » Il la garda longtemps contre lui. J'eus l'impression qu'il nous embrassait toutes les deux.

CHAPITRE 28

PARIS

Fin août-septembre 1967

Ses fonctions à l'Unesco occupèrent Clarisse bien plus que prévu. Le Conseil exécutif pour lequel elle était recrutée s'ouvrit fin août. C'était sa soixante-seizième session. Il réunissait une trentaine de délégués, issus des États membres après mille tractations. Comme son nom l'indiquait, il surveillait la marche de l'Organisation et préparait la Conférence générale qui avait lieu tous les deux ans. De fait son pouvoir était considérable.

Clarisse commença, terrifiée, à interpréter dès le premier jour, aux côtés d'Eudoxie, l'excellente professionnelle dont Marc lui avait parlé. Celle-ci, toujours vêtue de teintes grises qui mettaient en valeur ses cheveux noirs, la blancheur de son teint et l'arc de ses sourcils, guettait tout, suivait tout, ironisait sur tout et, bien qu'elle fût nettement plus âgée que Clarisse, s'entendit tout de suite avec elle. Elles parlaient le même russe, celui des milieux raffinés de Saint-Pétersbourg avant la révolution de 1917. Cela les lia d'emblée comme les doigts de la main.

À chaque séance, Clarisse mesurait l'étendue de son inexpérience devant la pile de documents que le Conseil devait discuter et présenter à la Conférence générale qui suivrait en octobre. Le soir elle remportait chez elle les textes inscrits à l'ordre du jour pour les étudier. Mais il y avait des rajouts, des omissions, des retards, des conflits inattendus. Tout n'était pas prévisible. C'était effrayant.

Stéphane avait baissé les bras. Il se rendait à nouveau à son bureau où il affirmait son autorité sur tout le ministère comme si de rien n'était. Après le dîner qu'il prenait avec les enfants, il allait se coucher. Clarisse rentrait quand elle pouvait, ses dossiers à la main, et les feuilletait sur la table de la cuisine où Marie lui avait laissé un repas froid. Quand elle rejoignait Stéphane, il dormait lourdement. On lui donnait certainement d'autres somnifères. Avant d'éteindre, profitant de son sommeil, Clarisse examinait son dos. Les taches se résorbaient peu à peu.

Le lendemain elle retrouvait Eudoxie, l'autre interprète, dans une nouvelle robe de crêpe dont la forme et la couleur étaient semblables à celle de la veille, barrée du même sautoir de perles fines, qui l'attendait, déjà assise à son poste devant la vitre fumée de leur cabine.

« Comment vas-tu, ce matin ?

— J'ai toujours autant le trac.

— N'aie pas peur, je te suivrai pas à pas. »

La première semaine fut un enfer. Clarisse craignait d'être prise au dépourvu, de rester muette ou de lâcher une énorme sottise. Du haut de son perchoir elle voyait la salle, meublée de sièges en cercles concentriques, et, dans le plus étroit, les membres du Conseil, tous de nationalité différente, confortablement installés, bien habillés et contents d'être là. Comme l'avait dit Marc, beaucoup ne s'exprimaient pas dans leur langue d'origine. Hormis certains puristes ou des esprits distingués, les autres avaient un accent difficile à comprendre, surtout quand ils s'emportaient. On était en pleine guerre froide. L'Organisation était un des seuls lieux de rencontre officielle des Américains et des Russes. Ils s'envoyaient des piques incessantes sur des sujets apparemment aussi peu dangereux que la lutte contre l'analphabétisme ou le bilan hydrologique mondial.

Dans cette lutte au couteau, le Tiers-Monde était à la fois courtisé et désemparé. Il avait le nombre mais pas la force, et se manifestait d'autant plus que l'Organisation lui offrait une des seules tribunes internationales qui lui fût accessible.

Le plus angoissant pour Clarisse demeurait les projets de résolution et les amendements qu'ils suscitaient. De nouvelles formules surgissaient, qu'il fallait raccorder avec les précédentes sans se tromper, sans faire de contresens, sans clarifier à l'excès les sous-entendus, les arrière-pensées, les ambiguïtés qui permettraient un accord de surface. Quand les choses allaient trop mal, le Directeur Général mettait fin à la cacophonie en proposant un texte si habile qu'il était encore plus difficile à traduire que le reste. Malgré cela, un soupir de soulagement émanait des cabines d'interprétation après ses interventions, car elles mettaient fin aux querelles et annonçaient une pause.

Eudoxie avait une distinction naturelle qui en imposait. Les yeux fermés elle était capable d'identifier la voix de tous les représentants. Dès qu'elle voyait Clarisse dans l'embarras, elle posait ses longs doigts ornés de chrisophrases et d'agates sur le bras de sa compagne, prenait au vol la suite de la discussion, parfois même une phrase en cours. Un jour elle fit répéter à un orateur des propos qu'elle n'avait pas saisis, en observant que le débit des intervenants était trop précipité. Les délégués, penauds, baissèrent le nez.

Elle pouvait se le permettre. Sa voix calmait les Soviétiques et tous ceux qui, pour une raison ou pour une autre, écoutaient le russe. Même si elle n'avait pas l'habileté de la jeune femme tant aimée de Marc, elle était d'une sûreté parfaite dans l'élocution et dans la régularité du débit, quelle que soit la cadence de l'orateur.

« Comment fais-tu ?

— Je ne sais pas. L'expérience joue son rôle. Mais aussi le plaisir. J'adore interpréter en simultanée. Je forme dans ma tête les concepts probables de l'orateur, j'écoute le sens de la phrase qui se dégage et je la transpose en russe, comme on change de ton en musique. Tu vois ? Quand tu auras pris confiance, tu sentiras la même chose. » En écoutant cet aveu Clarisse pensa à sa mère et à son culte des langues.

La rentrée du lycée ne l'impressionna guère. Elle compliquait sa tâche, sans plus. La gigantesque Conférence générale de l'Unesco commença par force discours en séance plénière, puis se répartit dans différentes salles. Clarisse fut affectée à la plus grande, un théâtre grandiose, où les interprètes étaient localisés sur le côté gauche dans une structure accolée à la paroi.

Le goût de Clarisse pour l'étrange entreprise internationale s'était fortifié au cours des débats du Conseil exécutif. Elle mit donc toute son énergie à interpréter aux côtés d'Eudoxie tout en donnant ses cours de russe au lycée comme si de rien n'était. Ses horaires, ses trajets dans Paris, ses rentrées tardives à cause des séances de nuit ne suscitaient plus de questions chez Stéphane. Il semblait paisible en compagnie des enfants. Elle était captivée par sa nouvelle tâche. C'était vrai que dans la salle X, sombre malgré sa taille, dominée par une estrade où siégeait l'état-major des fonctionnaires internationaux, on pouvait entendre un nombre considérable de déclarations inutiles, mais il y avait aussi, parmi les cent vingt-deux délégations présentes, des personnalités touchantes, originales, qui disaient des vérités judicieuses sur l'éducation et la culture et qui réveillaient un public blasé sur des questions rebattues pendant des semaines. Dans les votes chaque pays pesait théoriquement le même poids. Tous les jours, malgré les propos tonitruants de certains États membres sur l'extension des multinationales, l'éducation pour la paix ou l'occupation des Territoires palestiniens par Israël, un peu d'argent était prévu pour des écoles, des associations scientifiques, des monuments.

« Tu fais des progrès », disait Eudoxie.

Le rythme des séances s'accélérait. Il n'y avait plus de jours de congé sauf le dimanche après-midi, les débats reprenaient le soir jusqu'à une heure du matin. Clarisse participa à plusieurs séances de nuit.

Par un accord tacite elle n'avait pas revu Marc, si ce n'est à la hâte, dans les couloirs ou aux breaks. Ceux-ci se raccourcissaient. Après avoir avalé du café ou du thé à la hâte, certains délégués filaient dans les salons adjacents pour élaborer les ultimes amendements, gagner des soutiens, se ménager des votes favorables. On passait respectueusement le long de la salle où siégeait la Commission du budget : le directeur chinois et le directeur adjoint indien y défendaient la dernière version des finances de l'Organisation pour deux ans. Ce serait au Directeur Général de la faire accepter en séance plénière. Eudoxie l'interpréta. Clarisse admira le discours du « DG » qui, sous des dehors rationnels, exerça un pouvoir d'incantation sur la salle fascinée. Combien d'États membres paieraient-ils à temps leur cotisation ? Combien de pays demandeurs recevraient-ils les fonds promis ? Les activités proposées constituaient-elles une aide véritable, la meilleure possible ? On verrait toutes ces questions plus tard. L'énorme machine était suspendue aux lèvres d'un seul homme qui la remettait en marche par la magie de son verbe et de sa conviction. Il s'assit. Le président lui rendit hommage. La Conférence générale était terminée.

*

Brusquement le bâtiment se vida et retomba dans son silence et dans son luxe. Marc, pour les remercier, rassembla, le soir de la clôture, les interprètes et les traducteurs dans une salle du septième étage réservée aux réceptions. On voyait Paris des deux côtés par des baies vitrées assez mélancoliques. Bien des cocktails s'étaient tenus là, toujours accompagnés du même champagne et de petits fours secs et caillouteux. Mais Marc aimait la vie et connaissait la musique. Il avait demandé au Service de la restauration d'abandonner ses mauvaises habitudes, de prévoir de la vodka, des whiskies d'âge, des amuse-gueule cuits tout exprès. Il avait aussi invité quelques copains. La fatigue aidant, il régnait dans l'assemblée une légèreté étrange comme si elle s'éloignait peu à peu du sol et s'élevait vers le ciel, au-delà de la tour Eiffel.

Eudoxie, le verre à la main, gardait l'allure d'une nonne rentrée un instant dans le siècle. Clarisse était retournée près d'elle, désolée de la perdre. C'était la première fois depuis la maladie de Stéphane qu'elle jouissait d'une véritable détente.

« Que vas-tu faire, maintenant ? lui demanda Clarisse, te reposer ?

— J'ai reçu ce matin une proposition. Il s'agit d'une conférence sur la science et la technologie qui est organisée à Madras. Je vais accepter. Il faut seulement que j'étudie le nouveau vocabulaire scientifique que je connais mal. »

Madras. Un coup d'épée cloua Clarisse au sol.

« Qu'as-tu, Clarisse, tu n'es pas bien ? dit Marc qui s'approchait, joyeux. Tu devrais être fière. Elle a bien travaillé pour une première fois.

— Je recommencerais volontiers », dit Eudoxie avec son habituelle pondération.

Ce compliment, qui eût comblé Clarisse en d'autres

circonstances, parvint à peine à sa conscience. Elle répéta :

« Eudoxie m'annonce qu'elle part pour Madras. »

Marc la regarda, étonné.

« Eudoxie ne peut jamais s'arrêter. C'est une dingue de l'interprétation. Tu n'as pas honte de travailler autant ? Une célibataire comme toi devrait profiter de la vie.

— Justement, je n'ai jamais été en Inde.

— Si j'avais su que Madras te plaisait, j'aurais demandé s'il y avait d'autres postes, reprit Eudoxie.

— Non, non, dit précipitamment Clarisse, je ne veux pas retourner à Madras.

— Tu y as donc été ?

— Dans un passé très lointain. Ne le dis pas à Marc ni à personne. C'était une autre vie.

— Je n'ouvrirai pas la bouche. Tu veux que je t'envoie une carte postale ?

— Non. Mais quand tu seras là-bas, si tu as un moment, tu iras à une des gares de la ville, que je t'indiquerai. Tu marcheras jusqu'au quai de l'Express 6005 pour Mettupalaiyam. J'aimerais que tu penses à moi quand tu y seras, même si le quai est vide et si le train est déjà parti.

— Un pèlerinage, somme toute ?

— Oui. Sans récompense au bout du chemin.

— Je comprends. Est-ce pour cela que tu as toujours l'air si triste ? Un mari prestigieux, deux beaux enfants, une réussite professionnelle et une mélancolie perpétuelle ?

— Je n'étais pas comme ça autrefois. Ma joie de vivre s'est enfuie pour des raisons que je ne peux pas raconter. Il n'y a que mon esprit qui marche encore à peu près.

— Veux-tu que je te prévienne quand j'aurai des propositions ? Je suis sûre que tu serais capable d'interpréter aussi de l'anglais vers le russe. Comme tu peux déjà passer du français au russe, cela ferait deux cordes à ton arc. C'est plus fatigant parce qu'on joue le rôle de deux personnes mais c'est très bien payé. Qu'en penses-tu ?

— C'est une idée formidable. Cela me plairait beaucoup. Mais il faut que ce soit à Paris ou en période de vacances.

— Bien sûr. Ne t'en fais pas, il y a des occasions tout le temps. »

Partir. Retrouver Eudoxie dans l'univers hautement spécialisé des cabines de l'interprétation simultanée où l'on épie les mots sur les lèvres des autres pour les transformer immédiatement en paroles pleines de sens et de conviction dans une autre langue. Métier de chasseur, qui vous isole et vous hallucine comme une drogue.

*

« Puisque nous en sommes aux confidences », Clarisse attrapa un verre de champagne supplémentaire sur un plateau qui passait – sur la qualité du champagne non plus, Marc n'avait pas lésiné – « explique-moi, Eudoxie, pourquoi tu t'habilles toujours en gris ?

— Ma mère m'a fait promettre de m'habiller ainsi jusqu'au départ des Soviétiques.

— Mais tu n'as pas envie de changer, parfois ?

— Si. J'aimerais beaucoup être vêtue comme tout le monde. Je ne le peux pas, par fidélité à mes parents, à moi-même. J'attends l'homme qui comprendrait ça, je ne l'ai pas trouvé. Je suis restée seule volontairement. Je veux préserver la qualité de la langue, de la littérature et de la musique russes.

— Tu n'as jamais pensé à l'enseignement ?

— Non. Je veux parler russe à des Russes. Les organisations internationales s'y prêtent. Et puis, j'ai Maman à ma charge, des neveux. J'ai eu besoin d'argent très vite. Je suis rentrée à l'Unesco par hasard et j'y suis restée. J'ai vu l'arrivée de Marc, son ascension. Personne avant lui n'avait dirigé à la fois le Service de traductions et celui de l'interprétation. C'est formidable. Et il a l'air d'un gamin. »

Était-elle éprise de Marc ? Peut-être, mais ce n'était pas l'essentiel. Clarisse admirait ces femmes qui avaient épousé la cause de la Russie et, comme sa mère, n'avaient jamais perdu espoir.

Marc fit signe à Clarisse. Elle le rejoignit.

« Après le cocktail, tu me retrouves rue Heredia ?

— Mon mari m'attend, et ce soir, Marc, je suis trop fatiguée.

— C'est le moment où vous êtes les meilleures. »

Il parlait comme l'Italien après le match de tennis.

Depuis qu'Eudoxie avait annoncé son départ pour Madras, elle voulait Mike par toutes les fibres de son être. « Mon Dieu, faites qu'il soit là. J'ai un si puissant désir de lui. Vous ne pouvez pas, mon Dieu, avoir mis cette ardeur dans mon corps et me refuser la présence de l'homme qui l'assouvit. Nous sommes vos créatures aimantes, mon Dieu, l'œuvre de votre souffle créateur. Pourquoi faites-vous souffrir la chair issue de vos mains ? » Elle était entre la supplication et les sanglots. Sa prière lui paraissait stupide.

Elle reprit encore une coupe de champagne.

« Tu bois, maintenant ?

— Tu sais bien que non. C'est l'épuisement. »

Elle aurait voulu qu'il s'éloigne pour filer en douce. Mais il s'accrochait.

Il eut ce sourire enjôleur qui lui faisait résoudre les pires difficultés.

« Je me débrouillerai pour te redonner des forces.

— Pour une fois, non c'est non. Je m'en vais. Excuse-moi. »

Elle prit le couloir qui menait, le long des baies vitrées, aux ascenseurs. L'un descendait vers le rez-de-chaussée sans faire d'étapes. En un clin d'œil, elle fut en bas. Elle avait craint que Marc n'insiste. Elle s'était trompée. Il était trop fin pour se conduire d'une manière aussi banale et il la connaissait bien.

Elle sortit sur la place Fontenoy, taraudée par le besoin de Mike. Il faisait frais. Elle prit une grande respiration. Madras.

Elle longea le bâtiment pour aller chercher son autobus. La salle du septième étage était toujours illuminée. Les drapeaux des pays membres étaient encore accrochés à une série de mâts qui montaient la garde le long de la façade. On les descendrait dès le lendemain jusqu'aux réunions du printemps. Les mâts resteraient là sagement alignés, dignes et inutiles dans l'attente du prochain Conseil exécutif. Et dans tous les coins de la planète l'Organisation s'affairerait à éduquer, à protéger, à soutenir les peuples les plus divers avec plus ou moins de succès, dans des lieux où aucune nation isolée ne pouvait réussir, où seul l'argent international ne sentait pas l'égoïsme ou la volonté de puissance. C'était partiellement faux et tout à fait exaltant.

Quand Clarisse arriva chez elle, Marie lui ouvrit la porte, affolée.

« Papa est reparti au bureau. Il était très agité. Il m'a déclaré qu'il retournait au ministère pour travailler à sa réforme. Surtout que tu n'ailles pas le chercher. D'ailleurs, que tu n'étais pas là, que tu n'étais plus jamais là. J'ai eu beau lui répéter que tu allais arriver, que la Conférence générale se terminait ce soir, il n'a rien voulu écouter. Il m'a demandé de lui appeler un taxi. Nous l'avons accompagné. Il boitait fort.

— Mais enfin, qu'est-ce qu'il a ? demanda François, au bord des larmes, lui qui ne posait jamais de questions.

— Attendez-moi ici et commencez à dîner. Ne vous inquiétez pas, je vais aller le chercher, dit-elle en les embrassant. Ce n'est pas grave. »

Ça l'était.

Quand Clarisse arriva au ministère, un des gardes lui ouvrit la porte. Elle les connaissait tous, depuis le temps.

« Je suis désolé, dit-il. Il nous a été impossible de persuader M. le Secrétaire général de rentrer chez lui. Il m'a même interdit de téléphoner pour avertir le service de surveillance de sa présence. On risquait un incident. Je les ai prévenus quand même. J'allais monter pour voir si votre mari avait besoin de quelque chose. Depuis son malaise, nous nous inquiétons tous. Mais il sera bien plus content de vous voir. »

Clarisse prit l'escalier à la moquette usée qu'elle avait emprunté tant de fois, traversa le bureau des secrétaires, entra dans la pièce d'angle où les lampes bouillotte étaient allumées sur la table de travail. Stéphane sommeillait contre la cheminée, dans son fauteuil d'apparat. Il s'était traîné au pied de la pendule, où, en d'autres temps, il avait regardé Clarisse dans la glace en écoutant sonner huit heures. Le lustre aux sphinges n'était pas allumé. Les meubles Empire s'apercevaient à peine dans la pénombre. Le rapport du CNDP, le dossier de la réforme n'étaient pas ouverts.

« Stéphane, dit Clarisse doucement, réveille-toi, je t'en prie.

— Tu es là, dit-il, en ouvrant les yeux. Je ne voulais plus t'attendre à la maison. »

Elle s'inclina vers lui, l'aida à se mettre debout et mêla délibérément leurs deux images dans l'impressionnant miroir.

« Tu te souviens ? »

Il eut un pauvre sourire.

« Je me souviens ; c'est toi qui oublies.

— Non, puisque je suis là.

— C'est normal que tu veuilles exercer tes capacités, Clarisse, penser à autre chose qu'à nos malheurs. Toi, tu as la vie devant toi, moi... Quand je suis venu ici ce soir, avec mes dossiers, j'espérais la sentir palpiter à nouveau. J'ai tant aimé ce métier. Et puis, j'ai tiré mon fauteuil près de la cheminée, je me suis endormi.

— Tu pensais que je viendrais te chercher ?

— J'avais dit que non et j'espérais que oui.

— La Conférence générale est finie, Stéphane. Ne m'en veux pas d'avoir été absente plusieurs soirs, j'ai été emportée malgré moi. »

Il lui caressa les cheveux, le visage.

« Tu es jeune, tu es forte, tu as besoin de t'affirmer. Je comprends même si je souffre. Rentrons, maintenant. »

Il alla sans boiter jusqu'à sa table, rangea le rapport et le dossier dans sa serviette, éteignit ses lampes comme autrefois et prit Clarisse par le bras. Puis ils descendirent l'escalier à pas lents l'un avec l'autre.

CHAPITRE 29

LE CAHIER INDIEN

Pondichéry, octobre 1952

Quand nous revînmes à Pondichéry, en provenance de Londres, tout se remit en place. Je déposai le docteur et Mme Barclay chez eux. Je retrouvai ma chambre près de mes deux élèves. J'étais heureuse. Les maladresses involontaires d'Alexandra au sujet de son tableau et de ses séances de peinture semblaient avoir quitté l'esprit de Monica qui se montrait de nouveau amicale avec moi. Chaque matin il y avait une guirlande fraîche autour de mon icône. Chaque matin, aussi, après avoir préparé les enfants pour l'école, j'allais chez le docteur Barclay travailler à ses Mémoires et je saluais, pleine de respect, les pandits, déjà assis à leur pupitre dans la véranda, enveloppés dans leurs châles blancs à bordure grise. La vie avait un sens, tout répondait à tout dans notre petit univers. Dieu était parmi nous, un jour nous nous unirions au Brahman. Peu importait dans quelle religion nous vivions. Du moins le croyais-je, comme un rayon de soleil fait imaginer le retour définitif du printemps.

Par prudence, toutefois, Mike fit venir le professeur de dessin du lycée pour donner des leçons à Alexandra. Elle eut aussi la permission de suivre les séances d'éveil à l'art qui étaient offertes à l'ashram.

Elle obtint de la Mère que je puisse l'y accompagner. J'ai un souvenir ébloui de cet enseignement. Mais je ne pus le suivre. J'avais déjà trop à faire, de manière licite ou illicite. Pénélope, aussi, me réclamait. J'allais nager avec elle ou prendre ma leçon de tennis sous son œil vigilant. Quand elle était lasse de mes sottises, elle s'entraînait à la gymnastique acrobatique qu'elle affectionnait avec les appareils du club. Entre deux parties je la voyais de loin qui marchait sur les mains ou qui faisait des équilibres sur la poutre sans s'occuper de personne. Franche et drôle, elle était plutôt solitaire, comme sa sœur. Il lui manquait un coach, une équipe. Il fallait trouver une solution. J'en parlerais à son père. Elle le méritait.

Depuis mon retour, j'étais résolue à me battre pour ceux que j'aimais, pour notre genre de vie, pour l'Inde du Sud. Quelque chose avait changé après ma conversation avec Mike devant les débris du stupa d'Amaravati au British Museum. Si j'étais à nouveau la gouvernante de ses enfants, c'était moi qui l'avais décidé et non l'effet du hasard. Cela donnait à toutes mes entreprises, y compris notre amour, quelque chose de plus résolu, de plus volontaire. Mais cela estompait l'abandon et la spontanéité des débuts.

Mon compagnon le marquait à sa manière. Il venait me retrouver certains matins comme auparavant mais c'était sombre et silencieux qu'il m'entraînait dans le cabinet aux palmes. J'éclatais de rire devant sa mine défaite. La situation se retournait. Une digue se rompait. Il reprenait son autorité, son savoir-faire, sa maîtrise de l'amour. Je savais joindre mes mouvements aux siens, j'osais appeler son étreinte, la renouveler. Nous arrivions à oublier nos soucis, à communier avec la grandeur de l'univers, à nous unir à la Divinité que nous servions tous deux. Le sexe ne nous a jamais trahis, bien au contraire, il nous a tenus ensemble, il nous a comblés de son ampleur, de sa générosité, de son éternité. Grâce à lui, nous nous séparions régénérés, nous efforçant de garder les traces de son passage dans la suite de la journée. J'avais, par l'intermédiaire du docteur Barclay, tous les moyens d'éviter une grossesse et je pouvais conserver dans ma chair l'odorante jouissance de mon amant. Je m'y appliquais.

En octobre, je formai le projet de reprendre mes cours de philosophie indienne à l'université de Madras. La mousson du sud, abondante mais irrégulière, n'était pas pour m'arrêter. Mais de nouvelles difficultés étaient apparues entre la France et l'Inde.

Celle-ci, en septembre, avait demandé à la France de remettre en vigueur le traité d'Union douanière signé entre les deux pays et tombé en désuétude. Paris n'avait pas répondu. Le 9 octobre, à Madras, précisément, Nehru s'était fâché et avait réclamé le rattachement immédiat de Pondichéry à l'Union indienne sans référendum. Le gouvernement français s'y était refusé au nom de la démocratie. C'était la brouille.

Sous le prétexte d'empêcher les trafics, des bandes armées, qui se réclamaient de l'Union indienne, créaient des incidents aux « frontières » du Comptoir et de l'Inde. Celles-ci, composées de zigzags entre les aldées, ne méritaient guère ce nom pompeux. Ces bandes se heurtaient aux « goondas », les hommes de main de Goubert, député de Pondichéry à l'Assemblée nationale, qui étaient censés défendre la liberté de circuler des personnes. L'enrichissement de l'ancien greffier, lié à des activités aussi rentables que la vente du calou, la version locale du vin de palme, n'avait pas nui à sa carrière politique. Il était de plus en plus dangereux.

Nous ne parlions pas des événements devant les enfants pour ne pas les effrayer. Et quand nous nous retrouvions seuls tous les trois, sous le plafond qui imitait celui des demeures du dix-huitième siècle rasées par les Anglais, notre verre à la main, nous taisions nos pensées. Monica voyait sans déplaisir se réaliser ses prédictions sur la prétention des Français et leur faiblessc à l'égard des « indigènes ». Bien qu'il ait été en classe avec le fils de Goubert, Mike se gardait d'évoquer l'ascension de son redoutable père. Et moi, je flottais dans un monde sentimental et vaguement mystique que rien ne pouvait ébranler. Je rêvais, incorrigible, que ces épisodes n'étaient pas l'essentiel et que tout allait s'arranger.

Il y avait tant d'argent dans la ville qu'on festoyait tous les soirs, sur les bateaux, dans les demeures. Nous étions invités partout. Je ne prétendais plus rester à la maison pour travailler comme je l'avais fait pendant mon premier séjour. Je suivais le rythme général, mon secret au cœur, embellie de la maturité qu'il m'avait peu à peu donnée.

Je faisais un dernier câlin aux petites, je m'envolais vers l'escalier, je descendais à la hâte pour rejoindre mes hôtes et boire avec eux le philtre fatidique.

Je ne me lassais pas des dîners où nous étions conviés, des tables aux nappes brodées par l'atelier des sœurs de Saint-Joseph de Cluny, de l'argenterie républicaine dont disposaient les fonctionnaires, des porcelaines de l'ancienne Compagnie des Indes créée par Colbert, des montagnes de crustacés et du riz aérien qui les accompagnait. Il y avait du goût à Pondichéry, dans tous les domaines. De l'habileté commerciale aussi, avec des zones d'ombre, la traite autrefois, la contrebande à présent, mais aussi des audaces, des succès. Non seulement le Comptoir était la zone franche de l'Inde mais il étendait son empire maritime sur l'océan Indien et sur l'Asie, de l'île Bourbon devenue l'île Maurice jusqu'à l'Indochine et même jusqu'à Hongkong. En cela il était fidèle aux Empires indiens qui l'avaient précédé, les Chola, les Pandya, les Nayaks, fondés sur la navigation et les échanges. Pondichéry se différenciait d'eux en ce qu'il ne pouvait pas avoir d'armée depuis 1814. Mais il leur ressemblait par sa capacité de ruse et son audace, en dépit d'un port qui n'était pas en eau profonde, d'un pier fragile, d'un climat éprouvant et des relations difficultueuses entre les communautés.

Quand on me demandait mon avis sur la situation, je répondais que je travaillais aux Mémoires du docteur Barclay et que je vivais plus dans le passé que dans le présent. En même temps je posais des questions, je parlais tamoul, on sentait bien que j'étais attachée au Comptoir. On hochait la tête, déconcerté. On se disait : « Quelle drôle de fille ! »

Je souriais, éveillant d'autres intérêts. Mike, à l'autre bout de la pièce, s'assurait dans un éclair que je n'allais pas trop loin dans l'amabilité. Monica, elle, ne mettait aucune vergogne à guetter mes apartés avec les hommes. Elle allait jusqu'à les favoriser, en m'appelant près d'elle dès qu'elle conversait avec un nouveau venu qu'elle trouvait séduisant. Était-ce pour endormir sa jalousie, pour se débarrasser de mon encombrante présence ? J'allais volontiers la rejoindre. J'avais un faible pour elle malgré sa rudesse et malgré mon amour pour Mike. J'aimais l'odeur de ses cheveux, sa poitrine, son éclat rauque d'Anglo-Saxonne. Je n'étais pas capable d'aller plus loin avec elle dans le domaine du désir. Je ne pouvais pas non plus flirter longtemps avec la personne qu'elle me proposait. Subitement je revis le cagibi aux palmes, je chavirai, au bénéfice de mon amant, qui conversait, à quelques mètres de là, épiant tout, comme s'il était encore à Calcutta. Je m'immobilisai, ne dis plus mot, comme on coupe un fil. Je contemplai Mike à la dérobée, j'avais faim et soif de lui et ce besoin était en lui-même une jouissance. Je balayai du regard la soirée à mon tour. C'était lui, personne d'autre, lui à jamais.

On avait cessé de croire que j'étais sa maîtresse. On s'interrogeait parfois sur mes inclinations pour les hommes ou mon goût d'aimer. Aucun faux pas n'indiquait une piste. La seule qui eût pu mener à la vérité était la parfaite indifférence que je lui manifestais – celle d'une employée, pour parler crûment, à l'égard de son patron – et le fait que nous ne parlions jamais ensemble en public. Mais les joyeux Pondichériens n'en avaient cure.

*

Dès notre retour, je lui avais déclaré que je souhaitais reprendre mes cours à Madras. Il fronça le sourcil.

« C'est dangereux. Tu risques d'être arrêtée et fouillée par des voyous de n'importe quel bord.

— Je passerai par la route de la mer. Ils n'iront pas jusque-là.

— Tu n'en sais rien. Pourquoi fais-tu ça, Clarisse ?

— Je ne veux pas céder aux événements politiques. Ces cours de philosophie indienne me passionnent, j'ai passé un temps fou à me mettre au niveau. Je ne trouverai jamais ailleurs un tel enseignement. Et puis, dis-je en joignant les mains, même si nous ne pouvons pas reprendre une chambre à Madras, ces cours sont liés à notre histoire, ils font partie de nous. Je parle maintenant le tamoul. Je me débrouillerai toujours. Il ne peut rien m'arriver. »

Il me regarda d'un drôle d'air comme un combattant en juge un autre.

« Je vais discuter avec mon chauffeur. S'il accepte de t'emmener, tu pourras recommencer. »

Je fus très heureuse quand je me retrouvai devant les bâtiments de l'Université, l'exubérance de ses coupoles et de ses clochetons. Combien de fois, avant notre voyage en Europe, avais-je souri devant cette architecture, près de laquelle la reine Victoria trônait sous un dais. Personne n'avait songé à déplacer sa statue au moment de l'Indépendance. Nous n'avions rencontré aucun obstacle sur la route, aussi déserte que d'habitude. On était loin des affrontements de Pondichéry.

J'avais remis ma tunique, natté mes cheveux. Je marchai, l'âme légère, par les couloirs mal tenus, vers le Département de philosophie où le professeur Mahadevan trouva tout naturel de me revoir. Il avait déjà commencé son cours sur l'Advaïta, l'unité foncière de la réalité véritable, mais j'étais une auditrice libre, la protégée de son vieil ami le docteur Barclay et mon retard n'avait pas d'importance. D'ailleurs rien n'avait d'importance dans l'univers de la Maya, de l'illusion, de ceux qui n'ont pas fait le chemin spirituel.

Nous écoutions dans un silence absolu. Mes condisciples étaient une quinzaine, garçons et filles, mal assis sur des chaises bancales. La plupart des étudiants étaient pauvres, bénéficiaient de bourses infimes. Ils étaient beaux, par le contraste entre le noir, quasi bleu, de leurs cheveux et la clarté de leur peau. Des brahmines du Sud, pleins de capacités pour la spéculation métaphysique. Les filles étaient moins séduisantes, mais elles devaient être d'excellente famille pour avoir l'autorisation de venir et cela se sentait dans la façon altière dont elles portaient leur sari et l'intelligence sèche de leurs interventions. Il y avait une barrière absolue entre les sexes. J'étais la seule Européenne.

Je fus tout de suite reprise par l'enseignement de notre maître, cet homme vieillissant, aux traits fins, au teint blanc, aux poignets graciles, qu'aucun obstacle ne rebutait, qui les recherchait, au contraire, pour mieux faire émerger des ténèbres le Brahman qui englobait toutes choses.

«Nous allons revenir à un des problèmes les plus débattus – surtout par les Occidentaux», il me jeta un regard en coin avec un petit sourire, «celui de l'Advaïta. Il s'agit des rapports du moi individuel avec le Brahman et surtout de la manière dont l'un passe dans l'autre. Définissons le Brahman, une fois encore. Clarisse, essayez. »

J'avais déjà remarqué combien les penseurs indiens connaissaient mieux les philosophes et les mystiques occidentaux que nous ne connaissions les leurs. C'était me faire beaucoup de confiance. Je rougis.

« Le Brahman est indéfinissable car il est au-delà de la pensée. Si on parvient à en avoir l'expérience, toutefois, on sait, non intellectuellement, qu'il est la conscience pure, indifférenciée, qui transcende le temps et l'espace, et enveloppe tous les êtres dans son infinie richesse.

— Ce n'est pas trop mal. Voyons maintenant les deux voies par lesquelles nous pouvons atteindre le Brahman », me demanda le professeur Mahadevan.

Je rougis à nouveau :

« Deux grandes écoles s'y sont employées. L'une compare le moi et le Brahman à notre image, telle qu'elle apparaît dans un miroir. Notre moi est le reflet. Le Brahman est le miroir lui-même. Pour l'autre école, le Tout nous habite, c'est la seule réalité et notre moi n'est qu'une illusion. Les uns et les autres s'accordent à soutenir que c'est notre ignorance qui nous fait croire à notre moi limité. Par la connaissance, par l'ascèse aussi, nous pouvons nous dilater, ou, c'est la même chose, perdre nos contours et nous fondre dans le principe suprême. »

Ce thème me touchait particulièrement. Déjà à Sainte-Marguerite j'avais un pressentiment de la réalité à laquelle se référait l'Advaïta bien avant les mystiques chrétiens. Pourtant je n'assistais pas à ces cours par pur intérêt spirituel et intellectuel, je dois le reconnaître, mais aussi par affection pour Mike dont je ne pouvais les dissocier.

J'étais parfois entraînée par la fougue de mes camarades qui répondaient à une question du maître. De leurs prunelles, de leurs paroles jaillissait une flamme que je n'ai jamais vue ailleurs. Ils étaient emportés par l'enchaînement des idées, par la certitude qu'elles étaient mille fois plus nourrissantes que leurs misérables bourses de trois cents roupies par mois. Je ne me lassais pas de les écouter, je les admirais, honteuse de n'être qu'une petite Occidentale cramponnée à ses amours.

La quatrième fois que nous revînmes de Madras, le chauffeur de Mike Barclay et moi-même, nous quittâmes l'Université avec du retard car j'avais été à la bibliothèque emprunter des livres qui ne se trouvaient pas sur les étagères du docteur Barclay.

Le chauffeur était nerveux. Pourtant c'était un homme placide qui cachait une détermination de fer sous un aspect bonhomme. Il avait toujours dans la voiture, derrière le changement de vitesses, enveloppé dans un journal, son revolver de la guerre. Une arme lourde qu'il m'avait montrée quand il décida de me convoyer à l'Université. « Tu peux l'attraper par-derrière, si on nous attaque. Il est chargé. La sécurité est mise, voilà comment l'enlever. »

Il avait ajouté : « Attention au recul. Il faut le tenir à deux mains loin de toi. »

Bien que je n'eusse aucune expérience du tir j'avais répondu non sans forfanterie : « Pourquoi pas ? »

Mon conducteur me raconta en tamoul : « Ils ont arrêté sur l'autre route un bus qui transportait des pèlerins pour Madurai. Ils ont forcé tous les passagers à descendre, ont fouillé les femmes de la manière la plus impudique, terrorisé les enfants, menacé les hommes de mort. Ils ont toutes les audaces.

— Qui, ils ?

— Une milice de l'Union indienne.

— Comment le sais-tu ?

— Par le cousin de mon cousin. Les nouvelles circulent vite à travers les aldées. Nous ferions mieux de rester ici, ce soir. Je te trouverai une chambre. Je me logerai tout près. Nous rentrerons demain matin si la situation est meilleure.

— Je préfère revenir tout de suite. »

L'idée de perdre une soirée avec Mike m'était insupportable. La paix régnait aux alentours de l'Université, loin du centre de Madras où l'affairement commençait avec la fin de la journée. Tout imprégnée d'Advaïta, je planais au-dessus de la réalité.

Je m'assis au fond du véhicule avec les livres que je venais de prendre.

Un homme à vélo s'approcha de nous. Je sursautai.

« C'est mon parent, dit le chauffeur. Que décides-tu ?

— Que nous retournons à Pondichéry. »

Je donnai cinq roupies au porteur de nouvelles, tout ce que j'avais sur moi, à vrai dire, il disparut.

Nous partîmes. Il faisait encore très chaud. Depuis deux ans la mousson était faible. Nous avions tous soif de pluie. J'essayai de ne pas y penser. J'avais pris l'habitude de relire mes notes pendant le trajet et je m'absorbai dans l'étude des deux théories qui expliquaient les rapports du moi – de l'Atman – avec le Brahman. Je posai mon cahier et je rêvassai. Nous nous pensions tous séparés les uns des autres et nous n'étions pourtant qu'une seule et même réalité. Que peut mettre un Occidental sous ces mots ?

Quand je levai la tête, nous arrivions à Mahabalipuram. La silhouette du temple du rivage, couronné de ses tours pointues, se découpait sur la mer. Pourquoi cet édifice à demi ruiné offrait-il tant d'attrait ? Était-ce sa très haute antiquité, son étrange position sur le sable, l'impossibilité où se trouvaient les érudits de déchiffrer complètement les inscriptions laissées par ses bâtisseurs successifs au septième et au huitième siècle ? J'y faisais halte chaque fois que je passais par cette route.

« Allons-y un instant.

— Il est déjà tard.

— Quelques minutes, s'il te plaît. »

Il prit le chemin qui s'allongeait derrière le gigantesque rocher sculpté que j'avais contemplé avec les parents de Mike et avec Monica.

Je m'avançai vers le monument. Une femme en sari rouge se promenait à l'extrémité de la jetée qui le protégeait de l'écume des flots. Des enfants pataugeaient dans une anse. Il y avait eu là un grand port qui avait exporté les marchandises de l'Empire Pallava vers Java, Sumatra, le Cambodge, l'Annam. Tout avait disparu.

J'entrai dans l'enceinte. Dans l'un des trois petits temples se trouvait un haut-relief de Vichnou le pacifique, dans l'autre un Shiva à peine visible, plus loin, Durga, la déesse de la guerre. Ces divinités, quasi effacées par le temps et l'érosion, aussi contradictoires qu'elles fussent, veillaient sur les navigateurs. J'aurais voulu y réfléchir davantage mais je ne pouvais m'attarder. Je ne savais pas que je ne les verrais jamais plus.

Il faisait presque nuit quand nous nous enfonçâmes dans les terres pour rejoindre la route anglaise qui unit Madras à Madurai en excluant Pondichéry. Des camions descendaient, couverts de guirlandes et d'images pieuses, vers le sud, comme d'habitude. Au bout d'une heure nous tournâmes à gauche à Gingee, pour rejoindre le Comptoir par le médiocre tronçon qui lui était réservé. Nous approchions des aldées. Nous longeâmes le réservoir de Kalipet. À Mouttalpett, un tas sombre barrait la route. Nous nous arrêtâmes. Quatre hommes en guenilles entourèrent la voiture et arrachèrent le chauffeur à son siège. Je les entendis discuter en tamoul pendant que, subrepticement, je sortais le revolver de son journal. Ils allaient fouiller le véhicule quand j'ouvris la portière vêtue de ma tunique, ma natte sur l'épaule, mes livres au bras, l'arme dans la main droite. Je leur demandai en dialecte ce qu'ils cherchaient. Ils eurent un moment d'étonnement. L'un d'eux, grand, mince, le plus menaçant du lot, s'avança.

« Nous voulons l'argent que tu as gagné à Madras en transportant de l'or et des pierres précieuses.

— Je n'ai rien fait de tel.

— Tu vas à Madras régulièrement. Pour quelles raisons ferais-tu un voyage long et fatigant chaque semaine ? Tu imagines qu'il ne peut rien t'arriver parce que tu es étrangère.

— Je vais à Madras pour suivre des cours à l'Université.

— C'est un prétexte. Nous allons te fouiller. » Il s'approcha. Il n'y avait que la portière entre nous. Je fis tomber mes livres et pris le revolver à deux mains.

« Ça suffit, Dadala. » La voix de Mike s'éleva dans le crépuscule. Il sortit de l'ombre : « Cette jeune fille dit la vérité. C'est la gouvernante de mes enfants. Elle ne transporte que des livres. »

La stupeur nous saisit. L'escogriffe se mit au garde-à-vous.

« Oui, mon capitaine. »

Mike s'approcha du groupe qui avait libéré le chauffeur et demanda à son chef :

« Tu as déserté, Dadala, pourquoi ? Tu n'es plus qu'un soldat perdu. Jamais je n'aurais cru ça de toi. »

L'autre baissa le nez. Il ne voulait pas parler devant ses camarades.

« Nous avons besoin d'argent, capitaine.

— Je sais. Il n'y en a pas, ici. Malheureusement pour vous, même si vous chassez les Français, ce n'est pas dans vos poches qu'il rentrera. Méfie-toi des "goondas". Ils sont partout. Ne reviens plus de ce côté. »

Il sortit quelques billets de sa poche et les lui tendit.

« Tu ne les mérites pas. C'est en souvenir du passé.

— Merci, mon capitaine. »

Dadala fit un dernier salut militaire et s'engloutit avec sa troupe dans les champs.

« C'est un ancien gendarme. Il est devenu une sorte de meneur. Ce sont des marginaux qui ne gagnent jamais au change. »

La nuit était tombée. J'avais toujours le revolver à la main.

« Je ne savais pas que tu étais capitaine.

— Justement. Tu peux peut-être poser cette arme.

— J'ai remis la sécurité.

— Toujours bonne élève, Clarisse, c'est bien toi.

— Comment as-tu su ? »

Il s'appuya sur le toit de la voiture.

« Chaque fois que tu pars pour Madras, je viens inspecter cette route et j'attends ton retour. Tu ne m'as jamais aperçu, mais j'ai toujours été là, dissimulé dans la campagne. On me renseigne. J'étais sûr que cela arriverait.

— Comment te remercier ?

— Tu fais partie de moi. On ne se remercie pas soi-même. » Il demeura tout à fait immobile et je sentais sans le toucher l'amour circuler entre nous.

« Ne parlons de tout ça à personne. Retourne vite à la maison.

— C'est la dernière fois… pour Madras ? »

Nous étions face à face.

« C'est la dernière fois. Je rentre à pied. J'aime marcher dans la nuit. »

CHAPITRE 30

LE CAHIER INDIEN

Pondichéry, novembre-décembre 1952

« Nous n'avons pu, Clarisse, mon amour, célébrer à temps l'anniversaire de notre rencontre », me dit Mike quelques jours plus tard dans le cagibi aux palmes, pendant que je me reposais sur son épaule. Malgré la pluie qui accablait la verdure à notre fenêtre, il ne faisait pas froid. « Ce voyage en Europe a tout déséquilibré. J'en souffre. »

Il se mit sur un coude.

« Je te propose de retourner deux jours dans le sud.

— Mike, comment puis-je disparaître si longtemps ? Pour toi, c'est facile. Tu vas, tu viens, tout le monde y est habitué. Mais moi ?

— Si nous voulons réussir, il faut partir la nuit. Tu diras que tu retournes à Madras pour la fin de tes cours et que je préfère que tu couches là-bas. Monica ne connaît pas l'épisode de Dadala, elle méprise la philosophie indienne, elle ne vérifiera pas où tu vas. Tu iras, en réalité, dormir dans le bureau de mon comptable dans la ville noire. Subramanian viendra te chercher à cinq heures du matin et t'accompagnera à pied jusqu'à notre point de rencontre. Tu mettras ton pantalon, ta tunique indienne, tu prendras un châle et un parapluie. Du moment que tu es accompagnée par un homme, rien de tout cela ne paraîtra extraordinaire. Cela ne t'effraie pas ?

— Non, je suis heureuse que nous puissions nous retrouver complètement. »

Un air de bonheur et de reconnaissance envahit ses traits, puis une tristesse.

« Agissons vite. Je dirai à mes parents la vérité en même temps que la version de ton déplacement à Madras. Ainsi ils ne s'inquiéteront pas de ta disparition et ne commettront pas de faux pas.

— Ça ne les gêne pas de servir nos amours ?

— Ils ont accepté cette situation. De toute manière, ils sont pleins de compassion pour tous les êtres. Pour nous aussi. Cela ne les empêche pas d'être soucieux pour Monica. Mais il y a bien longtemps qu'ils ont compris que je ne m'entends plus très bien avec elle. »

Ce qui fut dit fut fait. Je prétendis partir pour Madras et passai la nuit, en fait, à Pondichéry. Je dormis très mal. La ville noire était aussi bruyante la nuit que la ville blanche était calme. La combinaison montée par Mike me préoccupait. Tout me parut difficile ce soir-là. Ces deux jours semblaient périlleux. Ils le furent bien plus que prévu.

Subramanian frappa un coup à la porte à cinq heures du matin. Je sortis avec les vêtements convenus. Par chance il ne pleuvait pas. Nous traversâmes la ville noire enfin calme. Personne n'était en train de mourir dans la rue, comme à Madras. Pondichéry était riche, malgré ses pauvres. Sa misère était cachée dans les faubourgs, dans les aldées. Nous nous glissâmes le long du grand canal et attendîmes à l'intersection de la route de Cuddalore. Mike arriva cinq minutes plus tard.

« J'ai pensé que Madurai était trop loin. Je vais t'emmener à Chidambaram. Maintenant que tu es savante, tu y prendras plaisir, je crois. »

L'idée de visiter Chidambaram me ravit. C'était la

capitale de la danse divine. Je n'avais jamais réussi à y aller.

« Que je suis contente ! »

Mike donna des instructions précises à Subramanian qui devait nous rechercher le surlendemain près du temple, sauf si des circonstances graves exigeaient un retour plus rapide. J'étais étonnée de cette remarque, mais elle me parut sage et je l'oubliai.

« Je te remercie d'être là, Clarisse. Si tu savais à quel point ! Nous avons du temps. Allons prendre du thé. »

Des bancs étaient déjà tirés un peu plus loin, sur l'accotement sableux de la route, devant une cabane de fibres près de laquelle rougeoyaient des braises. Il faisait à peine jour. Les premiers consommateurs arrivèrent, une couverture sur les épaules, voûtés, endormis et tendirent leur gobelet en demandant du café. Je bus mon thé avec avidité. Le liquide fit son effet et me réconforta. Mike prenait le sien, heureux, bien assis sur son banc. Nous étions ensemble. La puissance de la lumière s'accentua. Le feu perdit son éclat. Le village voisin sortit de l'ombre. Ces instants, dans leur simplicité, avaient un charme que des plaisirs plus compliqués n'offriront jamais.

Nous prîmes le bus de l'autre côté de la route. J'avais enroulé mon écharpe autour de ma tête. On ne nous remarquait guère. Du moins l'imaginions-nous.

La pluie s'était remise à tomber. Quelle différence avec notre premier voyage où le soleil accablait Madras et Mettupalaiyam où, sans contraintes d'aucune sorte, nous avions trouvé la fraîcheur dans les montagnes bleues. Je ne voulais pas voir de symboles dans le changement du ciel, dans le choix du trajet, dans l'obligation perpétuelle de nous cacher. La terre avait besoin de la mousson. Les flaques, le ruissellement de l'eau sur les vitres, les nappes d'eau qui s'abattaient sur la route et ravinaient ses bords faisaient partie de la renaissance et de la vie. Il ne fallait pas y chercher autre chose.

« Réveille-toi ! Nous sommes à Chidambaram. »

Le temple formait une masse rectangulaire considérable. Il était entouré de quatre enceintes. Il avait été commencé par les Pallava deux siècles après le temple de la mer. Leur enrichissement en avait fait un édifice monumental. Les Chola, leurs successeurs, y avaient ajouté d'autres murs, d'autres salles, de nouveaux gopurams et avaient installé leur capitale et leurs palais à côté.

« Que veux-tu voir ? me demanda Mike pendant que nous pataugions dans la boue.

— J'aimerais aller tout droit à la statue de Shiva Nataraja. »

Nous déposâmes nos chaussures à la porte, traversâmes les galeries habituelles de marchands de fleurs et de fruits, repartîmes. Mike ne pouvait pas me prendre le bras. Je marchai derrière lui sous mon parapluie qui ne m'abritait pas.

« Nous voici au temple de Sivakami, un autre nom de Parvati, l'épouse de Shiva. Nous pouvons nous y reposer un instant.

— C'est celui qui contient les fameuses sculptures de danse ?

— Les cent huit postures du Bharata Nâtyam y sont représentées dans la pierre. »

Nous entrâmes et essayâmes de discerner certaines d'entre elles. Mais mon impatience était trop grande de contempler la statue célèbre pour y passer beaucoup de temps.

Enfin nous arrivâmes aux deux temples à toit d'or. L'un enfermait la représentation du dieu dansant, l'autre était consacré au lingua d'éther qui par définition était invisible. Nous n'avions pas le droit d'y entrer. Le premier temple était en revanche ouvert aux étrangers.

La cella était sombre et chaude.

« Voilà ta divinité », me chuchota Mike.

J'aperçus une créature ravissante, auréolée d'une arche hérissée de flammes, une merveille d'harmonie où se rassemblait tout ce que pouvait attendre le fidèle de l'objet de son culte.

On était loin de ces Shivas ridicules, furieux, les cheveux dénoués, la rage aux talons, dont j'avais vu le premier exemplaire chez un médecin dans ma jeunesse et qui m'avait tant déplu. Loin aussi de mes premières impressions du pavillon des Bronzes à Madras, qui m'avaient donné des haut-le-cœur.

« Oh, Mike, je n'avais rien compris au shivaïsme, dis-je à voix basse, et pourquoi tu y étais si attaché. »

Nous étions l'un contre l'autre dans l'obscurité.

« Il y a dans cette statue la création et la destruction, bien sûr, mais aussi l'élan, la félicité, l'union cosmique. Et le sanctuaire est construit autour d'elle. Nous sommes enveloppés dans tout ça et en même temps nous sommes le Dieu dansant. »

Nous fûmes obligés de faire place aux autres dévots.

« Allons à l'autre temple.

— Je croyais que nous n'avions pas le droit d'y rentrer.

— Je connais le brahmane. Il accepte que nous assistions à la puja du linguam d'éther. »

Nous nous dirigeâmes dans la boue vers l'autre cella. Il pleuvait toujours.

« Le linguam de Shiva est plus important que Shiva dansant ?

— Oui, parce qu'il l'exprime plus complètement. C'est pourquoi il est l'objet d'un culte très complet, très émouvant.

— Comment est-ce possible puisqu'il s'agit d'un linguam invisible ?

— La puja se fait sur un substitut, un petit linga mobile, un bâtonnet de cristal, d'une quinzaine de centimètres de haut.

— Je ne saisis pas les raisons du prestige du linga.

— Le linga était considéré dans les débuts comme identique aux cinq éléments fondamentaux, l'eau, l'air, le feu, la terre, l'éther. Certains temples vénèrent particulièrement l'un d'entre eux. Dans le cas du nôtre, c'est l'éther. Il est temps d'aller à la cérémonie. »

La deuxième cella était grande mais plus sombre encore que la première. Elle était pleine de monde. Tous les hommes étaient torse nu. Mike enleva sa chemise et se glissa au premier rang. Je me plaçai dans un angle d'où je pouvais saisir l'essentiel. Des lueurs éclairaient l'officiant.

Le culte commença. Comme un personnage royal dans son palais, le linga de cristal fut baigné, enduit de substances douces, rincé, habillé de vêtements frais, nourri. J'apercevais le prêtre faire aller sa main du plat entrouvert au dieu dans un mouvement de va-et-vient. Puis vint le grand moment de l'offrande des lumières. L'officiant donna au linga du camphre allumé, sur un plateau. Il montra celui-ci, toujours enflammé, au cercle des fidèles et l'éleva jusqu'au front de chacun. Mike sortit de l'ombre comme les autres assistants. Des flammes légères l'environnèrent un instant. Ses yeux très clairs, son visage volontaire, ses lèvres se dessinèrent sous cet éclairage qui prit, en passant sur lui, une extraordinaire coloration bleue. Il avait à ce moment une présence surnaturelle et même dans le temple surchauffé et obscur, elle s'affirmait magistralement. Il déposa son obole sur le plateau et reçut les cendres sacrées et un peu de nourriture.

Quand nous sortîmes, il ne pleuvait plus. Nous reprîmes nos chaussures après nous être tant bien que mal lavé les pieds.

« Comme Rama et Sita nous sommes en fuite, dit Mike en souriant, tandis que je me dissimulais sous mon voile.

— J'ai retenu pour nous l'Inspection Bungalow, auprès du Collector de Cuddalore. Sauf si un fonctionnaire venait à l'occuper, nous y serons parfaitement tranquilles. Un repas nous y attend. Nous pourrons nous y reposer. Ensuite, je t'emmènerai au bassin de Tillai. C'est là que Parvati, vexée d'avoir été battue par Shiva dans leur concours de danse, s'est exilée pour fonder son propre temple. De rage elle était devenue rouge vermillon. En se baignant dans les eaux voisines, elle retrouva sa sérénité et son aspect de déesse. »

Au bungalow, le déjeuner était prêt. J'avais faim.

« Je ne peux pas attendre, dit Mike en m'enlevant mon chapati des doigts, je te veux tout de suite, sous tous les aspects possibles. »

Ses mains chaudes parcoururent mon corps et l'enveloppèrent d'un filet d'amour devant le repas non entamé.

« Que tu es petite et fine. Je te retourne comme une poupée, j'adore ça. »

Que se passait-il pour que Mike parlât ainsi, lui qui ne disait pas un mot dans l'acte d'amour ? Où étaient sa retenue, sa sagesse, sa spiritualité ?

Je lui demandai quand nous fûmes plus calmes.

« Pardonne-moi, Clarisse. Je me suis laissé emporter par ma convoitise. Je t'ai traitée comme un objet. Ne m'en veux pas.

— Loin de là. J'aime que tu perdes ton contrôle, cela te rapproche de moi.

— Tu es indulgente devant ma faiblesse. Comment te rendre ce que tu me donnes ? Je ne sais plus où j'en suis. Notre situation me trouble autant que toi. Avant ton arrivée tout était simple. J'avais renoncé à mes études de médecine, je faisais des affaires, je réussissais. Depuis que tu es là, tu as fait resurgir mes vrais désirs. À te voir réfléchir, travailler, apprendre, je me suis dit que j'avais fait fausse route. Que la science est préférable à la richesse. Qu'on ne peut pas contrarier indéfiniment sa vocation. C'est peut-être pourquoi je suis plus tendu, plus nerveux, pourquoi je me jette sur toi, ce que je n'ai jamais fait. J'ai peut-être changé ta vie. Mais toi, tu as bouleversé la mienne. Dans l'arc de tes bras, fit-il en me caressant les poignets, tu tiens pour moi l'univers tout entier. Je m'interroge sur le Dharma, sur notre conduite. Je ne suis pas en paix avec moi-même, malgré tous mes efforts.

— Qu'est-ce qu'il faut faire ?

— Attendre la clarté. Nous mettre en état de la recevoir.

— Sais-tu que, sous les flammes du camphre, tout à l'heure, j'ai cru voir ton visage prendre une coloration bleue ? »

Il se mit à rire.

« Tu es trop plongée dans la dévotion indienne à Krishna dont c'est la couleur, Clarisse. Voilà que tu as des illusions d'optique. Je ne suis qu'un pauvre homme qui t'aime.

— Je me suis trompée », fis-je, sans en être tout à fait sûre.

Nous prîmes un taxi pour aller au temple d'Amman comme nous l'avions prévu. Je me sentais à l'aise dans mes vêtements indiens. Notre conversation m'avait fait du bien. Les déboires de Parvati m'amusèrent. Le lac de Tillai, couvert de nénuphars, était l'image de l'apaisement.

Quand nous sortîmes de la chapelle où la déesse, représentée dans sa colère, était devenue écarlate, les alentours étaient vides. Le chauffeur du taxi en tremblant chuchota quelques mots à l'oreille de Mike Barclay dont le visage changea.

« La radio vient d'annoncer un cyclone, sans pouvoir donner exactement son trajet. Il s'oriente en arc de cercle autour de Karikal. C'est bien ce que je craignais après les années de sécheresse que nous avons connues. Il faut rentrer tout de suite. »

Le taxi nous ramena à l'Inspection Bungalow où nous retrouvâmes Subramanian.

« Je lui avais demandé de venir nous chercher au cas où il y aurait une mauvaise nouvelle. Repartons pour Pondichéry. » Je repris mon sac, jetai un regard sur la couche que nous avions partagée, me précipitai dans la voiture.

« Pourvu qu'aucun arbre ne tombe en travers de la route. Un cyclone tourbillonne à plus de cent cinquante kilomètres à l'heure. »

Affolées, les populations cherchaient refuge dans les villages où il y avait des édifices en pierre. Des hommes courageux attachaient les arbres avec des cordes. La disparité des religions compliquait encore les choses car un musulman ne se serait jamais abrité dans une structure hindoue et inversement. Quant aux intouchables, ils pouvaient périr dans le coin qui leur était réservé. Personne ne s'approchait d'eux et ils savaient bien qu'ils ne pouvaient compter que sur eux-mêmes. Seules les vaches continuaient d'errer.

Soudain une vague d'air roula sur la campagne comme si une main gigantesque avait ouvert un éventail. Des silhouettes s'abattirent dans les champs.

Notre voiture vacilla.

« Accélère, dit Mike Barclay au chauffeur. Nous sommes à mi-chemin, il faut que nous arrivions avant la catastrophe.

— Je ne peux pas aller plus vite. » Leur camaraderie de guerre ressortait. Je ne comptais plus.

« Comment éviter les obstacles ?

— Si je passe par de petites routes, nous tomberons sur des cocoteraies, des maisons de terre. Si je prends la grand-route, n'importe quel véhicule peut se renverser et tout barrer. »

Nous nous enfonçâmes dans les taches de verdure composées par les bananiers, les palmeraies, les cultures maraîchères qui avaient fait la gloire des Pallava sur la côte de Coromandel. Derrière les troncs violemment secoués, le long de la côte, la mer se déployait en une houle immense. Nombre de villageois ne voulaient pas quitter leur maison. Ils regardaient la voiture passer, les yeux vides, sans un geste de supplication. Elle était aussi exposée qu'eux.

Nous poursuivions, attendant la nouvelle attaque du vent qui fracasserait tout. Dès qu'on était sorti des plantations, la terre révélait des ravines rouges, sinistres, dues à la détérioration des sols par la mousson et à l'absence de végétation. Il n'y avait là ni abri ni salut.

« C'est une affaire de chance », dit Mike Barclay. Il m'attacha à lui.

« Si nous nous renversons, ce n'est pas trop grave. Il ne faut pas être éjectés. »

J'entourai son buste de mes deux bras. Il m'embrassa. Il s'était ficelé à son siège comme Subramanian.

Nous approchions des faubourgs de la ville noire où nous nous étions retrouvés la veille quand la voiture prit son envol, et, après un bond spectaculaire, s'immobilisa dans une déclivité qui la bloqua sur ses quatre roues un peu en dessous de la tempête. Nous vîmes des branches, des pierres, des débris de toute sorte disparaître par-dessus la butte qui nous avait arrêtés. Brusquement tout s'interrompit.

« Nous avons un répit. Ce n'est que le commencement. Emmène vite Clarisse chez mes parents. Vous avez peut-être le temps de rejoindre la route de Madras d'où vous êtes supposés arriver. Sinon, abritez-vous quelque part. Personne ne prendra garde à vous dans un désordre pareil. »

Il calculait, supputait, trichait, même dans un moment pareil.

« Et toi ?

— Je rentre à la maison. Nous nous retrouverons plus tard si Dieu le veut. Partez ! Vite ! »

Ainsi il m'abandonnait. Ce fut comme un coup de

poignard. J'avais cru que nous combattrions ensemble jusqu'au bout. Je ne bougeai pas.

« Qu'attends-tu, Clarisse ? Ta vie est en danger. La nôtre aussi. »

Je me mis à courir. Pour le fuir autant que pour me sauver.

Le premier coup de vent avait déjà fait son œuvre. La route était jonchée de morceaux de bois, de cailloux, de charpentes. J'avançais aussi vite que je le pouvais dans mes sandales indiennes. Subramanian me suivait sans montrer d'irritation devant mes faux pas et mes hésitations. C'était un vrai soldat. D'un doigt très sûr, par pressions sur l'épaule, il me guidait entre les obstacles. Nous suivîmes la boucle indiquée par Mike pour faire croire – à qui ? grands dieux ! – que nous arrivions par le nord et nous nous trouvâmes dans la rue centrale.

La pluie tomba d'un coup. En un instant nous fûmes engloutis dans l'élément liquide. Nous parvînmes à grand-peine, l'eau jusqu'aux genoux, à la maison du docteur Barclay.

Le jardin était dévasté. Toutes les fenêtres étaient bouclées. Nous frappâmes à la porte, protégée par les colonnes doriques et le fronton, craignant de n'être pas entendus. Mme Barclay entrouvrit.

« Mon enfant, je vous attendais. » Le souvenir de sa voix me réchauffe encore en écrivant ces lignes. Je lui dis d'emblée que son fils avait certainement réussi à rentrer puisque nous y étions parvenus.

« On vient de me le confirmer. Venez vous changer. »

Je grelottais. Elle me fit monter dans sa chambre et me passa une jupe, une blouse qui lui appartenaient. Mouillée ou pas, il était préférable que personne ne me voie dans mon accoutrement d'Indienne.

Je la retrouvai ainsi que son mari dans la bibliothèque. Colmatés par des couvertures, des morceaux de carton, des étais, les volets avaient résisté. Les rayons chargés de volumes précieux, la table sur laquelle je travaillais, étaient éclairés par des chandeliers. Il pleuvait toujours.

« Si je ne me trompe, dit le docteur Barclay, notre cyclone va suivre une trajectoire ouest. C'est ce qui arrive dans la période de l'après-mousson où nous entrons. Ce sont les plus forts. C'est la région de Masulipatam qui est la plus menacée. Nous avons ici la chance d'avoir une côte plate, moins soumise aux glissements de terrain et aux inondations. Mais c'est un désastre pour les plantations, surtout les bananeraies. La canne à sucre résiste mieux. Ce qui m'effraie, c'est la mer », m'expliqua-t-il d'un ton paisible, avec un bon regard. « Vous avez froid, ma petite Clarisse, le thé arrive. »

Je me rappelai les cours de géographie qu'il avait donnés à Pénélope dans cette pièce. À la vue de son calme j'essayai de reprendre le mien.

« Quand nous sommes partis de Chidambaram, il y avait une houle bizarre, des vagues énormes, très écartées les unes des autres, de plus en plus verticales. J'ai eu peur de cette mer qui se balançait comme si elle allait se jeter sur nous et que je ne reconnaissais plus. »

Un plateau fut apporté. Les servantes avaient réussi à faire chauffer du thé. Je retrouvais leur ingéniosité, leur courage. Elles étaient sans nouvelles de leur famille puisque nous étions tous cloîtrés dans la maison.

« C'est en 1845 que le mot cyclone a été utilisé pour la première fois, poursuivit le docteur Barclay comme si de rien n'était. L'Observatoire de Calcutta s'est mis à les étudier dès le siècle dernier pour accroître la sécurité de la navigation sur les lignes de la Compagnie des Indes anglaise. Les premières tables de fréquence que nous possédions sur la région datent de 1883. Comme quoi le commerce gouverne le monde. »

Il se leva, une bougie à la main, monta agilement

sur une échelle, sortit un volume de l'obscurité et me l'apporta.

« Voilà ces tables. Je les avais achetées autrefois. Jc ne pensais pas qu'elles seraient si instructives. Nous avons déjà connu des cyclones. Celui-ci est le plus violent depuis 1949. Surtout il est plus proche. Les maisons tiendront, qu'arrivera-t-il au port ? »

Je feuilletai le texte, taché mais bien imprimé.

« D'ailleurs, les cyclones n'ont pas que des inconvénients malgré les désastres qu'ils provoquent. Ils sont de grands pourvoyeurs d'eau. Nous avons connu la sécheresse depuis 1946. Nous avons besoin d'eux. La mousson seule n'est pas suffisante. Allez vous reposer, Clarisse. Le danger s'éloigne. Il faut dormir. Et avalez cela avec votre thé pour oublier vos émotions. » Je m'exécutai.

Nous apprîmes à l'aube que le cyclone avait ravagé Karikal, à soixante-dix kilomètres au sud. Pondichéry, plus épargné, avait perdu son pier dont les poutrelles d'acier n'avaient pas résisté à la violence des flots.

Je rentrai chez Mike et Monica pleine de sombres pensées. La disparition de Mike dans l'orage m'avait scandalisée. « Il ne m'aime donc pas, ruminais-je. En cas de malheur, je serais morte sans lui. » Je mesurais bien le caractère excessif des propos que je me tenais. Mais j'étais ainsi faite et je crois que je n'ai jamais changé.

*

Tout reprit comme d'habitude. Le ciel, dégagé par les pluies cycloniques, n'avait jamais été plus clair, la température plus clémente, l'hiver plus doux. Celles des cultures qui n'avaient pas été arrachées étaient verdoyantes, comme je ne les avais jamais vues. Quant aux maisons de bois, elles furent reconstruites en un tournemain par les ouvriers tamouls dont la menuiserie était un des orgueils. La destruction du pier posait plus de problèmes. Certes les navires qui apportaient les marchandises licites et illicites étaient accoutumés à jeter l'ancre en eau profonde. Mais il fallait bien débarquer les cargaisons quelque part. On se débrouilla. Le Comptoir pansa et paya ses plaies à une vitesse inespérée.

Les effets du cyclone avaient détourné quelques jours l'attention de la querelle entre la France et l'Inde. Elle reprit de plus belle. Le trafic sur les roupies s'apparentait à celui des piastres en Indochine. Le gouverneur, pour calmer les Indiens, suspendit les transactions sur l'or, organisées par le député Goubert, qui donna libre cours à sa colère. Même le docteur et Mme Barclay étaient soucieux. Comment les pandits pourraient-ils venir travailler sous la menace des « goondas » ? Monica manifestait un flegme plein d'arrière-pensées.

La vie cachée que nous menions, Mike et moi, avait repris. Il y avait quelque chose en elle qui ne voulait pas céder, qui réclamait son dû malgré toutes les épreuves. Pour effacer son abandon, Mike venait tous les matins me voir à la bibliothèque. Il n'hésitait plus à passer l'après-midi aux leçons de dessin d'Alexandra. Cela nous permettait d'échanger quelques phrases. Il me demandait aussi de venir à son bureau étudier certaines affaires avec son comptable. Tous les prétextes étaient bons pour être ensemble. Mes velléités d'indépendance, mes doutes avaient disparu avec le cyclone. Ce que j'éprouvais n'était plus du désir, ce n'était plus de l'amour, c'était un état second qui ressemblait à l'émerveillement des mystiques devant ce que Dieu voulait bien leur révéler de sa nature. Il était là.

Nous fêtâmes Noël dans une complicité qui nous isolait. J'étais assez lucide pour observer une plus grande ferveur à la cathédrale, plus de retenue dans les réveillons. Pondichéry néanmoins ruisselait d'ampoules électriques tant la Nativité sous les tropiques s'apparente à la lumière du jour plus qu'à celle des nuits froides de l'Europe. Nous nous séparâmes sur le palier tard dans la nuit. Cela n'avait pas d'importance. Le lendemain nous serions ensemble. Tout était acceptable, tout était accepté. Je m'endormis paisiblement.

Le lendemain soir, Monica annonça le départ définitif de la famille Barclay pour Londres.

CHAPITRE 31

PARIS

Octobre 1967

Stéphane avait le culte des anniversaires. Clarisse s'était volontiers pliée à cette exigence tout à fait ignorée de ses parents trop absorbés dans le combat politique ou la survie matérielle pour songer à décompter leur âge. Quand elle était petite, elle avait droit à un gâteau chez une tante russe où l'on se rassemblait en son honneur. Mais l'événement ne tranchait guère sur la trame ordinaire de son heureuse enfance, il la contrariait même un peu en retardant pour elle la lecture des journaux que son père rapportait avant dîner et le jeu enchanteur des questions-réponses qui s'ensuivait.

Stéphane, en revanche, historien dans l'âme plus que militant, passionné des souches, des lignées, des filiations, attachait une grande importance à ce que l'on célèbre les dates de naissance et que chacun des membres de sa famille soit intronisé à sa place dans le calendrier. Il excellait à superviser ces fêtes qui constituaient une des seules exceptions notables à la régularité de l'existence rue Balzac.

*

Le jour de ses quarante-sept ans tombait un vendredi. Les années précédentes, les Jardillier recevaient à cette occasion une douzaine de personnes.

Clarisse interrogea Stéphane, non sans appréhension.

« Tu n'as pas encore fait de liste ? » observa-t-elle un soir.

Il resta silencieux, puis demanda :

« Qui aimerais-tu inviter ? »

Cette question l'inquiéta plus qu'elle ne lui fit plaisir. C'était lui qui décidait d'habitude et elle approuvait ses choix. Dans sa solitude, elle n'avait noué d'amitié avec personne depuis son mariage et ne se réjouissait que de la présence de sa famille et de la venue des Choukri.

« Victor et sa femme, bien sûr.

— Et puis ? »

Elle réfléchit, pesant ses mots et la formulation de sa réponse.

« Nous pourrions peut-être demander au professeur de piano de François ? C'est un monsieur âgé à présent, mais il demeure un grand virtuose et il est plein d'humour.

— Ça te ferait plaisir ?

— Ça m'est assez égal, mais je suis sûre que François serait comblé. »

Elle ne voulait pas lui dire que son fils étudiait des morceaux avec son maître pour lui faire une surprise ni lui avouer que la présence du vieil homme la rassurait au moment où Stéphane entamait une année dont on ne savait pas – et il en était sûrement conscient – comment elle s'achèverait.

« Nous serons donc cinq, conclut-il, cela suffit. Je commanderai les vins comme d'habitude quand tu m'auras dit le menu que tu vas composer, et pas de régime », fit-il avec un pauvre sourire. Ce fut sa seule allusion à son état.

Les rares visites de l'appartement furent suspendues pour une semaine afin de permettre, dans un climat d'intimité, les préparatifs de la soirée. Stéphane fit le tour de toutes les pièces avec ses outils pour vérifier la bonne marche de l'installation. Clarisse, aidée par la femme de ménage, sortit des placards fermés à clef depuis la décision de vendre la rue Balzac la vaisselle, la verrerie, l'argenterie réservées aux grands jours.

Stéphane, qui connaissait tous les recoins de l'Hôtel des Ventes, avait su y faire des achats aussi heureux qu'habiles lors des visites furtives qu'il y faisait – les seules escapades qu'il se permettait hors du ministère pendant ses interminables journées de travail. Sachant mieux que personne la faiblesse de ses moyens, tenace, doté d'une excellente mémoire, il avait orienté ses recherches vers des services de table et des couverts du début du vingtième siècle dont le coût n'était pas élevé et le style peu à la mode. Il rapportait ses trouvailles à sa femme et lui en racontait les péripéties. Elle le félicitait, les admirait sans arrière-pensée. Ces vaisselles familiales qui eussent pu appartenir aux descendants de la bourgeoisie évoquée par les impressionnistes avaient un charme candide. Des violettes pâles, aux longues tiges, couraient, fantasques, sur la porcelaine des assiettes ourlées d'or, les cuillers et les fourchettes s'embellissaient de guirlandes ou de médaillons où s'effaçaient des initiales. Clarisse prenait plaisir à les déballer et à faire briller les godrons et les palmettes qui s'allongeaient sur leurs manches. Elle partageait avec Stéphane le respect des détails esthétiques, fussent-ils infimes et anonymes. Marie avait hérité du goût de ses parents. C'était dans l'expression des sentiments que les choses se gâtaient.

Clarisse plaça l'argenterie en ordre sur un plateau pour aller mettre la table. Elle se plaisait à l'histoire comme Stéphane, mais ce n'était pas la même et jamais elle n'avait osé lui parler de son séjour à Pondichéry, qui l'eût peut-être, après tout, intéressé, tant elle avait peur de mettre une émotion excessive dans l'évocation des lieux, des dieux, des habitants du pays tamoul qui eût alerté sa jalousie. Lui-même, d'ailleurs, avait omis de l'interroger sur ce passé-là, cette parenthèse, qu'il redoutait sans doute d'instinct. Clarisse s'était appliquée à l'histoire du Bourbonnais, Stéphane n'avait jamais eu d'écho du sous-continent indien.

Malgré ce déséquilibre, leurs voyages archéologiques avaient été une réussite. Pendant une partie des vacances, ils confiaient les enfants à la mère de Stéphane et partaient à la recherche du passé de la province bourbonnaise ou de lieux plus éloignés, la Bourgogne, l'Alsace, sans craindre leur peine. Le soir, ils commandaient un bon repas. Après le dîner, le sexe les unissait, les rapprochait parfois. Quant à dire «je t'aime», comme Stéphane le demandait ardemment à Clarisse, c'était une autre affaire, une tonalité introuvable, une note inaccessible.

Ils rentraient à Moulins, chargés de cartes, de catalogues, de brochures, apparemment contents.

Chaque été, ils recommençaient.

Clarisse se leva avec son plateau. Elle se réjouissait de voir l'appartement s'éveiller comme le palais de la Belle au Bois dormant, pour l'anniversaire de Stéphane.

Marie était à la cuisine, en train de préparer une entrée.

*

Le téléphone sonna. Laissant ses hôtes au salon, Clarisse prit l'appareil dans l'entrée, après avoir fermé la porte, habitude qu'elle avait contractée depuis que la maladie de Stéphane le ramenait plus tôt à la maison, pour ne pas le déranger. D'ailleurs on ne leur téléphonait presque plus.

C'était Mike.

Clarisse regardait la lampe dont le socle était monté sur des pattes de griffons. « Quelle étrange lampe, pensa-t-elle, pourquoi les animaux jouent-ils ce rôle absurde dans notre mobilier ? » En même temps elle étreignait le répondeur, elle écoutait cette voix qui la réclamait. Elle finit par répondre :

« Oui, c'est moi, c'est bien moi. Où êtes-vous ?

— À Paris, pas très loin de chez vous, à l'hôtel Friedland, au coin de la rue Monceau.

— Mais que faites-vous ici ?

— Je suis de passage pour une affaire. En réalité je suis là pour vous. Voilà quinze ans que j'attends ce moment.

— Vous les avez comptés ? » La réponse est partie comme la lanière d'un fouet. Clarisse frémit d'émotion, de fureur, elle ne sait pas.

« Oui, un à un interminablement. »

De quel gouffre montent ces paroles ? Comment cet homme ose-t-il surgir à l'heure où se célèbre l'anniversaire de Stéphane ? Après tant d'épreuves qui ont enfin mis Clarisse sur la Voie ? Elle va raccrocher.

Mike sent le danger. Très vite, il ajoute :

« Monica s'est remariée il y a deux mois. Elle a emmené David. Les grandes, vos élèves, travaillent. Quand puis-je vous voir ? »

Le même ton, la même énergie, la même autorité. Mike, sa stature, ses yeux clairs, ses paupières translucides, son visage impassible, sauf la lèvre inférieure qui tressaillait quand ils étaient face à face et que le désir s'épaississait entre eux. Le cagibi aux palmes et sa fenêtre cachée dans la verdure. La chaleur des tropiques tamouls. La piété des mains brunes qui déposaient des biscuits au pied des dieux. L'Inde immense étayant leur amour. Mike Barclay.

« Comment puis-je m'attendrir sur cet homme qui en 1952 a fait volte-face, s'est soumis au diktat de sa femme et d'une chiquenaude m'a rejetée de sa vie ? » pense-t-elle.

« Que décidez-vous ?

— C'est vous qui décidez d'habitude.

— C'est vrai. »

« Plus jamais, proteste le passé. » Rappelle-toi le dîner où Monica a annoncé que sa famille allait vivre à Londres. Et lui, immobile, assuré, au bout de la table, alors qu'il t'avait étreinte le matin même dans la bibliothèque. Revois-le le lendemain, sur le perron, appuyé à une colonne. Ses parents, à qui tu étais venue dire adieu, s'étaient écartés. Tu avais imploré une explication, un rendez-vous en Angleterre. « Nous ne pouvons plus continuer », avait-il déclaré enfin, comme s'il parlait à un grain de poussière. Il avait néanmoins demandé une adresse, tu avais balbutié : « Poste restante, rue Balzac, une fois l'an », et tu étais partie. Rappelle-toi ton retour à Paris. On te croyait pieusement recueillie à la chapelle ou en train de lire les œuvres de ton programme d'agrégation. Tu ne pensais qu'à lui. Dans l'autobus, dans le train, tu suffoquais de désir. Tu as été dépossédée de l'Inde du Sud, tu as été privée de tes élèves, du docteur et de Mme Barclay, qui t'aimaient comme une fille, toi, l'orpheline sans liens et sans pays. Un cataclysme. Une trahison absolue. Et, finalement, après tant de douleurs imméritées, une lueur enfin dans la nuit. La découverte de la Voie, l'idée d'écrire le Cahier indien pour se débarrasser de ce que cet homme a pu représenter pour toi, afin de devenir une femme libre, indépendante et forte.

« Je ne recommencerai jamais plus », se dit Clarisse.

Elle entend du bruit dans la cuisine. Le dîner sera bientôt prêt. Elle est saisie d'épouvante. Mike est à Paris, à quelques centaines de mètres d'elle.

Elle chuchote :

« Je ne peux pas vous voir.

— Pourquoi ?

— Mon mari est très gravement malade. Je suis en train de m'occuper de lui.

— C'est la seule raison ? »

Ne pas répondre, surtout ne pas répondre.

Elle se tait.

« Je vous laisserai une lettre à l'hôtel de Friedland et mon numéro de téléphone à Londres. »

Elle raccroche. Avant qu'il ait le temps de continuer. Elle vacille. Elle s'assied sur le divan où les trois Libanaises avaient, en d'autres temps, posé leur manteau de vison noir.

Cette voix, grands dieux, après tant d'années, comme si cela allait de soi. Croit-il donc qu'il peut la rejeter et la reprendre à son gré ? En même temps il y a le timbre grave, familier, très doux, de celui qui l'appelle enfin et qu'elle n'attendait plus.

Elle a peur que Stéphane ne s'inquiète. Pourtant elle ne le voit pas quitter le salon pour demander ce qui se passe. Trop maître de lui. Et elle a parlé très bas.

Déjà la nouvelle réalité s'installe, et, avec elle, la ruse et l'audace. Clarisse va vers son bureau, y prend son dernier article, rentre dans le salon son texte à la main et le tend à l'ami libanais.

« Vous m'avez demandé de vous montrer mon compte rendu du dernier volume de l'*Histoire d'une vie* de Paoustovski. Le voilà. »

Stéphane fixe les frondaisons des platanes par les fenêtres ouvertes sur la place Guillaumin.

« On a téléphoné ? demande-t-il.

— Oui, une ancienne collègue de Moulins. Elle est de passage. »

Elle s'étonne elle-même de son aplomb et poursuit :

« Je la verrai demain à déjeuner, avant mon cours. C'est le seul moment où elle soit libre. Tu me donnes à boire ? »

Elle avale à petites gorgées le madère servi dans

les verres de cristal qu'ils ont reçus pour leur mariage. Mike est à quelques pas d'ici. Elle se le répète dans son for intérieur sans y croire.

Les premières années de leur séparation elle s'était dit : « S'il se produisait un miracle, s'il revenait soudain. » Elle habitait à Sainte-Marguerite et débutait à Moulins. Puis la silhouette bien-aimée s'était évanouie avec le temps dans les paysages que Clarisse contemplait du train pour donner ses cours en province, quelque part vers la Haute-Loire et les monts du Forez. Mais le sentiment était resté là, obscur, incompréhensible, et l'envie. Indéfiniment.

« Encore un peu », dit-elle à Stéphane.

Heureusement il converse avec Victor Choukri dont la compagnie le réjouit toujours.

« C'est servi », annonce Marie, les prunelles élargies sous des cils si longs qu'ils peuvent lui caresser la joue. Elle apporte sur un plateau les assiettes de l'entrée, une mousse de poisson, entourée de petits légumes, qu'elle a préparée en l'honneur de son père.

« C'est aussi joli à voir que ça va être bon à manger. Tu pourrais être un cuisinier japonais », dit Victor. De visage elle ressemble à sa mère. Sa démarche, ses gestes évoquent Stéphane.

Elle rougit, entrouvrant une bouche sensuelle aux lèvres bien ourlées.

Quant à François, il écoute son maître, qu'il n'a pas quitté depuis son arrivée, bavarder avec Mme Choukri qui aime beaucoup la musique.

Le repas s'avance. Clarisse discute, sourit, va chercher le plat principal, le fromage.

« Tu ne tiens pas en place ce soir, dit Stéphane. Laisse un peu les enfants t'aider. »

Malgré cette protestation elle retourne dans la cuisine pour allumer les bougies du gâteau. Elle s'est interrogée toute la semaine. Stéphane prendra-t-il plaisir à éteindre la flamme d'un coup comme le veut la tradition ? Combien d'années a-t-il devant lui, de mois, de jours ? Elle a choisi l'espérance et piqué quarante-sept bougies dans la croûte de chocolat. Le coup de téléphone de Mike a dévoyé la cérémonie. Clarisse, chancelante, dépose la couronne lumineuse devant l'intéressé avec un baiser sur le front. La tablée s'exclame. Stéphane souffle, Marie découpe les tranches, les distribue au bout de la pelle d'apparat.

« Tu devrais allumer, à présent, il fait un peu sombre, dit Stéphane à Clarisse, au moins la lampe du fond. » Elle passe devant la fenêtre. Son regard file dans l'avenue de Friedland jusqu'à l'hôtel du même nom où Mike est descendu. Est-il venu en tapinois reconnaître la rue Balzac ? Ce serait bien dans sa manière. La pièce s'éclaire. Victor Choukri ouvre une nouvelle bouteille de champagne.

« Tu nous joueras bien quelque chose pour l'anniversaire de ton père », dit-il à François. Il sait que son filleul a étudié plusieurs morceaux pour la soirée.

Celui-ci se lève, toujours heureux de se mettre au piano.

« Qu'aimerais-tu, Papa ? »

Stéphane émet un rire inattendu.

« Je voudrais un morceau très romantique, à l'intention de ma femme.

— Je ne suis pas expérimenté, avoue François assis devant le clavier. Ne m'en veuillez pas si ça n'est pas parfait. » Il se redresse, la tête inclinée sur le morceau qu'il va jouer. Sa main d'enfant retombe. Il enchaîne deux nocturnes de Chopin qui s'égrènent dans la nuit jusqu'à la Fondation des arts plastiques. Il n'y a plus de voitures. Aucun bruit ne vient troubler la musicalité des notes que François tire du piano. L'hôtel de Friedland est trop loin pour que Mike puisse l'entendre. Clarisse imagine pourtant qu'elle l'atteint sans peine.

L'auditoire se tait, impressionné. François est inquiet et interroge son maître du regard.

« C'est bien, François, dit celui-ci. Tu vois, à l'occasion de l'anniversaire de ton père, nous commençons à poser le problème de l'interprétation.

— Viens m'embrasser», dit Stéphane.

François s'exécute, puis se retourne vers son professeur.

« Accepteriez-vous de nous jouer ces morceaux? demanda-t-il, pour que je puisse entendre votre interprétation ? »

Il sait qu'il peut tout se permettre.

Le petit homme s'installe et de ses mains courtes, bizarrement assis, il déroule le fil des *Nocturnes* tels que Chopin a pu les concevoir sur les pianos nouveaux inventés par Érard et par Pleyel.

C'est fini. Le silence qui suit est plus révélateur que tous les applaudissements.

« Cette soirée est inoubliable », fait Clarisse. Elle ne croit pas si bien dire.

*

François se retourne vers sa mère.

« Chacun son tour, dit-il. Il faut que Maman nous chante quelque chose.

— Quelle idée, mon petit ! » Elle lui avait bien expliqué qu'elle ne voulait pas se produire en public, et il avait donné sa parole de ne jamais le lui demander. Mais les yeux en amande de François, ses joues roses, un peu gonflées, sa bouche ronde, ses cheveux frisés, le font ressembler à un des anges du *Triptyque* du Maître de Moulins. Il rayonne d'espérance.

Elle cède par amour pour lui.

« J'ai tout ce qu'il faut. » Il court chercher dans sa chambre les chansons qu'ils ont répétées chez son maître.

Quand celui-ci avait demandé à Clarisse ce qu'elle chantait autrefois avec Mme Joly, elle avait évoqué les mélodies de Renaldo Hahn, la *Chanson triste* de Duparc, des airs d'opéra, sans même penser que ces morceaux appartenaient aussi au répertoire des cantatrices pondichériennes. La proximité de Mike donnait une tout autre intensité à cette musique qu'ils avaient entendue ensemble autrefois et rendait périlleuse son exécution. Le piège se refermait, en même temps que le passé se renforçait, plein de vibrations incontrôlables.

« Alors, Maman, on y va ? J'ai pris tout ce que j'ai trouvé. »

Le piano est ouvert, comme tout à l'heure, pour les *Nocturnes*.

« Tu ne fermes pas ? Cela ne fera pas trop de volume ?

— Ne t'inquiète pas, je te suivrai. »

Stéphane, fatigué, regarde dans le vide. La soirée est longue pour lui. Heureusement qu'il ne devine pas combien elle est longue pour elle.

« Qu'as-tu apporté ? »

Elle pose sur le pupitre les mélodies de Reynaldo Hahn.

Elle commence par l'air de la prison.

Le ciel est, par-dessus le toit
Si bleu, si calme
Un arbre par-dessus le toit
Berce sa palme.

Clarisse se sent en prison, comme le pauvre Verlaine, auteur du poème. Elle ne le montre pas et s'applique à moduler le texte comme s'il ne la touchait en rien. François fait entendre au piano les accords qui imitent le tintement d'une cloche au loin. Ils finissent.

« Que c'est joli ! » s'exclame Victor Choukri.

Clarisse avale une orangeade. Il va falloir recommencer.

« On continue ? demande François.

— Si tu veux. »

Elle lui tend une partition et reprend :

Tu crois au marc de café, aux présages, au grand jeu,
Moi, je ne crois qu'en tes grands yeux.

Cette chanson-là est facile, un peu mièvre. Ses allusions à la voyance amusent Mme Choukri.

« Merci », soupire-t-elle.

Clarisse s'éloigne du piano. L'arrivée de son ancien amant risque à tout moment de faire céder le filet des notes qui retient son secret dans une sphère inoffensive.

« Chantez-nous donc, chère amie, cette mélodie que nous avions entendue salle Gaveau en juin dernier, pendant le récital, réclame Victor Choukri. Vous vous rappelez ? Si vous n'êtes pas trop fatiguée.

— Je suis fatiguée.

— S'il te plaît, dit Stéphane, c'est la dernière. »

Il a repris des couleurs. Que cherche-t-il, que veut-il ? Comment ne sent-il pas que c'est le pire moment pour abuser de sa patience, de sa bonne volonté ?

Il ne comprend pas.

« Alors ? » demande François.

Clarisse se tourne vers Victor Choukri :

« Vous évoquez le poème de Verlaine dans *Romances sans paroles* qui s'appelle “Green”. C'est bien cela ?

— Je crois que oui.

— J'avais été très heureuse de l'entendre. »

Déjà François a les mains levées, l'œil sur la partition. Oubliant toute prudence, Clarisse prend une grande respiration comme elle s'y est maintes fois entraînée avec Mme Joly. Elle envoie son message amoureux dans la nuit.

Sa mère, quand elle était enfant et quand l'argent disponible permettait d'avoir un piano à la maison, chantait cette mélodie pour son père, et lui demandait : « Est-ce mieux quand le texte est mis en musique ou lorsqu'il est dit ? » Et elle répétait l'ensemble qu'elle venait de moduler. « Je ne sais pas, répondait son père. De toute façon, tu es merveilleuse. »

C'était avant la guerre, avant la destruction de l'Europe par le fer et par le feu, avant la disparition de ses parents, radieux d'être ensemble malgré leurs épreuves.

Stéphane se lève.

« C'est ravissant. Je ne t'ai jamais vue comme ça. »

Clarisse recule.

Qu'elle le veuille ou non, l'émotion créée par l'appel de Mike s'insinue dans tous ses gestes.

« Assieds-toi près de moi », dit Stéphane.

Elle fait un autre pas en arrière.

Tout le monde la regarde. Elle se rend compte que son trouble est incompréhensible. Elle balbutie :

« Nous pourrions terminer par une chanson russe ? Cela vous plairait-il ? »

Même Stéphane semble heureux de cette idée.

Clarisse choisit l'air que son père lui fredonnait en manière de berceuse. Elle entame l'histoire d'une idylle impossible et d'une caravane qui s'éloigne.

Que reste-t-il de cet homme maigre, courageux, assoiffé de justice et d'égalité dont elle n'a guère respecté les idéaux politiques ? Qu'eût-il pensé de cet anniversaire, qu'eût-il souhaité pour sa fille, ce père si tôt disparu ?

Elle ne savait pas. Comment eût-il jugé sa liaison avec un homme marié sous le toit duquel elle avait vécu, abandonnant toutes les normes de loyauté et d'élévation auxquelles il s'était soumis pendant son bref passage sur terre ? Eût-il même pu comprendre sa transformation en amoureuse éperdue, au nom d'une sensualité et d'une mystique qu'il ne connaissait pas et qui n'appartenaient ni au temps ni à l'espace où il avait vécu, alors qu'il avait sans doute espéré voir sortir de son flanc une militante pleine de flamme et une épouse limpide ?

« Je vais perdre la tête », pense Clarisse en tenant

longtemps, comme le veut l'usage, les dernières notes. François exécute des arpèges pour prolonger cet effet et les fait s'évanouir peu à peu jusqu'au silence.

Victor Choukri tend une coupe à Clarisse.

« Bravo, dit sa femme, vous l'avez bien méritée. »

Marie est immobile dans son coin. François ferme le piano.

Stéphane s'est levé et s'approche. Son regard étincelle. Il a vingt ans de moins. Il prend les mains de Clarisse.

« Tu es formidable. Comme au temps de notre jeunesse. Pourquoi ne chantais-tu plus ? »

Certains traits de l'homme qu'il a été paraissent sur son visage et la touchent. Sa gouaille, son ironie, son intelligence. Il lui avait plu, lui aussi. Mais elle ne veut pas qu'il l'approche ce soir. Surtout pas ce soir. Elle va crier, tomber, elle ne sait.

Le maître de François qu'elle a imploré du regard intervient.

« Venez, ma chère Clarisse, vous reposer auprès de votre mari. Je vais jouer pour vous encore un peu avant de me retirer. Des morceaux de Liszt tirés des *Harmonies poétiques et religieuses*. Bientôt le compositeur se séparera de la princesse Caroline de Sayn-Wittgenstein qu'il ne peut épouser, il démissionnera de son poste de *Hofkapellmeister* du duc de Weimar, où il repartira seul, à travers l'Europe.

« J'ai souvent réfléchi à cette vie où la mystique le dispute à la passion et à l'errance, et finalement l'emporte. On s'étonne souvent des aspects contradictoires de la personnalité de Liszt. C'est parce qu'on ne comprend pas qu'ils forment un Tout. L'ensemble est comme une boule de feu. La générosité de Liszt à l'égard des autres artistes, des inconnus, de ses ennemis même comme Schumann, prouve qu'il avait atteint une forme de vérité, une Voie. Nous allons l'écouter. »

Le maître de François a la réputation d'être un des

plus grands interprètes de Liszt. C'est vrai que même s'il prend de l'âge, même si son corps se déforme, même s'il n'a jamais été beau comme le séducteur de Weimar, il y a entre eux une connivence ou plutôt une communion où chacun donne et reçoit et qui répand ses bienfaits sur l'assistance.

Clarisse est près de Stéphane. Il a l'air presque heureux. Elle lui tient la main. Elle pense à Mike dans son hôtel avec une sorte de désintéressement.

M. et Mme Choukri rêvent, Marie s'endort près de François, qui aspire comme une plante les effluves sonores qui sortent du clavier, jusqu'au moment où il sera capable de les produire lui-même.

La musique a créé une pause, un espace où les sentiments ordinaires et les vies individuelles se dissolvent.

Combien de temps ? se demande Clarisse en s'éloignant imperceptiblement de Stéphane.

CHAPITRE 32

PARIS

Novembre 1967

Après les vacances de la Toussaint Clarisse descendit à pied le boulevard Haussmann, suivit la rue de Laborde et s'engagea à gauche dans la rue du Rocher pour reprendre ses cours au lycée Racine.

Elle poussa avec soulagement la lourde porte de l'établissement. Ses ferronneries, ses vitres opaques, ses rosaces à quatre lobes lui donnaient une véritable élégance dans ce quartier dominé par les allées-venues bruyantes de la gare Saint-Lazare. Le lycée avait été construit en 1886 dans un style soigné pour éduquer les jeunes filles de la bourgeoisie libérale. Plus que jamais ce jour-là, Clarisse cherchait un réconfort dans ses murs presque centenaires.

Le coup de téléphone de Mike n'avait cessé d'habiter son esprit depuis l'anniversaire de Stéphane. Bien qu'elle ait raccroché, elle imaginait sans cesse son ancien amant quitter Paris sans retour. Elle était si nerveuse qu'elle avait cassé deux verres à Madère en rangeant la vaisselle des jours de fête et ramassé les morceaux de cristal dans la solitude de la cuisine, rouge de confusion et d'angoisse. Depuis, il y avait eu pire.

Les élèves parties, elle tira de sa poche la lettre de Mike. Tout se brouillait dans sa tête depuis qu'elle l'avait imprudemment cherchée à l'hôtel Friedland. Elle n'avait pas le temps d'aller au musée Guimet retrouver une inspiration mais elle ne voulait pas perdre la Voie. Elle ouvrit le Cahier indien qu'elle avait repris dans son casier et écrivit : POST-SCRIPTUM.

*

Je ne pensais pas user de ce cahier à Paris, dans une salle vide et automnale du lycée Racine. Il me semblait que l'annonce par Monica, en janvier 1958, à Pondichéry, du retour définitif de la famille Barclay à Londres sans moi marquait la fin naturelle de ce texte et des enseignements que j'espérais en tirer à la suite de mon illumination du musée Guimet.

Une fois de plus le Voile de Maïa s'est déployé. Les illusions qu'il enferme dans son écharpe changeante ont repris force et vie.

L'annonce de la maladie de Stéphane m'avait d'ores et déjà bouleversée à cause de l'horreur de « le perdre » comme on dit.

Je n'attendais plus qu'un désastre dont seule la date était incertaine, sans savoir comment protéger les enfants. Mike, en m'appelant chez moi, et en jetant impromptu son poids dans la balance, m'a porté un coup que je ne peux mesurer.

Si je m'avise de comparer l'état dans lequel m'a jetée l'annonce de la maladie de Stéphane et celui où je me trouve depuis l'audition de la voix de Mike dans le récepteur, il s'agit d'une autre femme, d'un autre ciel. Ce dédoublement me déchire, me brûle, m'angoisse, me fait honte. C'est l'union du feu et de la glace dans une seule âme qui s'efforce de vivre comme tout le monde. Entre la surface et le fond, la distance est incommensurable, même si elle ne se voit pas.

*

Pendant trois semaines j'ai donc hésité à aller chercher la lettre que Mike m'avait laissée à l'hôtel Friedland. Et puis il m'a paru que la place tout entière, Balzac sur son siège, le palais Potocki, le kiosque à journaux, l'arrêt même de l'autobus, s'étaient concertés pour me faire glisser jusqu'à la cachette de cette missive inespérée.

Peut-être m'aimaient-ils un peu, après tout, ces lieux que j'ai tant contemplés de ma fenêtre, que j'ai parcourus en tous sens pour faire les courses, aller au lycée ou accompagner mes enfants. Peut-être jugeaient-ils dans leur sagesse de pierre que j'avais assez lutté, assez bataillé contre moi-même, pour me permettre d'entrer dans le hall de l'hôtel et de réclamer la lettre de Mike.

Je la recopie ce soir dans le Cahier indien avant de détruire l'original. Je ne veux pas la perdre à jamais, je n'en ai pas le courage.

*

Paris, le 8 octobre 1967

Clarisse, mon cher amour, surtout ne déchire pas ce texte, ne me repousse pas malgré mes fautes, laisse-moi m'expliquer.

Le son de ta voix provoque en moi des effets miraculeux même si tu ne veux pas me parler. Sois assez généreuse – et Dieu sait que tu l'es – pour laisser à un malheureux la possibilité de faire apparaître sa vérité.

J'aimerais mieux te dire avec mes mains, avec mes lèvres, ce que je place dans ces mots que je ne sais pas manier comme toi. Mais cette lettre est mon seul recours.

Pour que tu puisses me comprendre, il faut que je

remonte aux circonstances de notre séparation à Pondichéry. C'est compliqué à raconter.

Tu te rappelles le dernier Noël que nous avons passé là-bas, ensemble ? Il y avait encore plus d'ampoules électriques dans les rues et sur les maisons que d'habitude. Elles luttaient à leur manière contre les craintes du Comptoir face à l'Union indienne. Ces illuminations me réjouissaient et m'effrayaient à la fois.

Je t'ai admirée pendant toute la messe de minuit dans notre paroisse de Sainte-Marie-des-Anges, en train de te recueillir. Tu avais fermé les yeux comme tu le fais dans l'amour, mais tu n'étais pas avec moi. Je te connaissais assez pour deviner que tu n'étais pas seulement absorbée par les prières catholiques mais aussi par la ferveur de la bhakti, de la dévotion que tu comprends si bien. Je te désirais, je t'aimais en un mélange inexprimable.

Les cantiques traditionnels, chantés par les jeunes filles de l'atelier, résonnaient sous les voûtes. Monica était à ma gauche, nos filles à ma droite et toi au bout du rang, agenouillée dans la robe blanche que tu avais choisie pour le réveillon, qui dénudait tes bras ronds sur lesquels tu avais posé un châle de soie pour la cérémonie. Si différente de toutes les femmes que j'avais connues, si originale, capable d'une adoration de l'Absolu que je n'ai trouvée qu'en toi et que j'ai déviée égoïstement vers ma personne.

Je pensais à la *Gîtâ*, aux chants célèbres où Krishna exhorte Arjuna à faire son devoir de guerrier et à combattre ses cousins et son précepteur passés dans le camp adverse. Il est rare de mêler des pensées indiennes au déroulement de la fête où l'Occident célèbre la naissance du Christ. Mais j'ai été formé ainsi et la convergence des religions que prônent certains maîtres indiens ne m'a jamais troublé, bien au contraire.

Tu priais toujours ou tu contemplais, la tête entre

les mains, et ton chignon, entrelacé avec art par les soins du coiffeur, laissait à peine paraître ta nuque au bord du châle de soie. Tu étais sans défense et infiniment forte, tu étais l'incarnation même de la piété que l'Inde et l'amour t'avaient découverte.

Ma femme et mes enfants étaient à mes côtés. Alexandra, pâle mais ferme, écoutait, les yeux fermés. Pénélope chantait à plein gosier. Monica, respectueuse des usages, sensible à la musique religieuse, me glissa à l'oreille : « C'est magnifique. » Et toi, à la droite des enfants, tu étais dans un autre monde.

Il m'est apparu soudain, au nom de tous les enseignements que j'avais pu recevoir, que nous ne pouvions continuer à nous voir, et que notre liaison contredisait l'intégrité du Tout malgré tous nos efforts pour la respecter.

C'est ce soir-là que j'ai pris la décision de repartir avec Monica et de rompre avec ce que j'avais de plus cher au monde, toi.

Comprends-moi bien – je sais d'ailleurs que tu le fais en lisant ces lignes, si tu y consens dans ta bonté –, il n'y avait rien de psychologique ou de moral au sens traditionnel du mot dans ma résolution. Nous aurions très bien pu vivre de la même manière à Londres. Non. C'était une exigence intérieure d'une force extraordinaire.

Nous reçûmes agenouillés la bénédiction finale. Quelque chose en moi se brisa à ce moment-là.

Le lendemain, je n'ai pas eu le courage de ne pas aller te retrouver dans le cagibi aux palmes, de ne pas jouir une dernière fois du bonheur d'être enveloppé par tes cheveux, ta douceur, ta tendresse, ta confiance. Je ne t'ai pas dit la vérité. Je suis devenu un traître et un lâche.

C'était d'autant plus cruel de te quitter que ton éclat augmentait au fur et à mesure que nous nous aimions. Quand nous étions séparés, je pensais sans cesse à toi. Et même si j'avais conservé ton image dans mes pérégrinations, j'éprouvais à te retrouver le soir un renouveau d'émotion qui m'empêchait d'approcher. Que Monica fût là ou pas n'avait pas d'importance. Dès le début, bien avant que nous ne devenions amants, te donner à boire me coupait le souffle, la proximité de nos mains autour du verre que je te tendais me bouleversait; tu trempais tes lèvres dans le liquide que j'avais préparé, sage, digne, prenant plaisir à ma boisson dans l'innocence et la réserve malgré tes élans du matin. Mon Dieu! Et il fallait aussi abandonner cela!

Je te revois aussi, depuis des années, quittant la maison de mes parents ce matin fatal de Madras, le visage clos sur la douleur que je t'infligeais, comme morte dans ta tunique et ton pantalon indien, debout par miracle et par volonté devant le désastre que je créais dans ta vie.

Oublieras-tu jamais?

Tu n'imagines pas les déceptions de ce retour. La situation promise par les parents de Monica m'a tout de suite déplu. Mon beau-père était un militaire à la retraite, vivant sur des regrets et ne connaissant personne. Je suis entré dans un bureau de troisième ordre. Mes collègues s'étaient éloignés de l'Inde, et commerçaient à grand-peine avec les pays avoisinants, sans utiliser les réseaux que j'avais montés et qui, je l'avoue, étaient en grande partie pondichériens. Mes connaissances ne me servaient guère et me faisaient plutôt mal voir. J'étais vieux à trente-deux ans.

Je décidai de créer une petite maison d'import-export avec les ressources que j'avais engrangées à Pondichéry. Il a fallu se serrer la ceinture, déménager.

Je ne me suis jamais habitué à notre cottage de banlieue, à l'école des filles où elles allaient en uniforme, au terrain de cricket, au train matin et soir.

Monica elle-même commençait à déchanter, à se

plaindre des clubs de tennis britanniques, de leur rudesse, de leur saleté, à regretter l'Inde, même Pondichéry qu'elle méprisait tant. Elle jardinait sans conviction et ne se liait avec personne.

J'avais compris par ta carte de 1958 que tu étais mariée. À Londres, au début, je me disais : « Elle va frapper à la porte de mon bureau, je vais la rencontrer dans le train, peut-être nous rendra-t-elle visite avec son mari, jouera-t-elle au croquet avec nous. Nous mangerons des glaces et des gelées. Je la raccompagnerai à la gare. Sa présence aura imprégné les lieux. Ils me parleront d'elle à tout moment, même si je déteste son mari, le croquet, la pelouse et l'Angleterre. » Vain rêve qui m'a hanté quelque temps.

Quand Monica m'a annoncé qu'elle était enceinte, elle m'a regardé droit dans les yeux, comme elle avait fixé l'autel le jour de notre mariage à Madras, et m'a demandé ce que je voulais faire.

« C'est exprès ? » La question m'a échappé, je m'en suis immédiatement voulu.

C'est la première, la seule fois, où je l'ai vue pleurer. Je l'ai prise par les épaules, des épaules si larges, si musclées que je ne m'y suis jamais habitué, et je lui ai demandé ce qu'elle souhaitait. Ses yeux gris avaient encore le brillant des larmes. « Le garder ? » Elle fit signe que oui, trop émue pour parler. « Réjouissons-nous, alors », ai-je dit à son oreille.

Son expression de bonheur me toucha. Autant la rendre heureuse car rien de tout cela n'était de sa faute. Nous avons eu ce troisième enfant dont elle s'est occupée elle-même. Je lui manifestais toutes les attentions qui dépendaient de ma volonté et m'amusais avec elle des fantaisies de ce petit garçon. David a maintenant dix ans. Mon affaire commençait à marcher. Je m'étais associé avec des Français, pour tenter une percée vers l'Indonésie. Elle réussit. Nous avons déménagé dans une autre maison, jolie celle-là, avec un vrai jardin, des arbres, des murs couverts de vigne vierge. Nous nous sommes fait quelques amis. Monica s'est remise au tennis.

Mes parents venaient nous voir une fois l'an. La disparition du Comptoir, ou plutôt sa cession à l'Union indienne, ne les avait pas troublés. Ils étaient dans un autre temps que celui de l'histoire. Ils repartaient, paisibles, vers le pays tamoul. Chaque fois ils nous invitaient, chaque fois je répondais : « Plus tard. » On s'inclinait, pressentant une difficulté sur laquelle on n'osait pas m'interroger. Une déception se marquait sur le visage des filles.

J'essayais de ne pas penser à toi ou je me répétais : « Elle était tellement jeune, elle a oublié. » Pourtant je ne me résignais pas.

J'avais installé dans mon bureau en face de ma table une carte de l'Asie. Quand mon regard passait sur l'Inde je me détournais.

Je me suis cent fois demandé si j'avais eu raison de nous sacrifier à Pondichéry. N'avais-je pas cédé à une vision archaïque du monde ? Je mesurais le mal que je t'avais fait au nom d'un devoir fondé sur des pensées qui n'avaient plus cours. Je savais que tu n'enverrais pas non plus de tes nouvelles aux filles. Elles avaient deviné qu'il valait mieux qu'elles se taisent. Quelle absurdité pour elles. Quelle honte pour moi. J'ose à peine continuer cette lettre.

En décembre, selon l'usage anglais, nous signions les cartes de Noël, puis je guettais l'arrivée de la tienne. Dès que j'avais reconnu ton enveloppe, je l'emportais à Londres pour l'ouvrir. Ces précautions étaient d'autant plus ridicules que Monica avait repris de l'indépendance et ne s'intéressait guère à la maison. J'ai sans cesse espéré que tu ajouterais quelques mots aux vœux traditionnels. Je n'ai lu que les prénoms de tes enfants et l'année passée, à mon étonnement, ta véritable adresse. Était-ce par inadvertance ? Me pardonnais-tu ?

Quelques mois plus tard je suis retourné en Indonésie. Au début, je détestais ces îles volcaniques, soumises à des éruptions, des raz de marée, traversées d'atroces massacres religieux ou politiques. Et puis je les ai explorées, admirées, adoptées.

Cet été, à java, sur une route de collines, à la sortie d'un village, j'aperçus un panneau qui annonçait un monument. J'en fus étonné. L'est de l'île est sauvage et peu fréquenté. J'avais du temps. Pourquoi ne pas aller voir ? je m'avançai sur un sentier qui serpentait entre les troncs de papayers. Il me conduisit à un temple de petite taille, très gracieux, précédé d'un gazon. Je savais que les Indiens avaient pénétré au treizième siècle jusqu'à l'extrémité de Java et qu'ils y avaient créé des royaumes. Ceux-ci avaient succombé plus tard sous les coups des Arabes. J'avais jusque-là évité de chercher leurs traces tant je redoutais les échos de notre passé.

Bien qu'elles fussent musulmanes, les autorités locales avaient débroussaillé alentour dans l'espoir d'attirer les touristes qui commençaient à prendre le chemin de Borobudur. Mais le chef-d'œuvre du bouddhisme reposait bien loin de là, au centre de la grande île ; aucun étranger ne paraissait soucieux d'aller chercher près de Kidal, derrière les arbres, un témoignage de la foi hindouiste élevé à la mémoire d'un conquérant tamoul oublié.

J'étais seul, assis sur une marche, au pied du petit temple. Mon être se dilatait d'un contentement que je n'avais pas éprouvé depuis mon retour en Europe. Pourquoi ? Comment le savoir ? C'était ainsi. La vérité, ma vérité, gisait là, sous des portiques protégés par l'aigle Garuda et dans les niches où s'amusaient des oiseaux. Tu étais là, toi aussi, tu ne m'avais pas oublié, puisque tu m'avais donné dans ta dernière carte de vœux ta véritable adresse, peut-être sans le vouloir.

Je repartis, l'esprit rempli de songes, et comme rasséréné.

En septembre, je me ménageai une halte à Pondichéry où je n'étais pas revenu depuis 1952. Il était six heures du soir. La ville « noire » s'était enflée d'une population tamoule attirée par les avantages que lui avait octroyés le traité de cession. Le taxi fendit une masse extraordinaire de cyclistes revenant du travail. Puis nous atteignîmes la ville « blanche », aussi tranquille que si je l'avais quittée la veille. Des bougainvillées retombaient toujours, par-dessus les murs des villas. Et l'air de *La Pie voleuse* retentissait comme autrefois dans le salon de l'hôtel de l'Europe. Bouleversé, je courus embrasser mes parents.

Le lendemain, je saluai les pandits qui arrivaient à l'aube, enveloppés dans leur châle, pour commenter les agamas avec mon père et j'allai rendre visite à mes anciens amis. Le fièvre de l'Indépendance était retombée. Je reçus bon accueil. Le Comptoir fructifiait en d'autres mains qui voulaient bien reprendre la mienne. La lutte s'était déplacée : il ne s'agissait plus de combattre les Anglais et les Français, mais de défendre les privilèges du petit territoire contre la puissante Union indienne. Je pouvais à nouveau être utile.

J'eus enfin le courage de rendre visite à la maison où nous avions habité deux ans. Une inquiétude m'envahit devant la façade, notre porte, notre jardin. Il y avait de nouveaux propriétaires. Je n'osais pas les déranger et entrer dans notre véranda. Pourtant tu étais là, sur le seuil, et tu tournais sur toi-même un doigt sur les lèvres, l'autre tendu vers moi pour me faire signe de te rejoindre. Depuis ce matin-là, quelle que fût l'étrangeté de cette apparition, je n'ai plus douté que je te reverrais.

Quand je suis rentré en Angleterre, les filles m'attendaient. Elles ont maintenant vingt-six et vingt-cinq ans, tu le sais. Elles étaient un peu solennelles et très gentilles.

« Maman a quitté la maison avec David. Elle veut se remarier. Elle nous a dit de t'accueillir et de te remettre cette lettre, a dit Alexandra.

— Nous pensons que c'est mieux pour vous. Veux-tu un whisky ? » a proposé Pénélope qui avait tout préparé.

Pour ne pas l'offenser j'ai accepté sans lui avouer que, depuis mon dernier voyage, je n'avais plus besoin de boire. Puis je les ai emmenées toutes les deux dans un restaurant indien. Elles ne m'ont pas demandé si je t'avais revue. Mais elles ont compris que pour moi aussi une page était tournée sans que j'aie à ouvrir la lettre.

Tu sais tout, maintenant, Clarisse, sur ces années. Malgré mes fautes, mes erreurs, ma lâcheté, est-ce que tu m'acceptes encore ? J'ai essayé de me conduire le mieux possible et je nous ai rendus affreusement malheureux tous les trois. Peux-tu me faire encore confiance ? Veux-tu vivre avec moi quand tu le pourras ? Je t'indique mon numéro de téléphone à Londres, c'est le... ainsi que mon adresse.

C'est moi qui t'implore désormais. Fais-moi savoir, au moins, si tu as reçu cette lettre. J'ai tant envie de te parler. Je t'embrasse.

Mike.

*

Au fur et à mesure que Clarisse recopie la lettre de Mike elle cède au sentiment que ses aveux lui instillent la vie qu'il lui avait ôtée jadis. Elle pousse un profond soupir. Mike est de retour qu'elle le revoie ou pas. Elle relit sa lettre encore une fois et la déchire. Comme autrefois, il ne faut rien laisser traîner.

Elle repart chez elle.

Sur la place Paul-Guillaumin, Balzac est assis, à trois pas de la demeure qu'il avait meublée pour Mme Hanska. Clarisse se remémore le jour où elle est allée sans succès à la poste restante chercher la carte de Mike. Il faisait froid, elle était désespérée. Elle s'était rendue à l'Institut Goethe. Puis elle était rentrée au musée Guimet et devant le grand Bouddha, elle avait eu l'idée du Cahier indien. Si elle ne s'était pas d'abord attardée auprès de la statue de Balzac, si elle ne s'était pas répété les dates de la naissance et de la mort de l'écrivain gravées dans la pierre par ses admirateurs, si elle n'avait pas ressenti la brièveté de son existence et l'échec de ses amours, sans doute n'eût-elle pas eu le sursaut de lutter pour jeter sur le papier le cri de sa passion et de raconter son histoire, même si ce n'était pas son métier.

Balzac aimait les femmes. Il aimait l'Absolu. Il aimait le désir du désir. Les grands artistes soutiennent les néophytes qui s'avancent sur la Voie, même s'ils ne la distinguent pas très bien eux-mêmes. Et la Voie assure leur éternité.

Clarisse se répète le récit de Mike, se figure certaines scènes, imagine ce qu'elle ne connaît pas. Comment tout cela est-il possible ? Un mur de silence qui s'abat, une attente extravagante qui s'est nourrie d'elle-même pendant tant d'années ? Ce n'est pas vraisemblable, mais c'est vrai. La félicité perdue a couvé comme le feu sous la cendre et maintenant elle s'avance à leur rencontre avec toutes ses armes et toutes ses séductions.

Elle ne peut demeurer sur la place même si elle est enivrée par l'émotion.

« Il ne faut pas. » Ce sont les mots que Mike a cru

entendre à la messe de minuit à Pondichéry en 1952.

Chaque marche la rapproche de l'autre réalité.

« Il ne faut pas. »

Elle rentre chez elle et s'assied près de Stéphane.

Il ne faut pas.

CHAPITRE 33

PARIS

Début décembre 1967

Depuis son anniversaire, Stéphane semblait reprendre force. Il se soumettait à une stricte discipline. Le matin il se rendait de bonne heure au ministère comme autrefois, mais il rentrait vers cinq heures raccompagné par son chauffeur qui portait une pile de dossiers. Il s'installait sans rechigner sur le divan du salon bien calé sur des coussins et allongeait ses jambes. Clarisse lui préparait du thé et le prenait avec lui avant de s'éclipser dans son bureau, en laissant à nouveau la porte ouverte.

Il était d'humeur égale, presque gaie. L'administration – en l'occurrence le ministre – lui avait refusé la possibilité de prolonger ses fonctions de secrétaire général six mois de plus. La Direction des pensions et retraites de l'Éducation nationale l'attendait donc comme prévu à La Baule à partir du 1er janvier 1968. Clarisse avait cherché avec inquiétude les répercussions de cet échec sur ses traits amaigris.

« Ce n'est pas grave, il y aura peut-être encore des changements. »

Il convoquait des réunions auxquelles on venait peu sous un prétexte ou sous un autre. Il était décidé à se battre jusqu'au bout pour obtenir un délai et pour éviter que sa réforme ne sombre avec lui.

Un délai ! Alors que la mort menaçait, que la maladie avait fait un pas de plus dont il affectait, aussi, de ne pas s'apercevoir.

Une enflure était apparue au bas de son abdomen, une sorte de poche, alors qu'il ne mangeait presque rien.

« Stéphane, tu ne devrais pas rester comme ça. Il faut que tu appelles le professeur Germain. Prends un rendez-vous et laisse-moi t'accompagner en voiture, par pitié.

— Tu crois ? » Un effroi traversa son regard, aussitôt dompté par le courage et la résolution.

« Alors ?

— Je suis d'accord, mais je ne veux pas te faire perdre du temps. S'il y a un traitement, je rentrerai par moi-même. Tu me laisseras décider, n'est-ce pas ?

— Je te le promets. » Il lui serra la main comme un enfant.

« Ce sera jeudi », dit-il le soir.

*

Le rythme des matinées s'était modifié avec les circonstances. La maison était pleine à partir de dix heures. François avait été dispensé de certains cours au lycée pour pouvoir travailler avec la répétitrice. La musique envahissait l'appartement et soutenait Clarisse quelques heures. L'agence effectuait ses visites avec une application accrue, comme si elle luttait contre la mort, elle aussi. Son passage dans toutes les pièces puis sa disparition étaient le seul signe de continuité avec les mois précédents et contribuaient à l'hallucination générale.

Tôt le matin, Clarisse s'acquittait de ses tâches ménagères pour laisser le champ libre à la vente probable de la rue Balzac. Elle revoyait, ce faisant, la lettre de Mike qui ne quittait guère, depuis qu'elle l'avait reçue, son regard intérieur. Elle s'en répétait les phrases dans une sorte de stupeur mêlée d'interrogations. Elle ne lui avait pas téléphoné et n'avait pas l'intention de le faire. Mais la lettre lui était comme un baume invisible dont elle ne voulait pas reconnaître les bienfaits.

Au lycée, on en était aux conseils de classe et aux bulletins de notes. Malgré la discrétion habituelle de Clarisse et la distance où elle se sentait par rapport au déroulement habituel des trimestres, elle ne put s'empêcher de remarquer l'agitation de ses collègues. Certains étaient contre l'idée même d'un système de notations, d'autres mettaient en question les visites inopinées de l'Inspection générale, d'autres enfin réclamaient un système scolaire plus égalitaire dont on ne voyait pas les moyens. En un sens tout devenait insupportable. Heureusement, le russe n'attirait guère l'attention. Elle repartit néanmoins inquiète.

« Il y a quelque chose d'étrange, Stéphane, au lycée. Vous êtes trop loin des réalités. »

Il leva les yeux du rapport qu'il lisait sur les progrès de la lecture.

« Pas plus que d'habitude. Évidemment le nombre croissant des élèves complique la tâche. Mais c'est la même. » Elle n'osa pas insister.

*

Le jeudi, Clarisse accompagna Stéphane à l'hôpital Ambroise-Paré où le professeur Germain dirigeait le service de gastroentérologie. Ils longèrent le lac du bois de Boulogne. Elle vit dans les bois clairsemés l'allée où Stéphane lui avait avoué son mal l'année précédente.

Ils rangèrent la voiture comme ils purent. C'était dur pour Stéphane de marcher longtemps.

« Je ne vais pas encore demander une ambulance », grogna-t-il en s'appuyant sur sa femme. Clarisse s'assit dans la salle d'attente du service, comme elle l'avait promis. Une infirmière vint la chercher au bout de vingt minutes.

« Nous allons garder votre mari un petit moment pour lui faire une ponction. Cela le soulagera. Il m'a chargée de vous dire qu'il rentrerait en taxi.

— Puis-je dire un mot au professeur Germain ?

— Je vais voir. »

Quelques instants après, elle était dans le bureau du médecin. C'était l'homme corpulent, au poil gris et dru, qu'elle avait rencontré en cachette avec Victor Choukri.

« Il y a longtemps que je voulais vous revoir, Madame. Mais votre mari était soucieux de ne pas vous troubler. Il est certainement très orgueilleux. Je le comprends. Il admet maintenant et désire que nous parlions.

— Je peux vous poser quelques questions ?

— J'essaierai de vous répondre.

— Qu'est-ce que cette maladie ?

— Nous voudrions bien le savoir. Nous sommes au bord de la définition de ces hépatites cachées qui entraînent les cirrhoses dont M. Jardillier est une des victimes. Elles cheminent, elles éreintent, elles abîment. Nous n'avons pas l'indice, le marqueur qui nous permettrait de déceler cette atteinte particulière du foie. Une analyse sanguine, par exemple.

— Il faudrait ensuite pouvoir la soigner », dit Clarisse.

Il la regarda pour la première fois.

« Vous vous intéressez à la médecine ?

— Un peu. » Elle pensait au docteur Barclay, à tous les exposés qu'il lui avait faits, dans la bibliothèque de Pondichéry, sur les oppositions qui existaient entre la médecine occidentale et la médecine védique. « Mais je suis très ignorante.

— Nous n'avons pas de remède, encore moins de vaccin. Comment, d'ailleurs, combattre ce virus mystérieux qui entraîne aussi des cancers et dont le seul symptôme est l'asthénie, une fatigue chronique contre laquelle il faut lutter sans cesse ?

— Les causes ?

— Votre mari m'a parlé d'une transfusion. Elle peut avoir porté le virus sans que personne, à cette époque, ne s'en inquiète. Il peut y en avoir d'autres. Je dois à la vérité de vous énumérer les difficultés à venir, Madame, pour que vous soyez préparée. M. Jardillier a une ascite, un épanchement de sérosité dans le péritoine qu'il faudra ponctionner régulièrement. Il souffre aussi de douleurs dans les jambes à cause d'une polyarthrite due à sa cirrhose. Enfin sa peau va se couvrir, son dos surtout, de taches de sang coagulé pour lesquelles il n'y a pas de traitement. Je ne peux rien faire, sauf lui donner une gamme de calmants et lui expliquer comment les utiliser. Je l'admire beaucoup. Nous sommes du même coin. Nos parents se connaissaient. Surtout, ne le forcez pas à se reposer. Le mieux, c'est qu'il travaille au contraire le plus possible, se distraie quand il en a envie.

— Puis-je l'emmener en voyage ?

— Pourquoi pas ? S'il le peut, s'il le souhaite. Des étapes très courtes. Qu'il se couche tôt, qu'il vive normalement, sauf un régime sans sel, naturellement. Et il y a du sel partout, malheureusement, même dans les aliments sucrés.

— Je ne peux rien faire pour le soulager ? Je lui masse les jambes mais ça ne sert pas à grand-chose.

— C'est un geste d'affection, de soin. En cela, c'est utile aussi. »

Il se leva. Un courant passait entre eux.

« Il a de la chance de vous avoir. Appelez-moi quand vous voudrez. Voilà mon numéro personnel.

— Pourquoi ?

— Parce que nous allons trouver le secret de ces hépatites, savoir les soigner, et que je suis accablé de les voir tuer des gens comme lui, mon camarade de classe, mon vieux copain. »

Clarisse n'essaya donc jamais de retenir Stéphane quand ils étaient invités et qu'il souhaitait sortir.

Ils participèrent, ensemble, à toutes les réceptions qui précèdent dans les ministères la fin de l'année. Droit, réfléchi, attentif, Stéphane suscitait le respect général. De jeunes fonctionnaires couverts de diplômes l'entouraient pour recueillir les conseils d'un homme qui avait si bien réussi. Il prenait plaisir à se trouver parmi eux. Mais les plus haut placés ne restaient guère à ses côtés. C'étaient les prémices du déclin. Grisé par son succès, il ne s'en apercevait pas.

Un dîner solennel fut prévu en son honneur à l'Éducation nationale. La situation était délicate. Il ne fallait pas donner le sentiment d'une mise à l'écart bien que c'en fût une. Les initiés guettaient les responsables au tournant. Pour ajouter aux difficultés, le feu prit le matin même dans un lycée professionnel de la banlieue parisienne dont les issues de secours étaient bloquées. Il y avait des victimes. Le ministre, qui devait présider le repas, se fit remplacer en catastrophe par son directeur de cabinet.

Comme dans les grandes occasions, on avait fait appel à un traiteur. Dès le premier salon, décoré de bouquets, on apercevait derrière des paravents des caisses de champagne et des serveurs en veste blanche. Les invités étaient presque tous présents lorsque Clarisse, soutenant Stéphane par le bras, monta l'escalier d'apparat. Le directeur de cabinet les attendait. L'enfilade de pièces était spectaculaire.

Le représentant du ministre conduisit Stéphane et Clarisse dans le troisième salon où les tables avaient été dressées.

« Vous avez utilisé le surtout de Thomire ! » s'exclama Stéphane, satisfait. Il s'agissait d'une pièce d'orfèvrerie que Napoléon avait commandée pour célébrer ses premières victoires et qui revenait de ce fait au ministère des Armées. Composé d'une suite de miroirs pareils à des lacs entourés de galeries dorées, et surmonté par des femmes ailées qui brandissaient des torches, cet ensemble exceptionnel occupait le centre de la table d'honneur.

C'était Stéphane qui avait réussi à le faire déposer à l'Éducation nationale au terme d'une discussion de cinq ans où sa passion de collectionneur avait repoussé toutes les objections.

Pour lui faire plaisir, on avait aussi emprunté au Rectorat le service des grands jours, des assiettes rose et blanc commandées par Louis-Philippe à la Manufacture de Sèvres, dont le fond était orné de trois fleurs de lys bleues.

« Je me suis toujours amusé de ce motif, dit Stéphane gaiement. Ce sont des lys, bien sûr, symboles de la royauté, mais ils ont pris la teinte révolutionnaire de la République. Comme ça, tout le monde est content. C'était très sage. »

Il était d'excellente humeur et but une coupe de champagne.

« À toi », dit-il à Clarisse.

C'était servi. On passa à table. L'assistance eut un soupir d'aise quand elle prit place dans le troisième salon et put appréhender d'un coup d'œil les gloires de l'Empire, la prudence de la Monarchie de Juillet et les largesses de la République.

Le fromage ouvrit le temps des discours. Clarisse était assise à la droite du directeur de cabinet et le vit sortir quelques feuillets de sa poche. Elles étaient tapées en majuscules et en triple interligne, ainsi que le veut la tradition pour les allocutions du ministre. Un silence se fit. Avec la modestie et la solennité qu'il devait à son statut lorsqu'il représentait son patron, le directeur de cabinet plaça les doigts de chaque côté de son assiette rose et considéra son invité. Puis il fit de Stéphane un éloge précis, retraçant chaque étape de son ascension devant ce parterre de spécialistes. Il se réjouit que l'État, toujours ouvert au mérite, ait su faire de Stéphane, petit-fils d'instituteur, fils de professeur, le secrétaire général du plus grand ministère de France. De telles réussites étaient l'honneur de la démocratie. Elles étaient à portée de main. Il suffisait de s'inspirer d'un tel exemple. C'était urgent. Le système éducatif était en pleine évolution. Les solutions antérieures – qui avaient eu leur prix – tournaient court. Le monde nouveau défiait les jeunes Français. Il fallait agir. D'une voix chargée d'admiration, il déclara à son hôte qu'il était irremplaçable. C'était l'estocade finale : Stéphane n'était pas mort mais il était déjà parti.

Les convives hésitèrent quelques secondes à la recherche des intentions cachées du discours et n'en trouvant aucune murmurèrent leur approbation. Des distraits esquissèrent un geste, vite réprimé, vers le champagne qu'il ne fallait pas encore boire.

Quand Stéphane prit la parole, le silence s'approfondit. Son corps massif s'éleva sur le damas des murs, dans la pièce où il avait présenté pendant tant d'années, à des ministres successifs, les vœux de l'administration pour le Nouvel An. De l'autre côté de la table, Clarisse guettait, inquiète, ses joues trop rouges dans un visage trop maigre, où les yeux erraient à la poursuite d'un songe. Il commença d'une voix à peine audible : « Quand je suis arrivé ici, j'étais rempli d'illusions. » Puis, trouvant une force inattendue dans la tension de l'auditoire qui redoutait une de ses célèbres diatribes, il ajouta, au soulagement général : « Et je ne les ai pas perdues. » Ses longs bras s'avancèrent vers les torchères. Comme un magicien, il fit surgir devant les invités le monde de l'éducation tel qu'il l'avait toujours rêvé. Tout était là, sur la table, entre les flambeaux, les écoles maternelles et primaires, les collèges, les lycées d'enseignement général et professionnel, les universités. Les élèves étudiaient, les professeurs enseignaient, les proviseurs administraient, les étudiants affluaient, les syndicats revendiquaient. La crise de l'éducation n'existait pas puisque la possibilité d'apprendre était partout. La France était parcourue de rivières tranquilles et d'élèves assidus. Rien ne prévaudrait contre eux. Le public médusé vit paraître le petit-fils de l'instituteur sous les habits de l'énarque, Clarisse retrouva la fougue, les convictions passionnées du jeune homme qu'elle avait connu à Moulins. Elle ne savait plus si elle l'aimait, si elle l'admirait seulement, si elle le pleurait déjà, ou si elle ne l'avait jamais compris.

Des prunelles brillèrent, des lèvres tremblèrent. Une vague de confiance parcourut l'assistance.

Stéphane revint à lui le premier. Il se félicita d'aller diriger le Service renforcé des pensions et retraites à La Baule et exprima ses vœux à son successeur qui n'était toujours pas nommé.

On applaudit à tout rompre et on s'empara des coupes. Chacun célébrait dans l'allégresse ce qu'il fallait bien appeler la fin d'un règne. « Est-ce la maladie qui l'a transformé en agneau ? » chuchota non loin de Clarisse un inspecteur général dont la malveillance avait brisé bien des carrières. « Il est vraiment très malade », répliqua son voisin.

À sa gauche on se remettait en parlant fort. Surtout du côté des femmes. Certaines étaient élégantes. Elles regrettaient Stéphane. Elles avaient peut-être envié Clarisse. Si elles savaient.

Le festin se termina par des tranches de glace multicolores. Elles disparurent en un clin d'œil. La fête battait son plein. Stéphane grignota des miettes du dessert. Il avait perdu son entrain mais il avait l'air content. Clarisse le surveillait à l'autre bout de la table.

Il était près de onze heures quand elle s'approcha de la cheminée où l'on avait obtenu l'autorisation d'allumer un maigre feu. Stéphane, qui semblait avoir froid, s'y tenait depuis la fin du repas, entouré de quelques jeunes gens et d'une des dames qui avaient pleuré. Le directeur de cabinet allait d'un groupe à l'autre sans s'attarder auprès du secrétaire général. Clarisse fit signe à Stéphane que la soirée s'avançait. Il la héla :

« Viens, viens vite nous rejoindre. »

Une tendresse particulière imprégnait son geste.

Elle se mêla au petit groupe des fidèles. Le feu tournait en braises. Mais le héros de la fête ne semblait pas disposé à partir, malgré une pâleur qui s'accentuait. Il discutait pied à pied avec le directeur des collèges les dispositions de sa réforme. L'autre ne semblait pas persuadé.

Soudain la pendule sonna onze heures. Stéphane fixa Clarisse. Le souvenir de leurs rendez-vous s'imposa à nouveau. Pas celui de sa récente visite. Non. Elle revit le bureau d'angle de la rue de Grenelle où elle venait le chercher pendant leurs premières années de mariage, où ils avaient écouté, en flirtant dans la glace, le tintement des huit coups du soir avant d'aller dîner. C'était l'heure. Une autre heure. Leur jeunesse disparue à jamais. Et l'aile de la mort qui volait sans se presser dans les salons du ministre classés Monument historique.

« Il faut rentrer, dit Stéphane. Allons-y. »

On s'écarta. Appuyé sur Clarisse, il avança sans trop de peine entre les invités qui le saluaient. Mais la descente de l'escalier fut un supplice et il prit à grand-peine congé du directeur de cabinet qui l'avait accompagné jusqu'à la voiture. On voyait des gens rire à travers les carreaux. Les chauffeurs plaisantaient dans la salle des gardes. Le concierge fit glisser la grille de sécurité.

Le véhicule officiel partit à vive allure et traversa la Seine. Il y avait peu de circulation place de la Concorde. Cette première quinzaine de décembre les gens faisaient des économies et restaient chez eux.

« On m'a dit que Blanchard me remplacerait. Il

est très bien. La suite est assurée. C'est l'essentiel », dit Stéphane. Puis il se tut jusqu'à la rue Balzac, les paupières closes sur son chagrin.

« Vous viendrez me chercher demain comme d'habitude, enjoignit-il au chauffeur quand ils furent arrivés. J'ai beaucoup à faire. »

Dans l'ascenseur, il prit la main de Clarisse.

« Il était temps. Je peux à peine marcher. C'était une soirée splendide. Tu étais la plus belle. » La souffrance physique, le chagrin, lui donnaient un ton mécanique et enfantin qu'elle ne connaissait pas.

« Reste près de moi, veux-tu ? je suis si fatigué. »

Il s'allongea sur le divan et s'endormit pesamment. Une larme avait coulé sur sa joue mais elle ne s'en aperçut pas.

CHAPITRE 34

PARIS

Le 15 décembre 1967

Marie qui était très fine avait compris que sa mère dissimulait un tourment de plus en plus aigre. Trop jeune pour l'attribuer à une autre cause que la maladie de son père, elle sentait que Clarisse avait besoin de répit. Elle lui proposa donc de rentrer plus tôt certains soirs afin de préparer le thé de Stéphane et de lui tenir compagnie.

Clarisse put donc rester au lycée Racine après ses cours comme elle le faisait avant la maladie de Stéphane. La proximité des vacances de Noël agitait les élèves mais, dès leur départ, le bâtiment retrouvait le charme de son architecture composite qui l'avait toujours séduite.

Clarisse sortit de sa serviette le Cahier indien et écrivit : POST-SCRIPTUM (fin).

*

Je porte la lettre de Mike sans cesse en mémoire. En cet après-midi mélancolique de décembre, j'ai décidé de lui répondre. Ensuite je fermerai ce cahier quoi que je décide par la suite. J'ai tant aimé cet homme qu'il doit rester une trace de notre histoire, même si je ne le revois jamais. Avant de poster la lettre que j'ai écrite dans cette même salle chaque fois que j'ai pu prendre quelques instants, je la recopie ici. Le Cahier indien, témoin de mes vicissitudes et de ma recherche d'une clarté intérieure que je n'ai guère trouvée, sera ainsi complet. Il aura rempli son office, m'aura montré mon éblouissement amoureux, mes tentatives pour m'en passer et transmis une espérance diffuse qui subsiste malgré l'atroce maladie de Stéphane : je lève un instant les yeux de ma feuille. J'ai le privilège d'être seule, dans ces lieux que je partage avec mes élèves, ma seconde famille : je peux l'avouer.

*

Paris, le 15 décembre 1967

Mike, tu m'as écrit et je te suis redevable de ton geste avant même de répondre à tes propos.

Pardonne-moi si je commence avec froideur. Mon mari, Stéphane, va mourir. Il est de plus en plus malade d'une cirrhose du foie qui n'est pas due à l'alcool, mais à un accident inconnu des médecins et sans aucun traitement. Nous accompagnons, mes enfants et moi, le développement terrifiant de ce processus naturel. En Inde je saurais quoi faire, nous serions soutenus par l'ensemble de notre communauté. En Occident, tu le sais, chacun reste dans son alvéole jusqu'à ce qu'il périsse. La mort est plus dure ici, bien que la vie soit mieux protégée. L'échec spirituel de nos pays se montre à mes yeux épouvantés, malgré le dévouement des médecins, qui n'en peuvent mais et sont aussi démunis que nous.

Je suis sèche aussi, au début de cette lettre, pour des raisons qui nous sont propres à toi et à moi.

Quoi que tu dises dans la tienne, quoi que tu tentes de m'expliquer en invoquant la *Gîtâ*, le devoir, l'ordre du monde, ta conduite reste indigne. Quand on aime une jeune fille très naïve, qui vous aime de retour, on ne peut se dérober en un instant et prendre la fuite, même s'il s'agit d'une gouvernante de passage qui a vingt ans, même si on possède femme et enfants.

J'avais, en arrivant chez toi, un idéal très fort : études, réflexion, goût de la perfection, respect des autres, amour des enfants. Surtout, j'avais de l'honneur. Tu me paraissais inaccessible, j'osais à peine te regarder, je me suis tue farouchement sur l'évolution lente de mes sentiments. C'est toi qui m'as peu à peu investie, initiée, transformée.

Tu m'as tout donné, l'amour, une place privilégiée près de tes parents, le pays tamoul, les routes de l'Inde. Tu m'as tout enlevé d'un coup. Je me suis retrouvée à Paris chez mes religieuses, le souffle coupé, parvenant à survivre grâce au couvent, à mes études de russe, aux soins d'un médecin de quartier, à la piscine de la rue de Pontoise. Tout ça, tu ne le sais pas et tu n'as jamais essayé de le savoir.

Comment un homme peut-il transfigurer une femme et s'évanouir comme s'il ne s'était rien passé ? Qu'avez-vous dans la tête, toi et les autres, quand vous vous conduisez de la sorte après nous avoir dit les mots les plus tendres et pris cent fois dans vos bras ? Votre quant-à-soi demeure intact, votre prestige, votre rayonnante indépendance sont en réserve dans l'arrière-boutique pendant que, le temps d'un soupir, nous sommes pour vous plus chères que la possession de l'univers ? Je ne peux l'imaginer.

À cause de toi, oui, à cause de toi, je me suis mariée par lassitude et par raison. J'ai sans cesse menti à un homme remarquable, qui m'est hélas trop attaché. Je me suis tuée de travail. J'ai été incapable de donner à mes enfants la gaieté, l'entrain, qu'ils méritaient. J'ai promené pendant quinze ans un spleen insupportable. Tu as assassiné ma jeunesse et je ne te le pardonnerai jamais.

Tu n'as pas eu de chance en tombant sur moi. La

plupart des jeunes filles de mon âge, après un petit pincement de cœur, eussent pris une histoire aussi banale que la nôtre à la légère et se fussent aisément consolées.

Songe donc, la gouvernante française ! C'est un cliché et même un titre de roman. Je serre les dents en l'énonçant.

D'autres auraient tiré avantage des connaissances qu'elles avaient acquises au cours de leur séjour. Elles auraient poursuivi des études tamoules, se seraient spécialisées dans l'histoire des religions, ou l'histoire tout court. Elles auraient tiré un métier de ce qui avait été une passade. J'en ai été incapable.

Je ne suis pas faite pour les aventures. Tout résonne en moi avec trop d'intensité. Je n'en avais pas pris conscience grâce à la bonté de mes parents et à la bienveillance de Sainte-Marguerite qui m'ont protégée d'une disposition si dangereuse dans la vie moderne. Quand je suis partie en Angleterre, je ne me connaissais pas. Je sentais seulement que le fait de travailler dans une langue étrangère préservait un cœur éprouvé par la mort d'une mère et naturellement porté à s'attacher absolument. J'étais en paix à Londres, à la BBC, quand tu m'as recrutée, et presque heureuse. Que n'y suis-je restée !

Je t'aimais tant, vois-tu, que lorsque tu m'as jetée dehors – alors que nous pouvions continuer de vivre ensemble en Angleterre, tu le dis toi-même dans ta lettre –, je t'aimais tant, que je n'ai plus ouvert un livre relatif à l'Inde, que j'ai employé tous les stratagèmes pour m'absorber dans mes études de russe et m'amputer de la civilisation que j'avais découverte à tes côtés, sinon grâce à toi. Il a fallu que je me trouve au comble du malheur, quand je n'ai pas reçu ta carte de vœux, pour entrer, il y a un an, au musée Guimet et chercher en Asie une Voie capable de me guérir. Pourquoi l'Asie, puisque je la fuyais ? Parce qu'elle avait tissé notre histoire, parce que sa puissance a sans cesse alimenté les émois où nous étions jetés, parce qu'elle sait mieux que nous la sagesse et les phases de la vie.

Tout cela est fou, me diras-tu, démesuré, incroyable. Mais tu as suivi le même trajet toutes ces années quand tu as contemplé la carte du continent asiatique devant ton bureau, quand tu as fui Pondichéry jusqu'au moment où tu as eu la certitude de me revoir. Tu as souffert, tu as finalement payé, toi aussi, ton tribut à la découverte d'une communion absolue. C'est pourquoi je te pardonne, bien que j'aie dit le contraire au début de cette lettre, si ce mot a un sens quelconque, car la cicatrice de la blessure que tu m'as infligée est désormais partie intégrante de mon être. Je ne peux l'en arracher, même si je la sens moins.

Ce qui me console un peu dans mon profond chagrin, c'est qu'il y a une symétrie cachée dans les vraies histoires d'amour. Même si j'ai davantage souffert au début de notre interminable séparation, c'est toi qui es malheureux à présent, et Dieu sait que nous ne nous étions pas concertés. La logique des sentiments est si vigoureuse qu'elle suit son chemin sans s'occuper du reste, que nos amours ou nos haines marchent en nous sans nous. Quand on s'aime on éprouve les mêmes choses, en même temps. Ultime réconfort des cœurs épris et disjoints.

Tu disais parfois que nous étions des mystiques égarés dans le siècle. Drôles de mystiques ! Moi, je n'expliquerai pas les choses comme ça.

Toi, tu cherches « autre chose », il est vrai, que la vie ou les sentiments ordinaires. Les leçons d'une mère pieuse, lectrice de la *Gîtâ*, t'ont inculqué l'idée du Dharma, d'un Ordre du Monde à préserver, car ce monde, à tout moment, risque de sombrer dans le désordre.

Moi, j'avais un père révolutionnaire et agnostique,

une mère de confession orthodoxe qui pratiquait par respect de la tradition. Très jeune, sans que personne autour de moi n'ait semblé la sentir et ne me l'ait enseigné, j'ai eu l'impression d'une communion avec la Totalité. Tout me touchait, m'intéressait, m'émouvait. Ma sensibilité était excessive et multiforme. Elle m'a fourni, dès mes débuts, des antennes pour apprendre, pour retenir, pour traduire, pour étudier, hélas aussi pour aimer. Tu as senti le défaut de la cuirasse et j'ai été nue devant toi.

De mystique point! Sauf à travers toi, peut-être, de toi sûrement.

Ma plume s'adoucit au fur et à mesure que je t'écris. Il ne le faut pas. Il va donc falloir que je m'arrête.

Avant de te quitter, je veux néanmoins résumer ce que j'ai fait depuis 1952 puisque tu as pris la peine de m'en informer pour ce qui te concerne.

Après avoir passé l'agrégation de russe, j'ai enseigné cette langue à Moulins et à Paris. J'ai chéri mes élèves dont les visages se brouillent avec le temps mais dont je suis capable d'identifier les écritures à cause de toutes les copies que j'ai corrigées. Je me suis mariée il y a dix ans et j'ai eu deux enfants dont tu connais les prénoms par mes cartes de vœux. Je me suis inscrite à l'Institut Goethe et je sais un peu d'allemand. Pour l'Unesco, j'ai fait des traductions, et maintenant de l'interprétation simultanée quand il manque quelqu'un. Je me suis conformée, sauf une aventure, à tout ce que la raison et la volonté peuvent exiger d'une femme de mon âge pour se conduire le mieux possible.

Mais je continue d'être dévastée dans le tréfonds de mon âme. Rien n'a remplacé l'élan qui a disparu en moi depuis notre rupture, sauf pour mes enfants et pour la musique. J'ai pensé à me confier à des médicaments ou à la psychothérapie qu'on m'a souvent conseillés. J'ai chaque fois reculé. C'eût été pour moi un sacrilège bien plus grave que le bien-être artificiel qu'ils m'auraient donné. J'ai préféré rester avec ma peine, de la même manière qu'après avoir fait l'amour avec toi, je gardais le plus longtemps possible dans mon corps la chaleur de ton empreinte. J'espère en revanche que la méditation où je me suis engagée depuis ma visite au musée Guimet me conduira plus loin, même si je dois faire face à la mort de Stéphane, et que je vais enfin pouvoir vivre avec ta pensée sans être secrètement anéantie par elle.

Voilà. Je croyais à Pondichéry que tout était possible à l'amour. Le Comptoir se dissolvait, je refusais de m'en apercevoir. Et puis tu étais marié. J'avais d'affreux remords que j'oubliais le lendemain. Soudain, tout a pivoté, il a fallu partir. Dès Londres d'ailleurs, tu ne souhaitais pas que je revienne. Je n'avais pas su le discerner. Tu ne m'as pas prévenue le matin dans le cagibi aux palmes de ta décision du soir. Je ne l'ai pas supporté. Je n'aurais jamais cherché à te revoir. Je frissonne en écrivant ton adresse.

Je t'embrasse.

Clarisse.

*

Cette fois, il faut vraiment rentrer, sinon la poste sera fermée. Dans la salle des professeurs, Clarisse pose son cahier sous son chandail et ferme à clef son casier. Elle a écrit à Mike ce qu'elle avait sur le cœur et ne peut pas faire plus. Elle repart dans la nuit froide. Elle ne lui téléphonera pas.

CHAPITRE 35

PARIS

Le 27 décembre 1967

« Dis donc, Clarisse, heureusement qu'il y a moins de travail après la Conférence générale. Tu as complètement disparu. » La voix de Marc retentit dans l'appartement vide à neuf heures du matin. C'était rare qu'il appelle lui-même et si tôt. « Tu es seule ?

— Oui.

— J'ai une surprise pour toi. Tu te rappelles la réunion régionale des ministres de l'Éducation de l'Asie du Sud-Est qui doit avoir lieu les premiers jours de janvier à Bangkok ? Je dois y aller. Eudoxie a un empêchement et propose que tu la remplaces. Étant donné les dates, cela doit coller avec ton lycée. Nous pourrions nous y rendre tous les deux. Et si cela te fait plaisir, nous ferons une escale en Inde. J'ai vérifié. Il y a un vol Air France Delhi-Bangkok qui est assez commode. Nous nous arrêterions une journée en route. Évidemment, ce n'est pas Madras. Mais il m'a semblé que tu ne connaissais pas le Nord. »

Comment avait-il deviné ? Vif, fureteur, malin. Aller avec Marc en Inde, quelle absurdité ! La dissimulation où elle vivait depuis son mariage la rattrapait à l'improviste.

« Puis-je te répondre un peu plus tard ? Cela dépendra de l'état de Stéphane.

— Demain, Clarisse. Sinon il faut que je trouve une autre interprète. En tout cas je bloquerai une place. »

Il raccrocha. Dépit, chagrin, jalousie. Il tombait mal. Clarisse s'en voulait. Il l'avait aidée et elle l'aimait beaucoup.

Depuis son entretien avec le professeur Germain, elle massait matin et soir les jambes de Stéphane. Cela le soulageait quelques minutes puis il se remettait à souffrir. Il acceptait les soins de Clarisse. « Tu t'occupes bien de moi », disait-il.

Il recommençait à s'affaiblir. Clarisse lui avait proposé de retourner à Dijon avec une halte à Joigny. Il avait répété « Dijon, Dijon » les yeux émerveillés, comme s'il s'agissait d'un lieu extraordinaire où il n'avait jamais mis les pieds. C'était pourtant un des voyages les plus réussis qu'ils avaient faits ensemble quelques années auparavant. Il l'avait oublié. Elle avait de plus en plus peur.

Il rentrait tôt du ministère avec des dossiers, travaillait un peu, allongé sur le divan, prenait le thé avec Marie ou Clarisse, s'assoupissait. Il fallait le réveiller pour lui faire avaler quelques aliments sur un plateau. Marie préparait pour les accompagner des sauces diététiques aux herbes.

Il en mangeait deux cuillerées puis repoussait le tout d'un geste brusque et refusait le jus de fruit spécial auquel il avait droit, les traits plombés.

« Ça n'a aucun goût, disait-il. Laissez-moi, tous les trois. » Ils allaient dîner à la cuisine, épouvantés.

Quelques jours plus tard, Clarisse s'aperçut, en aidant Stéphane à se déshabiller, que l'état de sa peau s'aggravait. De nouvelles taches rouges apparaissaient entre ses épaules et descendaient vers ses reins. Elle appela le professeur Germain.

« Il doit venir dans quarante-huit heures faire sa

ponction, dit-il. Je l'examinerai. Ce n'est pas le plus grave. Tant que le liquide n'envahit pas ses poumons, tout va bien.

— Il va mourir noyé, cria Clarisse.

— Nous en parlerons après-demain », dit le médecin en raccrochant.

Elle rappela Marc.

« Ça ne va pas. Je ne peux pas partir.

— Viens au moins chercher du travail. Cela te distraira. » Il y avait un sous-entendu dans sa voix.

« Tu peux m'envoyer des textes à la maison. » Elle craignait de l'affronter. Astucieux comme il l'était, il risquait de comprendre quelque chose, sinon tout.

« Mais enfin il va au bureau, tu fais tes cours, tu peux bien sortir et venir me voir !

— J'ai toujours peur d'un coup de téléphone. Au lycée on peut me trouver. »

Il rit.

« Essaie, Clarisse, ça te changera », dit-il, calmé.

*

C'était la sortie. Comme ses collègues, Clarisse rassembla les affaires qu'elle avait laissées dans son casier. Sous son chandail il y avait le Cahier indien. Il ne lui servait plus à rien. Elle hésita à le prendre. Mais l'usage était de tout remporter pendant les fêtes. Elle s'y plia.

Quand elle arriva rue Balzac, Stéphane était déjà rentré. François lui jouait du piano. Son père regardait le vide.

Elle alla ranger ses livres de russe dans l'armoire où ils étaient enfermés. Elle fit glisser le Cahier indien dans le tiroir à secret de son secrétaire où elle avait classé depuis longtemps les papiers de sa mère. Elle le rapporterait au lycée à la rentrée. Pour quelques jours, ça n'avait pas d'importance.

Stéphane continua d'aller au bureau pendant les

congés. Malgré les crèmes et les onguents, la peau de son dos se tigrait. Les taches rouges envahissaient ses fesses, le dos de ses cuisses et le faisaient souffrir. Clarisse n'osait plus le masser. On ne savait pas par quel bout le soigner. Malgré tout, il faisait sa toilette seul assis sur un tabouret dans la salle de bains. Le chauffeur l'aidait à partir et à revenir. Clarisse savait par les secrétaires que l'huissier le guettait à l'entrée du ministère et l'attendait quand il souhaitait revenir chez lui. Elles lui dirent aussi qu'une fois dans son fauteuil, face à la cheminée qu'elle connaissait si bien, il ne bougeait plus guère, mais continuait de recevoir et de travailler sans s'arrêter sous ses lampes-bouillotte. Par respect pour lui un roulement avait été organisé et il avait toujours du monde sous la main. Il rentra deux fois rue Balzac se reposer. C'était son seul signe de faiblesse.

Clarisse s'en fut, un après-midi, à l'Unesco chercher du travail et rendre visite à Marc.

Il l'observait sous cape.

« Quel dommage que tu ne viennes pas à cette conférence. C'était une occasion. J'aurais tant voulu découvrir Delhi avec toi. Nous pouvons au moins passer un moment rue Heredia. »

Elle sursauta.

« Sans rien faire. Je t'offrirai un verre de vodka et je te raconterai les dessous de la Conférence générale. Allons ! »

Malgré les tentatives de Marc, ils ne firent que boire, en effet.

« Tu aimais ton mari tant que ça ! Je ne le pensais pas.

— Moi non plus. »

Elle ajoutait un mensonge à la pile vertigineuse de tous les autres.

« Il faut que je m'en aille. »

Au moment où elle partait, le téléphone retentit. C'était la secrétaire de Marc. Elle avait pour instruction de ne jamais le déranger chez lui sauf nécessité absolue.

« M. Jardillier a téléphoné, dit-elle. Je lui ai dit que sa femme était peut-être à la bibliothèque. Il a essayé de la joindre, mais elle ne s'y trouvait pas. Il a rappelé. Il avait l'air très agité. Elle est sans doute à la salle de cinéma, ai-je dit, où on donne un film russe en version originale. Comment puis-je lui parler ? m'a-t-il demandé. C'est difficile. De toute façon, d'après les horaires que nous avons eus, ce film sera fini dans une demi-heure. Elle va repasser. Je lui ferai votre message.

— D'où téléphonait-il ?

— Du ministère.

— Merci, vous avez bien fait de me prévenir.

— Tu vois comme c'est simple, dit Clarisse. Depuis qu'il est malade, Stéphane ne contrôle plus mes horaires, comme autrefois, mais je ne peux m'absenter ailleurs qu'au lycée.

— Sa jalousie toujours ? Sa faiblesse ?

— Que dire ? Les deux sans doute. C'est si triste. Je me dépêche. »

Elle jeta un dernier coup d'œil à l'appartement. Un deuxième étage cher, confortable, toujours reloué à des fonctionnaires internationaux. Marc n'avait pas bougé un meuble, cela n'avait pas l'air de le gêner. Il repartirait vers New York et l'ONU et il épouserait une Juive russe à la voix profonde. Elle l'embrassa affectueusement.

Quand elle rentra dans son bureau rue Balzac, elle perçut un changement. Sa lampe était plus à gauche, les revues qu'elle avait déposées la veille mieux rangées. Elle secoua le tiroir de son secrétaire. Il était toujours fermé. Elle sortit le trousseau qu'elle détenait toujours dans son sac, détacha une première clef, eut du mal à la faire tourner dans la serrure, ouvrit. Elle prit une deuxième clef, la glissa vers un renforcement habilement dissimulé sur la gauche, la fit tourner, sortit le contenu de sa cachette. Le Cahier indien était là, enfoui sous les papiers de sa mère. L'avait-elle laissé placé entre deux enveloppes quelques jours auparavant ? Elle ne savait plus.

Refermant le tout, elle alla à la cuisine. Elle entendait François faire des exercices sur le piano du salon. La boîte à outils était à sa place dans le placard. Clarisse la sortit, examina la répartition des pinces, des tournevis, des clous qui faisaient l'admiration des visiteurs quand l'appartement était visité. Tout était en ordre.

Elle se rappela qu'ils avaient reçu quelques jours auparavant la carte d'une entreprise de serrurerie pompeusement nommée CLEFS-SECOURS qui se vantait de se rendre sur-le-champ à n'importe quel appel.

« Ne garde pas ça, avait dit Stéphane. Ce sont des voleurs. Je peux très bien me débrouiller tout seul. » C'était vrai qu'il était très adroit de ses mains.

« Je recopierai leurs coordonnées plus tard. Elles peuvent toujours servir, avait-elle rétorqué, au cas où tu ne serais pas là, par exemple. » Et elle avait glissé la publicité dans le carnet des fournisseurs.

Elle s'en empara. Le pli qu'elle y avait placé n'y était plus. Mais, à la lettre C, tout en bas de la page, étaient écrits l'adresse et le téléphone du prospectus. Quant à l'enveloppe, elle se trouvait déchirée en deux morceaux dans la poubelle. Pourquoi Stéphane avait-il recopié les informations qu'il jugeait inutiles ? Avait-il fait appel à un professionnel pour ouvrir le meuble à secret en l'absence de Clarisse, faute d'y être parvenu lui-même ? S'était-il emparé du Cahier indien ? Avait-il souhaité dissimuler son forfait ou voulu faire sentir à Clarisse qu'il n'était plus dupe ? C'était l'heure probable de son retour. Que faire ?

La musique s'interrompit. François appela Clarisse.

« Le directeur de cabinet », dit-il, en lui tendant le récepteur de l'entrée.

Il resta près de sa mère pendant qu'elle prenait la communication. Stéphane venait d'être hospitalisé. C'était urgent.

« Je viens avec toi », dit François.

Ils atteignirent sans peine le bâtiment F de l'hôpital où Clarisse avait plusieurs fois accompagné Stéphane. L'interne chargé de la contre-visite se présenta. Il fit signe à une aide-soignante d'emmener François chez les infirmières.

« Je suis désolé, Madame Jardillier, le professeur Germain est à un colloque, j'aurais préféré qu'il vous annonce lui-même la nouvelle. »

Elle blêmit.

« Votre mari est arrivé ici dans le coma. La cirrhose prend cette tournure dramatique. Nous avons pensé un instant l'envoyer en réanimation. C'était sans espoir. Il n'a pas souffert.

« Nous avons trouvé dans sa poche des médicaments dangereux qu'il n'aurait pas dû posséder. Le professeur Germain l'admirait et le laissait faire tout ce qu'il voulait. A-t-il mal évalué les doses ? De toute façon il était indomptable. » Il eut une moue de désapprobation.

Clarisse chancela.

« Voulez-vous un calmant ? »

Elle refusa.

« Je souhaite le voir. »

Il eut l'air embarrassé.

« Nous manquons de place à cette époque de l'année. Les gens partent en vacances pour le réveillon et nous laissent leurs vieux parents sous prétexte qu'ils sont malades. Nous avons eu besoin de sa chambre. Vous allez être obligée d'attendre un peu. »

Elle alla retrouver François dans la cage vitrée des infirmières et le prit par la main.

« Alors ?

— Papa était très malade, tu sais. Je ne te l'ai pas dit. C'est fini. C'est mieux comme ça, mon petit chéri. » Elle le prit dans ses bras.

Elle sentit ses doigts d'enfant d'où la musique coulait de source se serrer autour de son cou. Et des larmes contre sa joue.

« Tu crois ?

— Je suis sûre.

— Il faut prévenir Marie. Elle doit être à la maison, maintenant, fit François entre deux sanglots.

— Je dois encore remplir certains papiers. On va m'appeler dans un moment. Ensuite nous rentrerons. »

Ils prirent place dans la salle d'attente qu'elle connaissait bien. Des silhouettes glissaient vers la sortie. Le personnel qui changeait sans doute.

La surveillante générale vint chercher Clarisse. De l'autre main, elle demanda à une infirmière de remmener François dans son bureau.

« Nous avons été obligés de descendre votre mari au funérarium. Ces dames vont vous accompagner. »

Elle suivit deux grosses femmes vêtues de blanc.

« Nous allons vous faire une présentation. » Cette formule la déchira.

Dans l'ascenseur, elles dévisagèrent Clarisse.

« Un instant », dirent-elles à la porte d'une petite chambre. Une azalée était juchée sur un pilier dans le couloir.

Clarisse les entendit ouvrir une autre porte, pousser quelque chose. Il y eut un roulement puis le silence.

« Entrez, Madame. »

Pleines de componction, elles s'éloignèrent.

La salle où reposait la dépouille de Stéphane n'était ni une morgue ni une chapelle. C'était une pièce aux murs blancs très propres, puissamment éclairée, qui ne ressemblait à aucune autre. On avait tenté de lui donner un sens par l'intermédiaire d'un bougeoir de cire jaune posé sur une table. En dehors de lui, il n'y avait ni objet religieux ni symbole de ferveur ou de souvenir. Un passage. Une vacuité. Le néant. Ce lieu lui-même était cadavérique.

Le corps de Stéphane était allongé sur un étroit support car à l'évidence il n'aurait plus jamais besoin d'un lit. Il n'avait pas encore changé. Son visage intelligent contemplait l'au-delà avec courage et avec mépris.

Pour ne pas lui joindre les mains, on lui avait placé les bras le long du corps. La chevalière dont il était si fier n'était plus à son doigt.

Elle s'approcha, embrassa longtemps le mort sur le front. Un être de glace. Son mari pendant dix ans. Tant de souffrance, de part et d'autre. C'est ce qu'ils auraient surtout partagé. Quel lien était-ce, si dur à couper cependant ? Avait-il lu le Cahier indien ? Avait-il compris que, malgré ses dénégations, elle avait eu pour lui une forme d'amour ? Ou avait-il consciemment accéléré son trépas ?

Elle se tenait paralysée près de lui. Les veillées funèbres n'existaient plus. Au départ de Clarisse, on ramènerait Stéphane dans la chambre froide. Personne ne prierait à son chevet comme elle l'avait vu faire pour les amis orthodoxes de sa mère. La mise en bière s'effectuerait sans le moindre apparat. Puis le fourgon s'en irait à Moulins selon les vœux du défunt dont Victor Choukri lui avait fait part depuis longtemps.

Pour quelques instants, Stéphane était encore là. Elle ne voulait pas le laisser. Elle essaya d'apercevoir la Voie qui s'allongeait dans des cieux imaginaires, au-delà des fautes et des faiblesses. La Voie. Qu'avait fait l'Occident du respect des morts, des pratiques destinées à faciliter leur exode, à les consoler, à rassurer leurs familles éplorées ? Plus de rites, plus de gestes, plus de bénédiction. La vie, la mort que l'Inde avait su unir dans la danse de Shiva étaient disjointes à jamais dans la conscience occidentale comme dans le funérarium. Clarisse restait pétrifiée devant la dépouille de Stéphane comme si elle était engloutie avec lui dans un abîme invisible.

Elle entendit des toussotements derrière la porte. Il fallait partir.

Elle s'arracha à la pièce et donna un billet aux femmes qui guettaient. « Votre mari était très beau », murmura l'une d'entre elles. Clarisse s'éclipsa sans répondre.

Quand elle retrouva François dans le service, il ne pleurait plus. Il écrivait entre les pansements, les bocaux, les armoires de médicaments. Il lui tendit une feuille où il avait dessiné des portées de musique, garnies de notes et d'accords.

« L'infirmière fait sa tournée. Elle m'a donné du papier et ce crayon. C'est une mélodie pour Papa. Je crois que c'est joli. »

Elle se sentit faiblir.

« Rentrons vite, maintenant. »

À la sortie du bâtiment F, il n'y avait plus de voitures. Seules des ambulances glissaient vers ce qui devait être le pavillon des urgences. Clarisse et François traversèrent les allées qui partageaient les bâtiments A, B, C, D, E, immobilisés sous le firmament avec leur cargaison de malades. Ils parvinrent à la barrière de la sortie. Le gardien était engagé dans une conversation téléphonique et leur tourna le dos.

Quand ils arrivèrent, Marie, les yeux gonflés, comprit tout de suite.

« Oh non, ce n'est pas vrai. »

Clarisse hocha la tête et l'embrassa. François, sa feuille de musique à la main, fit de même.

« J'étais sûre, quand je ne vous ai pas trouvés en rentrant, qu'il y avait une catastrophe. »

Elle tendit deux clefs à Clarisse.

« Je les ai retrouvées dans le pardessus de Papa en l'accrochant dans l'armoire. Pourquoi ne l'a-t-il pas mis en partant ce matin, il faisait si froid ? C'est peut-être important. »

En un clin d'œil Clarisse reconnut le double de celles qui ouvraient le tiroir du Cahier indien.

« Plus maintenant. C'est trop tard », dit-elle en serrant sa fille contre elle.

CHAPITRE 36

MOULINS-PARIS

Le 30 décembre 1967

Les obsèques de Stéphane avaient été fixées à midi à Souvigny, sa ville natale. Il faisait froid et beau. Clarisse n'était jamais venue dans ce cimetière que connaissait Marie pour y avoir porté des fleurs avec sa grand-mère sur la tombe de la famille.

Stéphane n'avait voulu ni cérémonie religieuse ni manifestation officielle. Le cercueil avait donc été transporté dans un fourgon, sans caractéristiques particulières. Clarisse avait suivi dans un autre véhicule aussi sombre que le premier, où elle avait demandé à être seule avec les enfants. M. et Mme Choukri étaient derrière dans leur voiture. Le trajet avait été pénible. Ses pensées vagabondaient de la mort de Stéphane au Cahier indien. Était-elle une criminelle ? Stéphane portait-il en lui, par la violence de son caractère, des germes de destruction ? Quel Dieu terrible choisissait les passionnés ? Fallait-il souhaiter ce destin ?

Même si Stéphane n'avait pas été malade, il se serait détruit après la lecture du Cahier indien. L'exaltation du plus grand des amours pouvait-elle justifier l'existence du convoi funèbre qui traînait cette victime dans la campagne sans que personne se signe sur son passage ? Les enfants n'avaient pas osé ouvrir la bouche devant le silence de leur mère qu'ils attribuaient à la douleur et s'étaient finalement endormis.

Le cimetière de Souvigny dégageait une certaine harmonie. C'était un carré entouré de murs jaunes, posé dans les champs. Il était hérissé de croix de fer forgé ou de pierres arrondies. Elles surmontaient de petites chapelles, fort gracieuses, qui ornaient les tombes proprement dites et venaient à l'évidence du ciseau des sculpteurs locaux. Elles n'avaient pas la somptuosité des gisants de marbre des Bourbons qui dormaient dans l'église prieurale de Souvigny. Mais elles exprimaient à leur façon la dignité des défunts et la fidélité de leur parentèle. On était loin du funérarium de l'hôpital.

Une rangée d'ifs partaient sur la droite. Des bouquets de fleurs artificielles, en porcelaine rose, verte, violette étaient posés sur les dalles et mettaient des taches claires au-dessous des photos, des plaques, des déclarations de regrets éternels. On apercevait au loin quelques chênes sur un horizon voué depuis longtemps à la culture et à l'élevage comme le racontaient les livres d'histoire. Les Capétiens avaient gouverné cette région que Clarisse avait étudiée pour son plaisir quand elle y était professeur.

Pour aller jusqu'au caveau des Jardillier, situé au bout de l'allée centrale, il fallait passer entre la série des tombes où reposaient les morts de la guerre de 1914 : dix-neuf ans, vingt-six ans, trente-deux ans. Une génération d'ombres juvéniles monterait la garde au passage du cercueil d'un homme plus âgé qu'elles, détruit sans gloire par la maladie, dans une période de paix où il ne courait aucun risque.

Clarisse marchait aux côtés de sa belle-mère. Les enfants suivaient en se tenant par la main. Le ministre, en dépit des vœux de Stéphane, avait dépêché le directeur de cabinet qui était arrivé en voiture officielle avec le représentant du préfet. Le maire s'était déplacé avec son adjoint. Le proviseur du lycée

Banville et sa femme lui emboîtaient le pas. Derrière, venait Victor Choukri accompagné de sa femme et les deux secrétaires que l'administration avaient laissées à Stéphane. Très pâles, très maquillées, très citadines dans leur manteau de fourrure, elles vacillaient sur leurs hauts talons. Certains habitants du village étaient présents pour avoir connu la famille ou par désœuvrement. Finalement il y avait du monde.

On se rangea autour du caveau dont la dalle avait été ôtée. Clarisse aperçut un photographe embusqué derrière une stèle. Qu'importait.

Il y eut du bruit du côté de l'entrée. Le cercueil arriva, porté par les employés des pompes funèbres qui gardaient leur cache-nez en dépit des règlements mais étaient empreints de la tristesse qui convenait à leur fonction. C'était Victor Choukri qui s'était occupé de tout.

Ils remontèrent l'allée à pas lents, se déplaçant en mesure, penchés comme si la mort elle-même pesait sur leurs épaules. Mais une fois arrivés, il leur suffit d'un instant pour faire glisser la dépouille dans le caveau. Une boîte. Une vie. Un trou.

Ils s'écartèrent.

Le directeur de cabinet sortit, comme le soir du dîner de l'Éducation nationale, des feuillets dactylographiés de sa poche et se recueillit.

Le discours avait été préparé par un jeune normalien que Stéphane avait tiré d'une classe de banlieue où on le chahutait pour lui confier le rôle envié de « plume » du ministre. Clarisse l'avait rencontré plusieurs fois. Il adorait son bienfaiteur. Au lieu des banalités habituelles, il avait donc préparé trois pages pleines d'émotion, inspirées des Grecs et des Latins, sur la fuite du temps, la brièveté de la vie, le destin des grands hommes. Cette prose de noble tenue fut lue avec toutes les inflexions qu'elle méritait par le directeur du cabinet, qui était agrégé des lettres. Elle se dissipa dans la campagne où Clarisse et Stéphane s'étaient promenés ensemble. L'irréalité de la mort de Stéphane et de toute mort imprégnait le paysage. Clarisse, transie jusqu'aux os et taraudée par le remords, perdait pied.

Marie et François jetèrent des fleurs sur le cercueil, les fossoyeurs fermèrent la dalle. Il y eut les condoléances. Puis chacun partit à la recherche d'un déjeuner.

« Ce sont vos enfants ? avait demandé le directeur de cabinet, en prenant congé. L'aînée ressemble beaucoup à son père. »

Victor Choukri s'approcha de Clarisse. Mme Choukri, discrète, les yeux battus, se tenait à l'écart.

« Voulez-vous que je vous ramène à Paris ? Nous pourrions faire une halte en route ?

— Je vais raccompagner la mère de Stéphane chez elle et lui tenir compagnie. Ce n'est pas seulement ma belle-mère, c'est mon ancienne directrice, comme vous le savez. J'ai beaucoup d'affection pour elle. Elle perd son fils unique dont elle était si fière. C'est terrible.

— C'est terrible pour vous aussi, Clarisse. Vous êtes si courageuse. De toute façon, il faut que je vous voie d'urgence. Stéphane m'a téléphoné du ministère l'après-midi funeste. Je vous appellerai demain soir. Je ne croyais pas qu'il partirait si vite. Même malade, nous avions tant de chance de l'avoir avec nous. »

Elle se tut.

« Il aurait été fier de vous. »

Elle avait peur. Qu'avait dit Stéphane au téléphone ?

« Je vous remercie d'avoir tout organisé. À demain. »

Quand elle se retrouva à Moulins, rue Berwick, près de la cheminée où Stéphane lui avait demandé de l'épouser, elle eut un autre choc. Mme Jardillier, malgré son chagrin, s'approcha d'elle avec deux verres et du porto :

« Vous vous rappelez ce réveillon ?
— Oui.
— Cela fera dix ans dans quelques jours.
— Je sais.
— Stéphane n'en pouvait plus de vous attendre. Il était tellement épris. Je vous ai fait poser un ultimatum par Mme Joly.
— En effet.
— C'était vieux jeu et assez ridicule, j'en conviens. Mais les mères s'inquiètent toujours pour leurs enfants, surtout quand il s'agit d'un fils unique.
« J'ai un seul petit reproche à vous faire, vous avez été une excellente épouse, ne m'en veuillez surtout pas. Pourquoi Stéphane ne m'a-t-il pas dit plus tôt qu'il était malade ?
— Très longtemps il ne l'a pas su. Il était seulement extrêmement fatigué. Ensuite il nous l'a caché à toutes les deux. »
Tout en répondant aux questions d'une femme qu'elle avait admirée bien avant de devenir sa belle-fille, Clarisse avait peur. Qu'avait révélé Stéphane à Victor Choukri ?
Elle se leva. « Puis-je vous aider ?
— Marie a commencé à préparer le déjeuner. Et j'ai commandé dès hier un dessert à l'extérieur. Il faut que les enfants mangent. Nous aussi. Tout sera bientôt prêt. Ne bougez pas, vous devez être très éprouvée. »

*

Sa bonté, sa sincérité, enfonçaient Clarisse dans sa honte. Comment avait-elle pu mystifier cette femme en acceptant de partager la vie de son fils qu'elle connaissait à peine et qui n'avait jamais eu une chance véritable de susciter son amour ?
Seule l'ermite de Chandolin, Larissa, lui avait conseillé d'attendre, de réfléchir, de méditer. On croit

les mystiques loin du monde. Leur détachement même éclaire les ombres et les lumières où cheminent les voyageurs ordinaires. C'était Larissa qui avait raison. Que ne l'avait-elle écoutée ?

Après le déjeuner, consommé en silence, elle proposa à Mme Jardillier de venir passer quelques jours à Paris. Les enfants sourirent. Elles décidèrent de prendre le train de l'après-midi. C'était le premier pas dans une vie d'où Stéphane avait disparu.

*

Victor Choukri appela Clarisse dès le lendemain. Elle le retrouva chez le notaire pour l'ouverture du testament. Stéphane laissait en usufruit tous ses biens, meubles et immeubles, à « son épouse bien-aimée » et lui confiait sa mère.

« Vous êtes satisfaite de ce testament ? » demanda Victor Choukri à Clarisse qu'il avait invitée à dîner dans un restaurant libanais après l'entretien. « Vous voyez que rien ne vous oblige à vendre la rue Balzac, dit Victor Choukri à Clarisse après cette lecture. Elle vous appartient et reviendra plus tard à vos enfants. Êtes-vous rassurée ?

— Oui, bien sûr. » Clarisse courbait les épaules. Sa condamnation viendrait plus tard, elle en était sûre. Pourquoi ? Laquelle ? Était-ce un crime d'aimer ? Elle ne connaissait pas Stéphane quand elle avait rencontré Mike, certes. Mais il y avait en nous une faute bien plus grave que tous les gestes, c'était l'impureté de l'intention. Pouvait-on l'éviter ? Pouvait-on dominer entièrement son cœur ? Pouvait-on vivre aux côtés d'un autre homme que l'aimé, en l'abusant à demi, jusqu'à la découverte de la vérité ? Seule la Voie, par ses exigences de détachement et de progrès spirituel, permettait de répondre. Mais où était-elle à l'heure présente ? Avait-elle un pouvoir hormis notre volonté de la suivre ?

Victor Choukri lui proposa un mezze qu'elle accepta avec reconnaissance. C'était un premier pas vers l'Orient.

« Il faut que je vous communique des informations que le notaire n'a pas.

— Vous m'avez parlé au cimetière d'un coup de téléphone ? »

Le cœur battant, elle attendait la suite. Stéphane avait-il dévoilé le ressort caché des choses ? S'était-il plaint ? L'avait-il maudite avant de prendre l'excès de médicaments qui l'avait conduit à sa perte ?

Victor Choukri se cala dans son fauteuil. Sur la table étaient disposées des multitudes de plats par des mains adroites et bienveillantes.

On leur versait à boire de l'eau fraîche, du rosé. Il y avait du monde mais les tables n'étaient pas trop proches et les lumières tamisées.

« L'appel de Stéphane était confus et je ne l'ai pas bien compris. Stéphane était amoureux fou de vous et l'est toujours resté. Mais nous avons vu très vite, nous, ses amis libanais, que vous n'étiez pas heureuse. Nous connaissions depuis longtemps son caractère difficile, ombrageux, rancunier. Nous ne savions que faire pour vous aider.

— Pourquoi ne m'avez-vous pas fait part de vos inquiétudes ?

— Nous n'avons pas osé. Vous étiez inaccessible. Stéphane disait : “J'ai épousé une perle.” Vous ne parliez pas. Cent fois, j'ai essayé de vous interroger sur vos aspirations, vos désirs, votre passé. Vous vous êtes dérobée. J'ai lu vos traductions, vos articles sans en tirer la moindre indication. Je vous ai toujours connue mélancolique. Les choses ont empiré au fil du temps. Seul Stéphane ne semblait pas s'en apercevoir et vous emmenait partout à son bras...

« J'ai pris mon courage à deux mains et je l'ai interrogé sur votre santé. Il m'a répondu que vous alliez très bien mais que vous vous surmeniez. “Elle est belle, n'est-ce pas, elle est extraordinaire", a-t-il ajouté en me serrant le bras, les yeux bizarres. "Nous nous aimons beaucoup malgré son secret. — Qui n'en a ?" avais-je répondu, ce qui l'avait fait sourire, comme soulagé.

« Il a eu son premier malaise au ministère le lendemain. C'était en mars, vous vous souvenez ? J'ai mis les propos qu'il m'avait tenus sur le compte des débuts de sa maladie et je ne vous en ai jamais parlé.

« J'étais sûr que vos rapports avec lui étaient très difficiles. Et puis, vous avez retrouvé de la vie, de l'élan, une sorte de sérénité. Le jour de son anniversaire, vous aviez un rayonnement surprenant. Je ne vois qu'une fausse note dans tout cela et c'est de ma faute. J'ai saisi, après mon imprudente proposition, que vous souhaitiez garder l'appartement. J'ai dit cent fois que la vente de la rue Balzac ne s'imposait pas. "Il y a quelque chose de mauvais, ici, dans l'air que je respire, m'a affirmé Stéphane. Il faut que cette maison disparaisse." Quand il a été très malade, il m'a laissé préparer le testament qui vous a été lu. Il ne semblait plus s'y intéresser.

— Et le dernier téléphone ?

— J'étais dans mon bureau. Le secrétaire m'a dit que c'était urgent. J'entendais très mal. Il m'a demandé si j'avais le testament près de moi. "Rassure-toi, il est enfermé, dans mon coffre à trois pas d'ici ainsi que chez le notaire." Il a hésité, bafouillé : "Je veux ajouter un codicille. Je n'ai plus le temps d'écrire. Tous les bijoux doivent aller à Marie, les bijoux de Clarisse. — Bien sûr, ai-je dit, plus tard. — Non, maintenant. — Stéphane, c'est impossible. Tu ne peux pas souhaiter une chose pareille." Il a gémi : "Je sais, maintenant, ce que je voulais savoir. Adieu, merci." Il a raccroché. Quand j'ai essayé de rappeler, une voix anonyme m'a dit qu'il venait de partir en réunion. Ça devait être la consigne du ministère pour éviter l'affolement causé par son départ pour l'hôpital.

« Voilà, Clarisse. J'aurais pu ne rien vous dire mais si je m'étais tu, j'aurais eu des remords vis-à-vis de Stéphane et vis-à-vis de vous. Quant à l'ultime coup de téléphone de Stéphane, je crois qu'il ne faut en tenir aucun compte. La maladie lui avait troublé l'esprit. Oublions-le. De toute façon, vous n'y êtes pour rien. »

Clarisse le regarde, hébétée, confuse, soulagée. Le Cahier indien gît, inoffensif, dans son tiroir qu'il ne sera plus nécessaire de fermer à clef. Une nouvelle vie commence sans lui. Laquelle ? Où est la Voie ?

Le restaurant est vide. Ils sont les derniers clients. « Vous savez que je suis à votre entière disposition », dit Victor Choukri. Il la raccompagne rue Balzac dans sa grosse voiture.

Ils restent un moment ensemble sur le terre-plein en contemplant la place, le kiosque, la statue de l'écrivain, la Chambre de commerce, la Poste. Derrière eux se trouve la Fondation des arts plastiques et son jardin. Un ciel plein d'étoiles, semblable à celui qui avait accueilli Clarisse au sortir du musée Guimet, le soir où elle s'était décidée à raconter son premier, son unique amour, brille au-dessus de Paris.

« Comme Stéphane est présent dans ces lieux, dit Victor Choukri, imaginant lire dans ses pensées.

— C'est vrai. »

La Voie est longue. Ceux qui l'ont parcourue jettent un regard de compassion sur les erreurs des autres et prient pour que leurs pas se fortifient. Clarisse sent cette aide qui lui vient du monde entier. Elle ne peut pas la démontrer. Elle sait qu'elle est présente. Elle s'appuie sur elle et, à travers l'espace et le temps, elle lui adresse l'expression de sa gratitude et de sa confiance.

Elle embrasse Victor Choukri et se retourne pour

le voir rejoindre sa voiture et lui faire un signe d'affection.

Puis elle rentre chez elle où Mme Jardillier veille sur le sommeil de Marie et de François, les yeux rouges devant son livre ouvert.

CHAPITRE 37

PARIS-VALBONNE

Février-avril 1968

La mère de Stéphane resta quelques semaines rue Balzac avec Clarisse et ses petits-enfants. Sa dignité, sa culture et sa bonne grâce en eussent fait une compagne idéale, même sans lien de parenté.

Les deux femmes essayèrent d'organiser la vie de Marie et de François pour qu'ils ne souffrent pas trop de la disparition de leur père. Il y eut des repas de copains, des sorties au théâtre, des visites de musées, une escapade au bord de la mer. Tout cela était impossible du temps de Stéphane qui ne supportait guère d'autres enfants que les siens et n'autorisait les loisirs qu'aux dates des vacances.

L'agence, avisée par Victor Choukri, s'était évanouie sur une brève lettre de condoléances. Le militant tamoul était de nouveau face à ses images belliqueuses. Clarisse avait repris ses cours après les trois jours de congé que l'administration accorde aux professeurs pour les mariages et pour les deuils. Les élèves, d'abord craintifs, avaient retrouvé leur ferveur et la réconfortaient.

*

Quand sa belle-mère fut partie, Clarisse se trouva dans une situation qu'elle n'avait jamais connue jusque-là : élever seule deux enfants dont elle devenait entièrement responsable. Elle vivait depuis si longtemps recluse dans ses pensées qu'à voir Marie et François guetter ses recommandations il lui paraissait qu'ils étaient nés une deuxième fois et elle les contemplait, debout devant elle, interrogatifs, avec les traits incertains et charmeurs de l'enfance, ravie, comblée. Stéphane avait exercé une telle influence, par sa personnalité, son rythme de travail, ses exigences, sur sa famille que ses membres avaient le sentiment de ne s'être jamais complètement connus. Il y eut donc des instants de bonheur dans le drame qu'ils traversaient ensemble. Puis les enfants partaient en classe, tournaient les talons pour se rendre au piano, chez une amie, et le malheur rattrapait Clarisse avec une sûreté infaillible. Elle se heurtait au fantôme de Stéphane dans tous les coins de l'appartement, se sentait coupable, faisait des cauchemars la nuit dans la solitude de son lit.

Le soir, elle rentrait le plus tôt possible et elle faisait travailler Marie. Celle-ci avait un peu plus de dix ans mais elle serait autorisée à passer en sixième avant l'âge normal, tant son niveau général et ses résultats dans les sciences donnaient satisfaction.

« Tu es tout le temps là, maintenant, disait la petite. Tu ne fais plus de traductions, tu ne vas plus à l'Unesco. Maman, je ne comprends pas.

— Je n'en ai pas envie, répondait-elle en l'embrassant. Je préfère rester avec vous.

— Même sans Papa ?

— Même. »

Que personne ne puisse désormais soupçonner son secret avait ôté des épaules de Clarisse une pierre accablante. Elle ne se dissimulait pas cependant qu'elle avait contribué à la perte de Stéphane en exerçant sur lui une vengeance virtuelle par la description de son amour passé, et en ramenant le texte à la maison alors qu'il était susceptible de tomber entre les mains de ce grand jaloux, aussi malade qu'il fût.

Ils avaient l'un et l'autre toutes les excuses. Mais il n'y avait pas d'excuse. Et même s'il y avait eu un pardon quelque part pour leurs pauvres âmes tourmentées et persécutrices, il restait devant Clarisse l'horreur de la mort – en Inde ce n'était pas la même chose – et l'absence tangible et douloureuse de Stéphane, son mari pendant dix ans.

Les leçons de piano de François éclairaient un peu ses semaines quand elle venait le chercher. Elle ne chantait plus. Le virtuose aux bras courts et aux doigts agiles la considérait du coin de l'œil, n'osant pas le lui proposer, et s'empressait de lui raconter en russe des histoires de musiciens sur le seuil de la porte.

« Je peux vous l'avouer, maintenant, Clarisse, je m'entretiens avec François dans notre langue. Nous voulions vous faire une surprise. »

Durant le trajet du retour, elle bavarda avec le petit garçon pour la première fois dans un parler différent du français. Clarisse prit même la liberté d'assister avec son fils à une cérémonie orthodoxe de la rue Daru en cachette, pour ne pas troubler Marie qui aurait pu y voir une trahison de la laïcité de son père. L'enfant avait l'oreille si fine qu'il absorbait la langue comme une mélodie. Ils rentrèrent bras dessus, bras dessous, dans une complicité accrue.

*

Puis Clarisse retomba dans sa mélancolie. L'idée d'appeler Mike ne lui venait pas. On ne téléphone pas à Mars ou à Sirius pour dire que la planète Terre s'est creusée, soudain, d'un trou béant. Rien n'était plus comme avant, même les jours de Pondichéry.

Elle maigrissait, ne se rendait plus à l'Unesco ni à l'Institut Goethe. Elle préférait lire chez elle en regardant de temps en temps la place Paul-Guillaumin.

En mars, les bourgeons apparurent dans les squares et lui rappelèrent l'arrivée de Stéphane, malade, à l'Institut, près de la fontaine où elle étudiait Uwe Johnson.

Marc s'était fâché dès la mi-février.

« Je ne te vois plus, Clarisse, c'est normal. Tu ne fais plus de traductions, admettons-le. Mais je vais avoir besoin de toi comme interprète pour le Conseil, ou bien pour une réunion de remplacement, si la situation politique en France empire. Sors de chez toi. Tu ne peux pas nous laisser tomber. Ton travail est apprécié. Je t'ai donné ta chance, tu t'es imposée, Eudoxie t'attend.

— Tu as raison. Mais c'est dur.

— Nous sommes tous tristes de ce qui t'est arrivé. Je suis particulièrement capable de te comprendre, tu le sais. Mais il faut que tu viennes demain au bureau et que tu recommences à t'entraîner. S'il te plaît. »

Elle acquiesça.

Clarisse retourna docilement dans la cabine d'interprétation muette qu'il lui désigna. Il l'accompagna.

« Je suppose que tu continues à interpréter du russe vers le français ?

— Plus que jamais. »

Il revint cinq jours plus tard l'écouter.

« C'est moins bien qu'avant. Travaille. Voilà les documents préparatoires. Mais il y en a auxquels nous n'avons pas accès, qui sont secrets, qui font circuler toutes sortes de rumeurs. »

Il s'en fut en lui posant un baiser sur le front.

« Tu es blanche comme un linge. Ce n'est pas ici, évidemment, que tu vas bronzer. »

Elle fut heureuse de retrouver Eudoxie. Elles interprétèrent côte à côte dans une atmosphère survoltée, plus politisée que jamais. À la fin de la session, elles déjeunèrent ensemble au septième étage, dans le restaurant chic.

« Clarisse, dit Eudoxie soudain, j'ai été à la gare de Madras, comme tu me l'as demandé, sur le quai du train 6005 pour Mettupalaiyam, et j'ai pensé à toi. Si j'ai bien compris lors de notre dernière conversation, tu avais aimé en Inde un homme dont tu étais séparée et tu continuais d'en souffrir. Avec ton mari, malgré toutes les années passées ensemble, tu n'étais pas heureuse. Que puis-je faire pour toi ?

— Je n'y vois pas clair. La mort de Stéphane me paralyse. Tant qu'il était vivant, l'image de l'autre – il s'appelle Mike – brillait de mille feux. Maintenant...

— Dis-moi la vérité, Clarisse. Ton amant d'autrefois a cherché à te revoir ?

— Comment l'as-tu deviné ?

— Parce que, malgré ton deuil, ta pâleur, ton trouble, tu ne montres plus ta résignation d'autrefois.

— Mike a essayé de me rendre visite à Paris. Il vient de divorcer. Stéphane était déjà très malade. J'ai refusé de le rencontrer. Nous nous sommes écrit. Voilà.

— Téléphone-lui.

— Toi si stricte, si digne, si morale, tu me donnes ce conseil !

— Appelle-le. Ce sera mieux pour tout le monde. Après, si tu veux t'éloigner et travailler, je t'aiderai. Mais appelle-le d'abord. »

Elles finirent leur café sans mot dire.

*

À Pâques, Victor Choukri et sa femme emmenèrent Clarisse et les enfants dans la villa qu'ils venaient d'acheter sur la Côte d'Azur.

Quelques semaines auparavant, à Nanterre, près de Paris, des groupes d'extrême gauche avaient failli jeter le ministre de la Jeunesse et des Sports dans la piscine de l'Université. Ils opposaient la splendeur des nouveaux bâtiments à la misère de la banlieue alentour.

Personne ne prit garde à cette dispute, d'autant plus surprenante que les universités françaises étaient pauvres et ne pouvaient offenser qui que ce soit.

La maison des Choukri était située près de Valbonne, derrière des bois d'oliviers, des cyprès, des haies de thuyas. Les enfants, intimidés et joyeux, bénéficiaient d'un luxe qu'ils n'avaient jamais connu. Clarisse se remémorait Pondichéry.

Elle goûtait le raffinement de ses amis libanais. Les Choukri recevaient beaucoup. Les femmes arrivaient, très parées, élégantes, beaucoup plus avisées que ne le laissaient penser leurs bijoux et la recherche de leurs toilettes. Les hommes réglaient en trois phrases d'arabe des opérations compliquées et se remettaient à discuter devant l'apéritif dans un français aux consonnes adoucies, plaisant à entendre.

Elle pensait à Stéphane. Elle avait l'impression de l'avoir méconnu et en même temps d'avoir décelé mieux que personne une sauvagerie qui venait du fond de la campagne bourbonnaise et n'avait été domptée ni par l'école ni par sa réussite sociale. Elle pensait aussi à Mike. Parfois excédée par elle-même, elle souhaitait n'avoir connu ni l'un ni l'autre. Elle divaguait.

*

Mais il y avait l'odeur des mimosas.

Au début elle n'y avait pas pris garde, toute à ses soucis. Dans le midi de la France, et surtout dans ce jardin abrité, près de la véranda, où Clarisse descendait lire pendant que les enfants se baignaient, il y avait de grands arbustes dont les fleurs jaune vif, rassemblées en glomérules, exhalaient un parfum qui l'avait toujours enchantée.

À son retour en France, lorsqu'elle faisait des études de russe à Paris, les premières branches de mimosa, aux feuilles gris argenté, aux boules odorantes, arrivaient près de Sainte-Marguerite, enveloppées de cellophane, au moment où la ville était grise, terne, usée par le lent déroulement de l'hiver. Clarisse en avait toujours acheté pendant la brève quinzaine où elles se proposaient aux passants. Elle n'ignorait pas que le lendemain, le surlendemain assurément, les petites explosions lumineuses se ratatineraient, perdraient leur ravissante sphéricité. Elle s'en offrait de nouvelles, jusqu'au moment où les rameaux disparaissaient du marché.

Ici, en Provence, près d'elle, l'arbuste bien planté dans une terre favorable, au contraire, ne cessait de répandre ses délicieux effluves comme pour la réconforter, l'assurer de ses goûts, de ses choix, d'elle-même, somme toute.

« Tu m'as été fidèle, disait-il, dans les rues de Paris où gisaient mes pauvres branches, sur des tables de passage, sous les averses ou dans le froid. Moi à présent, je te rends l'amour que tu m'as témoigné et je te livre mon secret de plante éphémère comme toutes les créatures de cette terre.

« Vois, je suis là à nouveau ; c'est le début du printemps, la nature recommence à produire, avec l'apparition de mes fleurs, qui peuvent grimper jusqu'à trois mètres de haut, le plaisir et la joie, ici, ailleurs, partout, quand les conditions leur sont favorables. Elles le sont aussi pour toi, Clarisse, mais tu ne t'en aperçois pas. Tu ne peux éternellement prendre le deuil, parce qu'il n'y a pas une éternité du deuil, mais un mouvement naturel des choses – création, conservation, destruction. Tu le savais en Inde. Tu l'as oublié en Europe, dans le chagrin et la culpabilité. Après la destruction il y a la création, après la mort, il y a la naissance, en toi comme dans le nouvel univers qui paraît lorsque l'autre a disparu. Mon odeur est aussi puissante que ton affliction. Agis! N'hésite pas.»

À la fin de la semaine, elle demanda à Victor si elle pouvait appeler Londres.

«Bien sûr. Vous avez le téléphone dans votre chambre. Quoi que vous fassiez, Clarisse, vous aurez raison. Vous avez certainement encore des amis en Angleterre, vous vous êtes occupée d'enfants anglais en Inde, autrefois, n'est-ce pas?

— Comment le savez-vous?

— Stéphane l'a mentionné en passant. Il n'avait pas l'air d'y attacher d'importance. Moi, j'étais sûr au contraire que cela avait compté. Vous aimez l'Orient. Pourquoi n'avoir pas soufflé mot de celui-là?»

*

Elle téléphona à Mike à son bureau. Elle entendait de sa chambre le tintement des verres, les glaçons, sur les tables roulantes qu'on amenait dans le salon avant le dîner.

Comme autrefois, chez les Barclay.

«C'est toi, Clarisse?» Sa voix n'avait pas changé, chaude, bien timbrée. Sa sonorité l'empêcha de répondre tout de suite. Il demanda: «C'est toi, n'est-ce pas?

— C'est moi.

— J'étais sûr que tu choisirais cette heure, elle est liée à nos souvenirs. Où es-tu?

— Chez mes amis libanais, dans le Midi.

— J'ai vu l'annonce du décès de ton mari dans *Le Monde*. C'est terrible. Je pense à toi, à tes enfants.

— Je n'arrive pas à me remettre, Mike. Pourtant je fais mes cours, j'ai assuré l'interprétation simultanée d'une session de l'Unesco. J'agis comme un automate, sauf la nuit où je me débats contre des monstres.

— Je craignais que tu n'aies pas le courage de me parler.

— Qu'aurais-tu fait ?

— J'aurais attendu, puis je me serais arrangé pour te retrouver, crois-le bien.

— Tu as l'air de considérer que tout ce qui est arrivé pendant ces quinze ans n'a pas existé.

— Plus je t'entends, plus je le crois. Quand puis-je te revoir ?

— Je ne sais pas.

— Souhaites-tu que je revienne à Paris ?

— Non. Ce n'est pas un endroit pour des retrouvailles comme les nôtres. J'y ai trop souffert.

— Comme ils sont doux les mots que tu viens de laisser échapper. Veux-tu venir me rejoindre à Londres, quand tu auras repris des forces ? »

Elle resta silencieuse.

« Venir me voir ne t'engage à rien, Clarisse. D'ailleurs, je n'ai aucun droit. Mais j'ai un besoin dément de te tenir dans mes bras, de parler avec toi, de te sentir près de moi, de goûter à nouveau tout ce que j'ai connu autrefois et que j'ai commis la folie d'abandonner.

— Tu l'as fait cependant de ton plein gré.

— Je l'ai sans cesse regretté. Je n'ai rien vécu de tel depuis, Clarisse, jamais. »

Un frisson la parcourt. « Moi non plus. »

Un silence.

Il reprend : « Répète cela, veux-tu ?

— Moi non plus.

— Je suis trop ému pour continuer ce soir. Je dois aller en Indonésie. J'ai sans cesse différé mon départ, espérant ton appel. Il faut que je parte. Cela te laissera le temps de te reposer, de prendre du recul. Je te téléphonerai dès mon retour. Si tu le veux bien, tu pourrais commencer tes vacances avec moi, en Angleterre. Même quelques jours. Je t'attendrai tout le temps qu'il faudra, Clarisse. Je te suis tellement reconnaissant de m'avoir téléphoné. Je t'embrasse.

— Moi aussi. »

Et il raccrocha.

C'est l'heure de descendre au salon. Clarisse se regarde dans la glace, se maquille.

« Vous avez eu Londres ? demande Victor Choukri quand elle entre.

— Oui, je vous remercie. » Il l'observe avec un soupçon d'amertume. « C'était l'Autre, n'est-ce pas ? » dit-il en lui tendant une coupe sans attendre la réponse.

CHAPITRE 38

PARIS-LONDRES

Juillet 1968

En rentrant de la Côte d'Azur Clarisse tomba malade. Une sale angine qui la jeta au lit. Elle obtint un congé de maladie d'un mois et Mme Jardillier vint s'occuper de la maison.

De toute manière, par un mouvement peu explicable, la France s'arrêta en mai 1968. Les enfants n'avaient plus d'école. Les banques étaient vides, les aéroports fermés, les trains immobiles. Mme Jardillier cherchait des provisions. Elle fut épouvantée quand elle entendit un auto-stoppeur qu'elle prit rue Balzac lui demander de le rapprocher des barricades du boulevard Saint-Germain où il voulait retrouver ses élèves et lancer des pavés avec eux. Son univers d'enseignante s'écroulait.

Le soir même elle suggéra à sa bru de retourner dans le Bourbonnais achever sa convalescence. De toute façon, elle n'aimait pas la capitale qui lui avait, disait-elle, « volé » Stéphane et qui depuis les débuts de l'histoire de France se livrait à des soubresauts inutiles et coûteux. Elles s'en furent donc à l'aube, par un temps radieux, avec l'essence que Victor, toujours ingénieux, leur avait fait déposer. Dès la sortie de Paris elles se trouvèrent dans des prairies remplies de fleurs sous le soleil d'un été comme les autres.

À Moulins, il faisait très beau et il ne se passait rien.

*

Les mois suivants Mike appela Clarisse régulièrement. Avec une discrétion mêlée de tendresse.

En juillet, il l'invita à Londres.

« Quelques jours seulement, je ne veux pas laisser trop longtemps les enfants », avait-elle murmuré. Il n'avait pas bronché, s'était bien gardé d'observer que pendant son existence avec Stéphane, elle avait été de moins en moins chez elle.

Il vint la chercher à l'avion, les yeux pleins d'éclat, dominant la foule des passagers. Il n'avait guère changé, très grand, les prunelles claires, une autorité naturelle. Deux grandes rides qui allaient des narines à la bouche marquaient seules le passage du temps. Ses mains chaudes serrèrent la visiteuse. Lui ! C'était bien lui !

« Tu n'es ni vilaine ni grosse, bien au contraire », dit-il en l'étreignant.

L'appartement qu'il avait loué était tout proche de celui de son grand-père, le docteur Luc Barclay, à Cadogan Square. Il s'agissait de trois pièces au cinquième étage d'un immeuble situé à l'angle de Cromwell Road, auxquelles on accédait par deux escaliers successifs, raides et étroits, d'où le regard pouvait s'élancer jusqu'au Victoria and Albert Museum qu'ils avaient visité ensemble. « Je l'ai choisi en pensant à notre séjour dans ce quartier, à nos chambres contiguës sous le toit chez mes grands-parents. »

Elle n'avait pas répondu. Elle entendait la pluie sur le toit. Elle revoyait leurs corps enlacés, l'arrivée intempestive de Monica, la force de l'amour porté par la tempête. Que ces heures avaient été brûlantes et torrides ! Comme c'était loin !

« Tu dépéris, Clarisse, je vais te nourrir, te soigner. J'ai tout mon temps. »

Elle se laissa faire. La détermination qui l'avait poussée à résister à Stéphane, à écrire le Cahier indien, à venir à Londres pour rejoindre Mike ressemblait à une cathédrale vide.

Le soir, il l'installa dans la pièce à côté de sa chambre. Il lui massa longtemps la nuque et les épaules, effleura son visage, lui posa un baiser sur le front et la laissa s'endormir.

« Je n'ai pas dit aux filles que tu venais malgré leur désir de te revoir. J'ai pensé que nous avions besoin d'être seuls. »

Pendant une semaine ils alternèrent les promenades, les excursions et les restaurants où il la força systématiquement à manger. Il l'interrogea avec minutie sur chacune des années qu'elle avait passées sans lui, lui fit raconter comment elle avait connu Stéphane, pourquoi elle s'était résolue à l'épouser, dans quel esprit elle était restée. Elle lui avoua, par bribes, ses joies, ses peines, l'Institut Goethe, Eudoxie, même Marc. Il la questionna sur les enfants, son enseignement, Victor Choukri, l'appartement. « Je veux tout savoir, tout. » Il s'y reprenait jusqu'à ce qu'elle perfectionne ses récits, qu'elle les pousse aussi loin que possible. Elle ne parvint pas, toutefois, à évoquer le musée Guimet, son manuscrit, la Voie et tut ses pensées sur le suicide de Stéphane. Quand Mike la sentait trop fatiguée, il lui prenait la main en silence.

Le troisième soir il s'allongea contre elle comme au *Fernhill Hotel* et lui fit l'amour avec des précautions infinies, comme s'ils n'avaient jamais couché ensemble, comme si Clarisse n'avait pas connu d'autres hommes et donné le jour à deux enfants. Peu à peu, elle lui répondait.

« Je t'aime vraiment », disait-il.

Il s'arrêtait avant d'avoir fini, pour ne pas la fatiguer. Le week-end ils purent aller jusqu'au bout. La petite chambre se remplit d'éclairs qu'elle ne connaissait plus, de sensations si fortes qu'elle craignait de ne pas les supporter. Puis il l'apaisa, par des gestes légers et par la présence de son grand corps contre le sien.

*

Le lundi, Mike repartit vaquer à ses affaires. Clarisse acheva sa toilette et rangea ses vêtements dans sa valise qu'elle posa à l'entrée. Elle avait parlé à ses enfants qui l'attendaient le lendemain. Puis elle alla le chercher au bureau de Fleet Street dont il lui avait parlé à Paris et s'attarda devant la carte de l'Asie qu'il avait affichée sur le mur. « C'était donc vrai ? — Comment peux-tu en douter ? » Il lui offrit du foie gras et un verre de sauternes au sommet d'un grand magasin voisin.

« Tout à l'heure, je vais aller au British Museum. J'ai envie de revoir les salles que nous avons visitées ensemble. »

Le visage de Mike s'éclaira. Il s'inclina, heureux.

Ils se retrouvèrent à sept heures dans un restaurant indien de Chelsea, mal éclairé comme tous les restaurants indiens. Les serveurs se disputaient, la serviette négligemment jetée sur l'épaule. Mais il flottait sur leurs absurdes querelles l'odeur délicieuse des curry de légumes.

Après qu'ils eurent commandé, il lui prit la main et déclara :

« L'Inde me manque, Clarisse, à un point extraordinaire. Je vis ici depuis des années et je souffre. Même dans une ville aussi attachante que Londres, avec tous ses jardins, ses parcs que nous avons parcourus ensemble, et bien que je sois à demi anglais, je ne me sens pas chez moi. Plus grave, tout me paraît coupé, morcelé, comme l'Europe entière. Mais je ne veux pas retourner en Inde sans toi. Nous nous sommes séparés à cause d'elle. Nous nous retrouverons par elle. Le veux-tu ? »

L'abîme, le magnifique abîme se rapprochait comme autrefois. Était-ce le même ? C'était impossible. Et pourtant la proximité était là, au-dessus de leurs doigts enlacés, comme au *Fernill Hotel*, sur les marches, avant de repartir, entre les collines bleues. Fallait-il oser ? N'était-ce pas une folie supplémentaire après tant d'efforts vers la sagesse ?

À côté d'eux on bousculait des tables. Une famille indienne apparemment de classe moyenne était arrivée. Il y avait le père, la mère, trois fils et leurs femmes, vêtues de saris éclatants et modestes : l'une était enceinte, les autres portaient des enfants, garçons et filles aux yeux maquillés de kôhl.

« J'ai revu les restes du stupa d'Amaravati, Mike. Ils m'ont fait penser à notre amour. Il est fracassé comme eux.

— C'est ta faiblesse qui te fait parler, Clarisse, ton deuil récent. Notre interminable séparation par ma faute. Mais à présent je te veux à mes côtés, avec tes enfants que j'aimerais comme les miens. J'ai la force, les moyens, la foi.

— Tu ne me comprends pas. J'ai en moi une soif de clarté, d'expression, que j'ignorais en rentrant en Europe, et que l'Europe seule peut étancher.

— Tu exagères les vertus de l'Europe.

— Et toi, Mike, tu te confonds avec l'Inde et je ne le supporterai plus. Tu aimes tous les enfants comme tu aimes toutes les femmes. Tu es fait pour séduire les êtres par cette puissance sensuelle et mystique qui t'habite et que n'ont détruite ni la guerre ni le commerce. Tu as trop lu la *Bagavad Gîtâ*. L'Inde t'a sauvé et englouti. Tu n'es plus personne. Ou parfois Arjuna, parfois le divin cocher, le dieu Krishna lui-même.

— Je ne comprends pas ce que tu dis. J'ai grandi

à Pondichéry aux côtés de mes parents. J'ai eu la chance d'être leur élève en même temps que leur enfant. Rien d'autre. J'ai été attiré par toi à Londres la première fois que je t'ai rencontrée. Je t'ai attendue en Inde, dans ma propre maison, sans oser poser les yeux ou les mains sur toi pendant plus d'un an. J'ai lutté contre moi-même. Je me suis éloigné. Puis j'ai compris que nous cherchions tous les deux quelque chose qui nous dépassait et que nous pouvions partager sans nuire à autrui. Je n'ai aucune connivence avec les dieux.

— Tu ne le sais peut-être pas toi-même.

— J'ai tendance à soigner, à consoler, à rassurer, c'est tout. C'est un petit reste de mes ambitions médicales d'autrefois et de l'influence de mon père. »

Il soupira, lui serra les doigts encore plus fort.

« C'est vrai que j'aime les femmes, que la douceur de leurs cuisses, la moiteur de leur sexe, l'opulence de leurs hanches, exercent sur moi un attrait permanent. Je voudrais être assez fort pour remonter en elles jusqu'à l'endroit où elles m'ont alimenté, soutenu, choyé, quand je n'étais qu'un germe humain. Mais de toi seule j'ai pensé : "Elle me comprendra et elle comprendra l'Inde." Mon père, le professeur Mahadevan, étaient étonnés et ravis par tes progrès, par l'ardeur qui t'animait dans les études les plus ardues. »

Une des petites filles de la famille indienne, dans sa robe rouge à fils d'argent, sans culotte, souriait aux anges en agitant les jambes.

« Ne renie pas ce que tu as appris.

— Je n'ai pas désavoué l'Asie, Mike. J'ai même espéré en janvier 1967, quand je n'ai pas trouvé ta carte à la poste restante, me sauver par un retour à la pensée indienne. Mais je ne t'ai pas tout avoué dans ma lettre. Devant la statue de Bouddha qui était dans la bibliothèque du musée Guimet j'ai cru voir, sous les yeux baissés du sage, une invitation à suivre une voie, un parcours spirituel, qui me permettrait de me détacher de toi, de supporter mon existence conjugale, de choyer mes enfants. J'ai entrepris d'écrire les étapes de notre histoire pondichérienne sur un cahier.

« Grâce à mon cahier, je reprenais des forces, des initiatives, des appétits. Je ne savais pas bien l'origine de la Voie, bouddhiste, hindouiste, chinoise. Mais je distinguais des moines asiatiques, dans des couleurs ensoleillées, trottiner sur des routes et me faire gaiement signe de les suivre. Cela m'illuminait.

« À peine avais-je fini mon texte que tu as téléphoné. Stéphane était déjà très malade, il a découvert le Cahier indien. Mon récit a hâté sa fin. Sa mort m'est insupportable.

— Ce n'est pas de ta faute.

— Je suis une Occidentale, Mike, ou je le suis redevenue. J'ai un ego, je ne veux pas le perdre, même si je sais qu'il sera détruit à son heure comme les autres. Je ne veux pas de la roue des réincarnations qui tourne sans cesse, chargée de morts qui n'en sont pas vraiment. Je veux pleurer les miens dans un cimetière de la province française, rempli de fleurs de faïence. Repars en Asie. Je vivrai à Paris, j'essaierai de pousser mes enfants vers le royaume des lettres et des arts, j'approfondirai ma connaissance des langues et des œuvres que je n'aurais jamais dû quitter.

— Tout cela, tu peux le faire près de moi.

— Je sombrerai à nouveau dans tes bras.

— Tu étais jalouse de Monica ?

— Je l'appréciais après des débuts difficiles. Je souffrais pourtant quand je la voyais épanouie par toi autant que moi, je pâtissais de la brièveté de nos voyages, j'avais honte de nos secrets. Tu étais Dieu, vois-tu, et Dieu doit être parfait. Tu ne l'étais pas, et moi, ta dévote, je ne l'étais pas davantage. »

La jeune femme indienne qui était enceinte se leva et passa, majestueuse, assurée, devant eux.

« Promets-moi que tu vas réfléchir, que ce n'est pas un refus définitif. Je suis prêt à rester ici si cela te convient davantage pour ta carrière, pour tes enfants. Il y a des professeurs de piano pour François, le Lycée français pour Marie. Tu pourras enseigner, interpréter, traduire.

— Tu ne me comprends pas. Cela n'y changera rien. C'est une civilisation que je refuse, avec celui qui l'a incarnée. J'ai préparé mon sac. Il est dans l'entrée. Peux-tu aller le chercher ? Je n'ai pas le courage de remonter. Nous avons été si heureux. Je t'attendrai ici. »

Il lui prit les deux épaules par-dessus la table.

« Je te mettrai dans le train suivant si c'est nécessaire, ou je te conduirai en voiture à Douvres. Écoute-moi bien, Clarisse. Tu te punis injustement et tu te méconnais.

« C'est mon tour d'agir. Je suis sûr que je te conviens. Parce que tu es aussi sensuelle qu'intellectuelle, aussi mystique que raisonnable, parce que je t'ai faite femme, et que je continuerai, même si deux enfants qui ne sont pas de moi ont été portés dans ton corps chéri. Je ne te quitterai jamais plus de mon plein gré. Maintenant, je vais chercher ta valise, et, quoi que tu dises, où que tu ailles, je t'attendrai. »

Elle se dégagea. « Repars à Bombay sans moi, Mike. Je n'ai plus la force ou la foi, je ne sais. »

Il lui sourit, mit le doigt sur ses lèvres pour lui demander de se taire.

« L'amour n'est pas qu'une malédiction, il est aussi riche de tous les dons. Où as-tu le mieux utilisé les tiens, Clarisse, qu'en Inde ? Souviens-toi ! »

Il se leva tranquillement et quitta le restaurant.

Quand il revint, il paraissait serein. À la gare, il installa Clarisse dans son wagon et resta près d'elle en lui racontant par la vitre toutes sortes de détails sur Pénélope, qui avait ouvert une salle de gymnastique, et sur Alexandra qui enseignait le dessin et qui allait faire une exposition d'aquarelles. Rien de plus banal, de plus ordinaire. Pourtant, quand le train s'ébranla, il la fixa tendrement, puis il sembla grandir de façon démesurée pendant qu'il lui murmurait : « Je reviendrai. »

Avec l'éloignement, son visage et ses mains dégagèrent la fluorescence bleue de ceux de Krishna sur les images pieuses du Sud, lorsqu'il joue de la flûte pour séduire les bergères. Une teinte céleste qui disparut peu à peu dans la nuit épaisse de la banlieue de Londres. Clarisse soupira, honteuse des hallucinations d'un esprit égaré. Elle interprétait l'Inde à sa façon. Sur ce point, Mike avait raison.

*

Le lendemain, elle prit le ferry à Douvres comme elle l'avait prévu. Il était semblable à celui qu'elle avait emprunté en 1956 pour rejoindre son poste de traductrice à la BBC et cela lui réchauffa le cœur, comme si elle n'avait pas perdu, au cours d'une vie déjà longue, tout l'enthousiasme de sa jeunesse.

Le bateau s'enfonçait, chargé des rares voitures qui lui avaient fait confiance, dans ce bras de mer qui avait autrefois rempli Clarisse d'un sentiment d'infini. En respirant l'air du large, elle sentit se rapprocher ses vingt ans, la vivacité, l'ardeur, qui avaient accompagné sa traversée vers Londres. Elle était alors sans Stéphane, sans les enfants, sans Mike, sans le Cahier indien. Vierge de tout amour sauf celui de sa mère dont l'affection remontait du fond de l'eau vers elle un instant pour disparaître à nouveau dans les flots.

*

Elle décida d'aller prendre un whisky au bar, comme elle s'y était hasardée lors de son premier voyage, rougissante et confuse, à l'amusement du barman. Assise devant son verre, quasi seule, à une solide table vernie encastrée dans le sol, elle était parvenue au point du trajet où l'on ne voit plus, pour quelques instants, ni la côte anglaise ni la côte française. Elle se régala, à petites gorgées, de la boisson qui lui faisait tourner la tête.

« Je suis ivre, pensa-t-elle, il faut que je m'arrête. »

La main levée, les yeux sur l'arrière du ferry, elle resta suspendue entre les deux pays, écoutant le bruit du moteur qui poussait en avant le mélancolique rafiot.

Non, elle ne voulait plus de la métaphysique indienne, ni de cet homme qui l'avait, envers et contre tout, entraînée vers elle. Elle refusait une pensée où tout se mélangeait, se perdait et renaissait sans fin. Elle voulait vivre en Europe et oublier à jamais le Cahier indien qui avait mis au jour les lacunes sous les ivresses de son aventure pondichérienne et l'avait finalement délivrée.

Elle entendit un rire bienveillant et ironique, un rire qui ressemblait à celui du moine trottinant sur la route avec sa sébile qu'elle avait aperçu dans ses rêves quand elle cherchait la Voie. Un rire qui se moquait de ses craintes et qui l'invitait à la suivre avec joie et liberté. Quoi qu'elle décide, l'Inde ou l'Europe, c'était la Voie qui comptait d'abord. La Voie était à elle-même sa propre lumière et elle éclairait tout le reste, même les passions, même la mort. C'était ainsi. Clarisse le comprenait enfin.

« Voilà Boulogne », murmura-t-on derrière elle. Elle se leva pour observer l'arrivée. Le port était encombré. L'usure de tout ce qui le composait donnait aux manœuvres du ferry une lenteur incroyable.

Au moment d'accoster, elle pensa qu'il était sot de laisser son verre à demi plein puisqu'elle avait retrouvé ses esprits. Lorsqu'elle se retourna pour le prendre, elle s'aperçut que le liquide doré était devenu d'un bleu intense qui irradiait tout l'entrepont. « Mike », murmura-t-elle en l'avalant d'une traite et en étreignant sa valise pour descendre à terre.

Composition réalisée par INTERLIGNE

IMPRIMÉ EN FRANCE PAR BRODARD ET TAUPIN
La Flèche (Sarthe).
N° d'imprimeur : [illegible] – Dépôt légal Édit. [illegible]
LIBRAIRIE GÉNÉRALE FRANÇAISE - 43, quai de Grenelle - 75015 Paris.
ISBN : 2-253-14896-2

Composition réalisée par INTERLIGNE

IMPRIMÉ EN FRANCE PAR BRODARD ET TAUPIN
La Flèche (Sarthe).
N° d'imprimeur : 2585 – Dépôt légal Édit. 3237-06/2000
LIBRAIRIE GÉNÉRALE FRANÇAISE - 43, quai de Grenelle - 75015 Paris.
ISBN : 2 - 253 - 14896 - 2

31/4896/2